UNA MÁS

Jennifer Bernal

Primera edición: abril de 2021
ISBN: 979-87-34-70915-3
Depósito legal: GU 47-2021
Fotógrafa de la cubierta: Noelia Fernández
Modelo de la cubierta: Alba del Fresno
Impresión y encuadernación: Amazon Kindle Direct Publishing

Por todas las mujeres que han sido, o son, una más.

*Teníamos dos opciones,
estar calladas y morir o hablar y morir,
y decidimos hablar.*

Malala Yousafzai

Prólogo

El sol se cuela por las rendijas de la única ventana que tiene mi habitación. Está amaneciendo. Ante mis ojos visualizo la combinación perfecta de colores morados, que después pasan a rosa y, finalmente, casi de forma instantánea, el cielo se tiñe de naranja. Todas las mañanas me quedo pasmada mirando al infinito, pensando en las personas que están más allá de la línea del horizonte, intentando encontrar el sentido de la vida. Imaginar que mañana los colores del cielo serán diferentes es lo único que me anima a pensar que no todos los días son iguales. Mi vida ha cambiado drásticamente desde que llegué aquí. Nunca sé si es miércoles o jueves ni lunes o martes. No sé en qué mes vivo, aunque quizá lo mejor sea no pensarlo. Las primeras semanas que pasé en este lugar luchaba a diario por llevar la cuenta de los días que habían transcurrido desde mi llegada, pero después de tanto tiempo encerrada todo se confunde. A veces ni siquiera sé quién soy cuando me miro al espejo. Necesito que esta pesadilla en la que estoy atrapada ponga punto y final; sin embargo, cuando todo parece acabar, siempre vuelven los puntos suspensivos, prolongándose cada vez más. Miro el reloj y giro la cabeza hacia la puerta en busca de Lizzeth. Aún no ha regresado. Aunque normalmente suele llegar antes que yo, parece ser que esta noche su turno se ha alargado más de lo debido. No sé si conseguiré mantenerme despierta hasta que aparezca por la puerta. Estoy agotada. Me desvisto lentamente, sin apenas fuerzas en las piernas, dejando al descubierto mi ropa interior. El mejor momento del día llega ahora, cuando se acaba el trabajo y puedo dedicar tan solo un momento para pensar en ella, en la luz que ilumina mi camino y me mantiene cuerda entre estas cuatro paredes. Estoy tan cansada que estos segundos, una vez más, pasan a ser efímeros. Como humo en el cielo. Como hielo en el mar. Apago la luz. Me meto en la cama. Deslizo mi cuerpo por las sábanas desgastadas y percibo un pequeño hilo de claridad que se filtra por debajo de la puerta, pero la habitación entra en penumbra rápidamente. Noto como mis párpados comienzan a cerrarse poco a poco...

PUM. Me despierto sobresaltada. ¿Qué ocurre? La puerta se abre bruscamente, pero no es Lizzeth. Tras unos instantes intentando reconocer cuál es el rostro que se esconde tras la silueta negra que ha conformado la luz del pasillo descubro que ¡ES EL BULL-DOG! NO, NO, NO. Viene directo hacia a mí. Me arrincono en la esquina superior de la cama, agarrando mi almohada con fuerza y tapando mis desnudas piernas con las sábanas. Sus ojos están clavados en los míos. Parece que se le van a salir de las órbitas. Está totalmente desatado. Tengo miedo. Mucho miedo. Intento que no se percate de que estoy a punto de estallar a llorar, pero ya es demasiado tarde. No puedo evitar que las lágrimas comiencen a salir a borbotones y recorran mis mejillas descontroladamente. Sin apenas darme cuenta, el brazo del Bulldog se enreda en mi cuello y me intenta tumbar en la cama. Pongo todas mis fuerzas en impedir ese movimiento, pero con el otro brazo me agarra fuertemente del pelo hasta que consigue que caiga rendida. Rápidamente me deja desnuda, bajándome las bragas y arrancándome el sujetador lencero. Me inquieto. A pesar de que procuro moverme con mis propias manos, no consigo escapar. Inmediatamente recibo una patada en la boca que me hace caer al suelo. Pero... ¿qué está pasando aquí? Estaba tan concentrada en escapar de las manos del Bulldog que no había sido consciente de la presencia del Obispo en la habitación. Noto, rápida y agresivamente, como su pene entra dentro de mí. En apenas unos segundos la vagina me empieza a escocer y un gran dolor en mi interior se apodera de la poca fuerza que me queda, dejándome desfallecer.

—Por favor, ¡para! Por favor te lo pido —le suplico dando patadas al parqué y tratando de quitármelo de encima.

—¡Cállate, puta! —dice El Obispo mientras me da un bofetón y disfruta de mi cuerpo sin consentimiento—. Como pronuncies una palabra más te juro que mato a tu hija. ¿Me has escuchado bien? Así que cierra la puta boca, que calladita estás más guapa, ¡mora de mierda!

Me quedo inmóvil con sus palabras. El tiempo se paraliza ante mí y la mirada se me nubla. Les escucho hablar como si estuvieran muy lejos, pero lo cierto es que no pueden estar más cerca. «Cógela en brazos. Tú por delante y yo por detrás», oigo sin saber descifrar quién da la orden. Me pongo nerviosa. El Obispo saca su maldito pene de mi interior y me levanta del suelo sin apenas hacer esfuerzo. Se sienta en mi cama y me alarga el brazo para arrastrarme con él. Estoy abierta de piernas y completamente desnuda encima suya. Mis pechos casi pueden tocar su cara de pervertido. Me mueve de arriba para abajo con sus... ¡AHHHHH! Chillo de dolor. El Bulldog acaba de introducir su miembro en mi ano. Esto es insoportable. Rompo a sudar y comienzo a notar un ligero mareo. Me azota en el culo. Me vuelve a azotar. Cada vez con más intensidad. Siento un escozor tan terrible por todo mi cuerpo que apenas puedo hablar. Solo consigo emitir algunos gemidos ahogados en mi propio llanto. Me aprietan los pechos casi haciendo contorsionismo. Sus posturas no me hacen un favor. Es como si una tijera me estuviera cortando por dentro. Sacan sus dos penes a la vez —¡qué alivio!—, se ponen en pie y me obligan a arrodillarme ante ellos.

—¡Ahora te toca a ti! —Me coloca la mano en su pene—. Con esta a mí y con la otra al Obispo.

Acepto su petición.

Los mareos cada vez son más frecuentes, casi no consigo mantenerme en equilibrio. Deslizo mis manos verticalmente, casi al mismo ritmo, y veo como se besan entre ellos. ¿Qué? No sé si estoy alucinando o está pasando de verdad. Solo sé que quiero que se vayan y esto termine de una vez. Me siento ahogada. La respiración me falla y no puedo dejar de jadear. El Bulldog me exige que le haga una felación.

—¡Chúpamela! —exclama con cara de sádico.

Comienzo a bajar y me sorprendo con que hay restos de mis propias heces. Me entran arcadas, voy a vomitar. Me empieza a dar vueltas la cabe...

Sé que estoy despierta, pero no puedo abrir los ojos, pesan demasiado. Me duele todo el cuerpo, hasta lo que jamás pensaba que podía doler. ¿Qué me ha pasado? ¿Por qué me siento tan mal? Bastan dos preguntas para recordar lo que sucedió antes de perder la consciencia. Me encojo, asustada, y miro alrededor de la habitación. Estoy sola. No veo ni al Bulldog ni al Obispo ni tan siquiera a Lizzeth. Vuelvo a echar una ojeada, más pausada, por si se esconden en algún lugar, pero no hay nadie. Me quedo absorta mirando hacia abajo y encuentro restos de sangre entre las sábanas. Miro detenidamente mi cuerpo totalmente desnudo y estoy ensangrentada por todas partes. Me siento sucia, por fuera y por dentro. No puedo evitar sentir asco. ¿En quién me he convertido? No me reconozco. Me avergüenza pensar en cómo me comporté anoche. He perdido mi identidad, he perdido a mi familia, he perdido todo lo que tenía... Todo excepto mi propia vida, aunque, siendo sincera, tampoco ha sido nunca del todo mía.

Capítulo 1
SAMIRA
Hassan

3 de marzo de 1996

La llamada al rezo, amplificada por los altavoces que envuelven la ciudad, irrumpe en mi habitación y me despierta de inmediato. Normalmente me desperezo unos minutos antes para estar totalmente preparada; sin embargo, hoy he debido quedarme dormida. Este embarazo me está matando. Todos los días siento dolores bastante intensos en la zona estomacal y llevo unas semanas en las que me encuentro hinchada, me muevo con dificultad y los vómitos son muy frecuentes a lo largo del día. El médico me ha dicho que no tengo de qué preocuparme, que el embarazo se está desarrollando con normalidad y que todo está perfectamente, pero no paro de hacerme preguntas constantemente a mí misma porque mis embarazos anteriores no han sido así. Con Suhaila descubrí que venía de camino a los cuatro meses y todo fue bastante tranquilo hasta que nació; y con Jaul y Abdel me encontraba más cansada de lo habitual, pero nada fuera de lo común. Así que no comprendo qué es exactamente lo que sucede, pero no me encuentro muy bien.

Me levanto como puedo y salgo de casa directa al patio a coger agua para purificarme antes del rezo. En mi país no tenemos agua corriente, o al menos en mi barrio, tampoco he salido mucho más allá, salvo para ir a comprar a la Ciudad Vieja. Solo sé que nací en Saná, la capital de Yemen, y que desde entonces vivo en la misma casa. Mis padres murieron muy jóvenes, cuando yo aún era pequeña. Fui hija única, me casé y la casa heredada pasó a ser propiedad de mi marido. Vivimos en un barrio humilde de Saná y, aunque no es de los más pobres ni de los más necesitados de la capital, no podemos conseguir agua de otro modo que no sea a través de la cisterna. Utilizamos el agua para cocinar y lavarnos una vez a la semana y tenemos que tener cuidado en no malgastar una gota, porque nos tiene que durar cuatro meses para toda la familia. Me agacho hasta el suelo, sujetando mi enorme barriga, cojo un pequeño cuenco para poder sacar el agua y me dirijo de nuevo a la casa. Comienzo lavándome la cara y los brazos, desde las muñecas hasta los codos. Mojo una parte de mi cabeza con la mano y lavo mis pies hasta los tobillos. Estoy lista. Me dispongo a rezar. Levanto mis manos hasta la altura de las orejas y pronuncio Allahu akbar en voz baja. Coloco mi mano derecha sobre la izquierda entre el pecho y el ombligo y miro fijamente al frente, como cada vez que rezo, musitando la oración.

Al cabo de unos minutos el rezo ha finalizado. Es hora de despertar a Suhaila. Mi primera hija, la única niña en la familia. Tiene que prepararse para ir al colegio. Es todo un orgullo para mí que pueda estudiar y tenga la oportunidad de un buen futuro fuera de Yemen. Cada día me levanto muy ilusionada porque sé que va a aprender cosas nuevas, conseguir ser alguien en la vida y perseguir sus sueños. Con el paso del tiempo he descubierto que si no estudias estás perdida y que la escuela es la única vía para salir de la pobreza y de los pensamientos tan anticuados que tienen aquí. Ojalá yo hubiera podido estudiar. Ahora no sería una ignorante, sin saber leer ni escribir. Tan solo sé hablar y a veces tampoco puedo hacerlo porque mi marido me lo prohíbe. Por eso deseo que Suhaila sea una mujer libre, que cruce las fronteras, que pueda vivir por sí misma y sea feliz. Quiero que haga siempre lo que ella desee y nunca siga los deseos de otros. La esclavitud encadena la mente y el corazón, así que lo único que pretendo es que mi hija conozca el verdadero significado de la palabra libertad, porque creo que no hay nada más duro que vivir sabiendo que ya estás muerta. Me dirijo hacia la habitación donde duerme y la despierto con un beso en la frente. Enseguida se remueve y me dibuja una de sus sonrisas. Suhaila es una niña muy alegre. Gran parte de su belleza son esos ojos verdes azulados que destacan por encima de su brillante piel morena y su largo cabello. Por no hablar de la bondad que encierra en su interior. Eso sí que brilla. Mientras que Suhaila se viste, le preparo el desayuno, el mismo de todos los días: pan con crema de chocolate. ¡Cómo le gusta el dulce! Compro pan una vez a la semana y lo distribuyo para que podamos desayunar todos los días. Justo acabo de coger el último trozo. Eso significa que hoy tengo que ir a comprar más pan y alguna cosa extra para poder comer la semana que viene. Tengo arroz, patatas, huevos y especias. Comprando tan solo algo de verdura creo que será suficiente para toda la semana.

—¡Suhaila! —la llamo desde el salón—. Ya está listo tu desayuno, ¡ven rápido o llegarás tarde! —A veces pierde la noción del tiempo mirándose al estropeado espejo del baño para ponerse guapa. Que si un coletero rosa, que si otro azul, otro verde... ¡Hay que ver lo que le encantan los colores y lo coqueta que es!

Tras llamarla dos veces, por fin aparece por la puerta. Nada más ver sus tostadas se sienta en la alfombra. Hoy, además de los coleteros, ha añadido al peinado un par de horquillas que le regaló su mejor amiga la semana pasada. ¡Vaya! ¡Pero si también se ha puesto unas pulseras! Esta chiquilla... La vuelvo a mirar y me hace sonreír. En estos momentos estoy feliz. Feliz de verdad. Intuyo que va a ser un buen día. Le he mentido a Farid contándole que no había comida y me ha dado permiso para ir al mercado del centro de Saná, aunque tengo que estar de vuelta como máximo en una hora. ¡Por primera vez en meses voy a poder salir a comprar sola! Sola. Yo sola. Lo repito sin parar. No me lo puedo creer. No tengo permitido salir de casa sin él. Solo puedo hacerlo en su compañía. Siempre espero a que vuelva de la comisaría de policía para que me acompañe, pero él casi nunca está en casa. Suele pasar horas y horas en el trabajo o fumando qat con sus amigos, lo que dificulta que pueda ir a comprar cuando lo necesito. Ha habido días incluso que los niños no han podido comer porque no podía salir de casa. ¡Pero hoy por fin puedo hacerlo y la emoción me invade todo el cuerpo!

Suhaila ya ha terminado de desayunar. Deja el plato y las sobras de pan sobre la alfombra y se pone la chaqueta rápidamente. Solo tiene diez minutos para llegar al colegio antes de que comiencen las clases. ¡Menos mal que está cerca! Le doy unos cuantos besos antes de coger su mochila del salón y un «Adiós, mamá» la separa de la puerta. Miro las migajas de pan que se mueven por todo el salón debido a la corriente, pero decido recogerlas a la vuelta de la compra, no vaya a ser que mi marido cambie de opinión y no pueda ir al mercado. No es la primera vez que sucede. Me pongo el burka, muy atenta de que no quede ninguna parte de mi cuerpo al descubierto, y cojo a Abdel y Jaul para dirigirnos al mercado, que se han despertado hace nada y aún están adormilados. Jaul tiene más de dos años y ya anda; sin embargo, a Abdel lo tengo que llevar en brazos. A pesar de que hace poco cumplió un año y ya ha dado sus primeros pasos, aún es pronto para que pueda andar tan rápido como su hermano.

—Veinte minutos y llegaremos, ¿de acuerdo, chicos? —Los abrigo bien para que no cojan frío y cierro la puerta con llave. Una, dos y tres vueltas. No quiero que entren ladrones y, si lo hacen, que al menos no lo tengan fácil.

Aunque el cielo está completamente azulado, el aire parece que te corta la piel. A veces odio vivir a dos mil metros de altitud, porque el viento de las colinas sopla fuertemente por cada esquina y te congela hasta el alma; pero otras miro al horizonte, veo la montaña del profeta Shu'ayb y pienso en lo afortunada que soy de poder tener estas vistas cada día. Me encanta salir de casa y pasear por Saná. Para mí es una ciudad preciosa. Me fijo en sus edificios de adobe, esa arquitectura de barro que tan bien nos define a los yemeníes. Las vecinas se asoman por sus ventanas y los primeros pucheros del día ambientan las calles. Es muy temprano aún, pero la gente lleva ya varias horas despierta. Mientras unas mujeres hacen la comida para sus maridos, otras lavan la ropa que se ha ensuciado durante la semana, para después poder tenderla y que se seque con el sol del mediodía. Las abayas cuelgan de enormes cuerdas exteriores, goteando en la tierra y marcando un reguero hasta el final de la cuesta, a la vez que los niños salen corriendo de sus casas, con sus mochilas en las espaldas y salpicándose los pies de agua. Avanzo un poco más, giro a la derecha y llego al corazón de Saná: la Ciudad Vieja, así llamamos aquí al centro. Aunque todos los edificios mantengan la misma arquitectura, la particular esencia que tiene este lugar en concreto es inconfundible con el resto de Saná. Rodeada por muros de arcilla desgastados por el paso del tiempo, sus calles lucen un especial atractivo a los turistas europeos y americanos, a quienes ves pararse en cada intersección mostrando su identificación a los soldados de la zona. El interior lo conforman altos edificios con techos planos y grandes ventanas, decorados con tallados en color blanco. «Me encantaría que mis hijos pudieran vivir en una casa así», pienso casi en voz alta. Lo más seguro es que pertenezcan a gente con dinero. Con mucho dinero. A veces las apariencias engañan, pero esta vez creo que estoy en lo cierto. Estas casas no pueden ser de cualquiera. Nosotros nunca podríamos vivir en un lugar como este. Tendremos que conformarnos con tener al menos un techo con el que poder taparnos de la lluvia y el frío. En Yemen tan solo unos pocos tienen la riqueza, el resto sobrevivimos como podemos. Dentro de lo que cabe, somos afortunados de poder ver el sol cada día. Hay otros que no han podido llegar al siguiente amanecer. Avanzo dos pasos más y me sigo impresionando como el primer día con la entrada al bazar. Es como respirar nuevos olores, redescubrir los colores y vivir en un mundo totalmente distinto. Uno de mis lugares favoritos es el Suq al-Milh, el Mercado de la Sal. Siempre que vengo a comprar aquí me acerco y echo un ojo. En este mercado, además de sal, se pueden comprar especias, frutos secos, algodón ¡y hasta plata! Hay cosas que no nos podemos permitir, pero mirar es gratis y alegrar la vista nunca viene mal. Además, ¡debajo del burka nadie sabe quién soy! Puedo tener mucho dinero o ser muy pobre, entonces los vendedores me tratan igual que al resto.

Camino por las callejuelas en busca de la tienda de verduras y el olor a pan atraviesa los pequeños agujeros que me permiten respirar. Por fin hoy podremos comer pan recién hecho después de una semana comiéndolo duro. Compro cinco y ¡aún me queda dinero para un par de verduras! El día está saliendo redondo. Me pregunto si la gente podrá palpar a través del velo lo feliz que me siento por dentro. El olor de los hornos desaparece y descubro el de la madera y el hierro quemándose. Herreros y carpinteros trabajaban en la misma calle y pasar por ella se hace complicado por el hedor que desprenden los materiales que utilizan. Las mujeres más afortunadas entran a las joyerías en busca de un nuevo capricho que estrenar, mientras que las más desdichadas venden los últimos recuerdos de quienes han fallecido para poder dar de comer a sus hijos. Al fondo vislumbro lo que vengo buscando, pero una terrible punzada en la zona baja del vientre me detiene en seco. Mis hijos me miran preocupados, aunque, rápidamente, trato de tranquilizarlos diciéndoles que estoy bien. Hago varias respiraciones profundas e intento caminar. Parece que se ha calmado bastante y continúo andando con normalidad. Tras dar cuatro pasos más, vuelvo a sentir dolor. Esta vez más intenso que la anterior. Me detengo y, al querer moverme de nuevo, ya no tengo fuerzas para avanzar. Miro hacia el suelo y veo un charco enorme. No comprendo qué está pasando. Dejo a Abdel en los brazos de Jaul.

—Cógelo... —le advierto—. Có... cógelo... fuerte, no... no... no lo sueltes —digo con la voz entrecortada, mientras acomodo a Abdel.

Estoy nerviosa. No tengo a ningún conocido cerca de mí que pueda ayudarme y mis hijos pequeños están conmigo. ¿Y si les pasa algo por mi culpa? La bolsa de los panes se me resbala de las manos y cae al suelo. La Ciudad Vieja está rodeada de gente que me mira adivinando que algo no está bien, pero no puedo pedir ayuda. No puedo hablar con nadie. Si Farid se entera me pegará una buena paliza. Ahora estoy embarazada y no quiero que mi bebé sufra ningún daño. ¡No puedo permitírmelo! Aún tengo la herida que me hizo hace unos meses en la espalda. No pienso soportar que toque a ninguno de mis hijos.

—Disculpe señora, creo que se ha puesto de parto. —Me sorprende por la espalda una mujer que no debe tener más de treinta años.

Empiezo a sudar y todo el cuerpo me tiembla. Una mujer me está hablando. No estoy preparada para esto. ¿Qué hago ahora? Por un momento dudo si responder, pero rápidamente desaparece la idea de mi cabeza. «No puedes hacerlo, Samira», me repito sin parar. La mujer sigue mirando mi túnica en busca de una respuesta. Noto sus ojos fijados en los agujeros de mi burka, intentando descifrar el mensaje en mis ojos. Aparto la mirada hacia el suelo. No puede ver quién soy.

—Señora, ¿está usted bien? —me vuelve a preguntar.

Me pongo muy nerviosa. Solo quiere ayudarme y yo no soy capaz de responderle. Cada vez tengo más dolores y no puedo mantenerme recta. Comienzo a encorvarme y la mujer me toca el hombro. Mi voz sale a la luz sin que la pueda controlar.

—Yo... no se preocupe. Estoy bien —le explico en voz baja sonando poco convincente y apartándome del contacto con su mano—. Gracias. —¿Quién se ha creído que es para tocarme?

—Su marido no se va a enterar de que ha hablado conmigo. —Me mira seriamente.

¿Cómo? Esa respuesta me deja descolocada, no la esperaba. Me quedo callada sin saber qué decir. ¿Cómo sabe que no quiero hablar con ella por si alguien nos ve y se lo dice a mi marido? Qué extraño.

—Por favor, déjeme ayudarla. Podrían complicarse las cosas si se queda aquí parada —insiste—. Hágalo por el bebé que tiene dentro.

Sus palabras me tocan el corazón. Hassan no se merece esto.

—Está bien, ayúdeme. —Cedo ante su proposición. Tampoco tengo otra opción. Realmente necesito ayuda.

—Voy a avisar ahora mismo a mi marido, que está en la zona de la herrería y la llevamos al hospital. —Parece preocupada por la situación.

—No, no, no. —Niego con la cabeza—. Yo no voy al hospital. Mi marido prefiere que mis partos sean en casa —le explico tímidamente.

—Vale. La llevaremos entonces a su casa. Como le decía, voy a buscar a mi marido, espérese aquí. No se vaya. Tardo cinco minutos. Todo va a salir bien. —Una sonrisa se esboza en su rostro.

En cierto modo, la desconocida me tranquiliza. Suspiro. Espera un momento... ¿Jaul? ¿Abdel? ¿Dónde están? ¡Ya Allah! ¡No he prestado atención de ellos mientras hablaba con la mujer! Soy una madre horrible. Solo me preocupo de mí misma. La inquietud recorre mis venas cada vez con más intensidad. Miro por todos lados y no logro localizarlos. ¿Dónde se habrán metido? ¿Y si se los ha llevado alguien? ¿Un secuestro? No, no, no. No puede ser. ¿Los han secuestrado de verdad? No puede ser. ¿En qué estaba pensando para no estar con ellos cuando más me necesitaban?

—¡Hola, mamá! —Escucho cerca de mí.

Es Jaul. Ufff. ¡Qué susto! ¡Están justo enfrente de mí! ¿Cómo no los he visto antes, si he pasado por ahí la mirada varias veces? Vuelvo a sentirme aliviada y tranquila a pesar del intenso dolor.

—Me he sentado aquí con Abdel porque estaba cansado de estar de pie —me avisa desde el batiente de enfrente.

Me acerco hasta ellos con pasos minúsculos, inspirando por la nariz y exhalando por la boca. Tan solo he caminado tres metros para cruzar la calle, pero parece que he estado corriendo un día entero. Aún así, todo merece la pena por estar cerca de mis hijos. Los minutos de espera se me están haciendo eternos. De repente caigo en la cuenta de lo que me ha dicho la mujer. «Creo que se ha puesto de parto». «Creo que se ha puesto de parto». «Creo que se ha puesto de parto». La cabeza me va a estallar. Estaba tan pendiente de no hablar con nadie que no he escuchado sus palabras. ¿Cómo voy a estar de parto? ¡Solo estoy embarazada de siete meses! Es imposible. No puede ser. Aún quedan dos meses para que nazca nuestro pequeño, Hassan. Así le llamaremos. El padre de Farid, que falleció tan solo hace un año, se llamaba Hassan, así que nuestro hijo llevará con orgullo el nombre de su abuelo. Al principio, cuando me lo propuso mi marido, no me gustaba demasiado, me parecía muy antiguo, pero ahora me he acostumbrado a él y no puedo pensar en otro nombre para nuestro bebé que no sea ese. El día que Farid se enteró de que iba a ser padre de otro niño creo que fue de los más felices de su vida. No quería tener más hijas. Estaba completamente seguro de que sería un niño y confirmárselo fue para él una bendición de Allah.

Me desespero porque la mujer sigue sin llegar. Tengo que llegar pronto a casa para preparar la comida y limpiar las migas de pan del salón. Farid solo me ha dejado salir una hora y si llega a casa y no estoy se enfadará muchísimo conmigo. Intento tranquilizarme y autoconvencerme de que todo estará bien. «Cuando lleguemos a casa, Jamil nos visitará y comprobará que el embarazo sigue su curso. Yo podré hacer vida normal hasta que nazca Hassan y conseguiré preparar la comida a tiempo. No hay nada por lo que preocuparse», me digo a mí misma mientras espero impaciente. A lo lejos veo llegar a la desconocida con su marido en el coche. Es de color oscuro y, a simple vista, aparenta estar bastante sucio. Me ayudan a subir a la parte trasera del vehículo y ellos mismos suben también a los niños. La mujer me pregunta la dirección de mi casa y me pide si le puedo guiar hasta ella. La escasa conversación se apaga nada más arrancar. Unos minutos después veo la puerta de mi querido hogar. Me bajo del coche encorvada y doy las gracias a la pareja por haberme ayudado. Sin su apoyo probablemente seguiría rabiando de dolor en cualquier calle de la Ciudad Vieja. Llamo a la casa de enfrente, donde vive Jamil, para explicarle lo que acaba de suceder.

—Vamos rápidamente a tu casa. Se te ha roto la bolsa amniótica —dice con cara de asombro—. Deja a los niños con mi madre. Ella los cuidará.

Le miro sorprendida, sin entender muy bien qué pretende decirme. ¿Bolsa amniótica? Este hombre utiliza palabras muy raras..., pero no quiero quedarme con la duda.

—¿Qué narices es eso?

—Para que me entiendas, la bolsa amniótica es una especie de saco que rodea al feto. Su función es proteger al bebé, de modo que cuando se rompe queda desprotegido y cualquier golpe puede provocar lesiones al niño.

—¿Hassan está desamparado ahora mismo? —le pregunto.

—Con esto quiero decirte que el niño puede nacer en cualquier momento. —Esto no puede estar pasando—. Podría ser ahora mismo o dentro de doce horas, pero me atrevería a decir que no va a tardar mucho —me explica mientras caminamos hacia mi casa.

O sea, la mujer llevaba razón. ¡Estoy de parto! Ya Allah... Farid me va a matar.

—Pero Jamil, ¿cómo es esto posible? En la última revisión que hicimos hace una semana me dijiste que estaba de siete meses y que aún quedaban dos para que naciera el niño. —Estoy atónita.

—El bebé se ha debido adelantar. Hay ocasiones en las que puede ocurrir. —Y me ha tenido que tocar a mí. Qué mala suerte tengo, de verdad—. Este tipo de partos se llaman prematuros. Solo los sufren el 20% de las mujeres embarazadas y suelen ser de riesgo.

—¿Cómo que de riesgo? ¿Hassan va a tener problemas? ¿Va a nacer muerto? —Tengo todo tipo de preguntas que hacerle.

—Hay probabilidades de que el bebé pueda tener complicaciones. —Trago saliva varias veces, intentando asimilar la noticia, pero no puedo evitar sentir un nudo en la garganta y romper a llorar.

—No voy a mentirte, Samira, sabes que siempre me gusta ir con la verdad por delante. Tenía que contarte las posibilidades que hay de que esto suceda, pero tampoco vamos a adelantar acontecimientos. Primero vamos a examinar cómo va todo, seguro que al final es solo una tontería, no te preocupes. —Me tumba en el suelo del salón procurando tranquilizarme.

Jamil es el médico familiar. No hemos ido nunca al hospital porque él es nuestro vecino y disponemos de su ayuda siempre que la necesitamos. Su madre, Delila, es mayor que yo, pero toda la vida hemos vivido al lado y tenemos una relación muy cercana, casi familiar. Antes de Jamil, Haidar, su padre, era nuestro médico de confianza. Falleció hace un par de años, justo cuando Jamil terminó de estudiar medicina. Recuerdo aún cuando era pequeño. Siempre soñaba con ser como su padre. Y así fue. Logró cumplir su sueño gracias a una beca en el extranjero. Él le ha dado la vida a Jaul y Abdel, y ahora también se la va a dar a mi próximo hijo. Me emociono pensando en esto.

—Ya he avisado a Farid —me cuenta Jamil—. Le he pedido que venga lo antes posible, que Hassan viene en camino y vamos a necesitar que esté aquí para poder echarnos una mano. Me ha dicho que justamente hoy tiene mucho trabajo, que no sabe cuando podrá llegar, pero no te preocupes, no tardará en venir y podrá estar contigo durante el parto. —Parece angustiado.

Me siento sola. Nadie de mi familia está a mi alrededor. Tan solo tengo a Jamil en estos momentos tan difíciles para mí. Los dolores son cada vez más fuertes, hasta el punto de llegar a ser insoportables. Quiero esperar a que llegue Farid, pero, al cabo de unos minutos, Jamil me avisa de que no podemos demorarnos más. Le suplico con mis ojos algo más de tiempo, pero me niega con la cabeza. Somos conscientes de lo que puede significar retrasar el parto y ambos nos miramos sabiendo que ha llegado el momento. Jamil me pide permiso para levantar la parte bajera del burka. Pienso en Farid. Seguro que no le haría ninguna gracia, pero este es un momento especial. Ya me lo he quitado en otros partos y nunca ha dicho nada. No creo que en esta ocasión le importe. Además, no está aquí para verlo. Cuando vuelva todo habrá terminado, porque estoy segura de que llegará cuando Hassan ya haya nacido, como ha hecho siempre con sus otros hijos. Las contracciones no cesan. Llevan más de una hora aumentando su frecuencia, su duración y la intensidad. Me estoy enfrentando a los peores dolores de mi vida. Esto es inaguantable.

—¡Ya le asoma la cabeza! —Levanta la voz y me coloca para el parto.

Estoy acalorada. Parece que tengo las manos mojadas y las gotas de sudor no paran de recorrer mi frente.

—¡Vamos, Samira! En unos minutos, Hassan estará entre tus brazos. Cuenta conmigo. Uno. Dos. Tres. Cuatro. Cinco. Seis. Comenzamos de nuevo. Acuérdate de soltar el aire lentamente por la boca —me dice.

Tres. Cuatro. Uff. Ahhh. Grito de dolor. Cinco. Sei... Ahhh. Vuelvo a gritar. Uno. Dos. Tres. Comienzo a empujar. «Al ser más pequeño que mis otros hijos le costará menos salir», pienso. Cuatro. Cinco. «Venga, Samira. Dentro de nada esto terminará», me habla mi voz interior.

—¡Empuja todo lo que puedas, Samira! —me anima mientras utilizo toda mi fuerza para conseguirlo—. ¡Continua! ¡Vamos! ¡AHORA NO PUEDES PARAR!

Me agarro a la manta que tengo debajo de mí para recargar y alcanzar más fuerza. Empujo. Sigo empujando.

—¡Falta muy poco, Samira! ¡Lo estás haciendo genial! ¡Sigue así! ¡Vamos! Estamos a punto de conseguirlo —dice entusiasmado.

En estos momentos no pienso en nada más que no sea empujar. Empujar. Empujar. Empujar. Empujar. Y volver a empujar. Todo está pasando demasiado rápido, pero a la vez muy lento. La boca se me está secando de tanto esfuerzo, pero de repente noto como mi barriga se desinfla. Abro los ojos y la preocupación en la cara de Jamil hace saltar mis alarmas.

—¿Qué pasa, Jamil? ¿QUÉ PASA? —le pregunto desesperadamente y casi ahogada.

—No sabría decirt...

—Por favor. ¡Dímelo! —Estoy histérica.

—No respira.

Capítulo 2

SAMIRA

La herida

3 de marzo de 1996

Jamil coloca a Hassan en posición horizontal con la cabeza hacia arriba y, tras unos segundos de reanimación cardiopulmonar, voltea su cuerpo y mete por su minúscula nariz una especie de pipeta que le permite limpiar las fosas nasales. Es la primera vez que veo algo así. Seguidamente hace lo mismo con la boca. Observo como salen a la luz sustancias blanquecinas y pegajosas de su interior. No tienen muy buena pinta. Su pequeño cuerpo está completamente cubierto por un manto gelatinoso de color amarillo. Jamil no deja de intentar salvarle la vida, mientras que las maniobras aún continúan. Sus manos se mueven de arriba hacia abajo encima de su pecho. Comienzo a sentir mareos y el invierno se cuela en mi piel, provocándome desagradables escalofríos. El salón se queda en silencio y, cuando ya casi habíamos perdido la esperanza, se escucha el llanto de Hassan. Tengo el corazón desbocado.

—¡SAMIRA! —Inclino el cuerpo todo lo que puedo—. ¡Respira, respira, respira! ¡Hassan respira! Oh, querido Allah. Gracias por este milagro. —Le da palmaditas en la espalda.

Jamil se emociona y yo no puedo contener las lágrimas. Los mareos desaparecen y las ganas de abrazar a mi pequeño se multiplican. ¡Lo ha conseguido! Jamil siempre consigue todo lo que se propone. No sé de qué me sorprendo. Estaba tan asustada que no sabía si iba a salir bien. Las dudas en estos momentos son inevitables. Hassan está llorando desconsoladamente y la felicidad no me cabe en el pecho. Esto es una buena señal.

—Hay que tener mucho cuidado con él durante los próximos meses —me advierte Jamil—. Que sea prematuro aumenta las posibilidades de cualquier infección. Tenemos que estar atentos a todos sus movimientos. Aquí no disponemos de incubadoras para cuidados especiales como en otras partes del mundo, de modo que lo tendremos que hacer en casa lo mejor que podamos —me explica resignado—. Creo que la opción más óptima es aplicar la técnica de la madre canguro, que consiste en sostener a Hassan completamente desnudo en la parte central del pecho para que entre en contacto con tu piel. Por supuesto, esto lo tienes que combinar con la lactancia materna. La alimentación también es un cuidado básico para el crecimiento de este pequeñín. —Le toca su pie derecho.

Ambos sonreímos bajo una mirada de tranquilidad.

—Por supuesto, Jamil. Haré todo lo que me digas para que Hassan crezca sano y fuerte —le aseguro—. No importa el esfuerzo que tenga que dedicarle. Por mis hijos lo que haga falta...

—Creo que debes disfrutarlo tú. —Se acerca y pone a Hassan sobre mí.

Cojo en brazos por primera vez a mi cuarto hijo. Es una sensación indescriptible. Como si tuviera entre las manos un diamante muy frágil y mi deber fuera protegerlo siempre. Le miro y no puedo dejar de llorar de alegría, emoción y orgullo. Has demostrado ser un niño muy fuerte y valiente logrando respirar. «Mi pequeño Hassan», le susurro cerca de la cara. Acaricio la punta de su nariz con las manos y sigo mirando sus ojos, esta vez más de cerca. ¿Cómo se puede querer tanto a una cosa tan pequeña y vulnerable en cuestión de minutos? Me has devuelto la felicidad que tanto añoraba.

—Me voy a quedar unas horas más por aquí, por si hay algún problema que no haya que esperar hasta que venga de nuevo, y a partir de mañana también vendré frecuentemente para revisar cómo va todo. Me tenéis siempre que me necesitéis, ya lo sabes —me ofrece una vez más su ayuda.

—No sé cómo voy a poder agradecerte todo lo que acabas de hacer por nuestra familia. —Tiemblo mientras termina de darme puntos para cerrar la herida que ha provocado el parto.

Mi hijo está vivo. Esto es un auténtico milagro. Cuando me he levantado amanecía siendo un día normal para mí y unas horas después me he puesto de parto. Un imprevisto que ha cambiado mi vida por completo. Hace tan solo unos minutos creíamos que el niño había nacido muerto y ahora está acurrucado en mi regazo.

La vida no ha podido hacerme mejor regalo que este. Suspiro y sonrío por dentro. Observo con delicadeza cada zona del rostro de Hassan. Sus prominentes ojos me miran como si estuvieran descubriendo algo nuevo. Aunque él no lo sepa, debajo de esta tela negra que me tapa la cara, se esconde la sonrisa más sincera del mundo. La de una madre enamorada de su hijo. En cuestión de segundos, se queda dormido. Coloco bien su irregular cabeza entre mis brazos, creando con ellos una especie de cuenco para poder encajarlo y que así se sienta más cómodo. La toco suavemente y puedo notar lo blanda que es. ¡Tengo tanto miedo de hacerle daño! Su cuerpo es realmente pequeño y ahora mismo está muy débil. Un pequeño golpe podría ser letal. No debe pesar más de un kilo y medio, estoy segura. Jamil termina de darme los puntos y me pide de nuevo permiso para poder quitarme completamente el burka y enrollar al bebé junto a mis pechos. Acepto. Me quito el burka sin pensar en las posibles consecuencias y dejo mi cuerpo al descubierto. Una larga sábana blanca nos mantiene más unidos que nunca. Mi hijo y yo. Sin importar nada más. No podría explicar lo que siento en este preciso instante. Contactar directamente con su piel es una de las mejores sensaciones del mundo. Siento el latido de su corazón muy cerca del mío, más acelerado de lo normal. Un sonido extraño busca salir de su pecho. Miro a Jamil preocupada. «Solo está respirando», me dice para restarle importancia. La puerta principal de la casa se abre. Es Farid. ¡Qué alegría! Por fin ha llegado. Va a conocer a su nuevo hijo.

—¿QUÉ COJONES ESTÁ PASANDO AQUÍ? —pregunta Farid cargado de odio. No esperaba esta reacción—. ¡Estás casi desnuda! ¿Te parece esto normal?

Me asusta. El corazón se me encoje cada vez que se acerca a mí.

—He tenido que hacerlo para el part... —No me deja terminar la frase. Recibo una bofetada antes de poder explicárselo todo.

—¿Y mi comida? ¿DÓNDE ESTÁ MI COMIDA? —Está a punto de pegarme de nuevo, pero se contiene.

—Hola, Farid. ¿Cómo estás? —le pregunta Jamil, tendiéndole la mano para iniciar conversación—. He sido yo el que le he pedido que lo hiciera. El niño necesita cuidados especiales para poder sobrevivir los siguientes meses, como si siguiera en la barriga de su madre. Ha nacido muy temprano y si no seguimos ciertas indicaciones las cosas pueden complicarse —le explica Jamil.

—No te culpes. ¡Todos sabemos que mi mujer es una furcia! ¿Verdad, Samira? ¡Mírala! No vale para nada más que tener hijos —me dice mientras me escupe en la cara. Jamil se queda boquiabierto—. Si no te hubiera dejado salir de casa, ¡no te habrías puesto de parto! Soy demasiado bueno contigo y mira cómo me lo agradeces. ¡Dándome problemas!

Limpio su saliva con mi mano, dejo a Hassan en la alfombra y me tapo de nuevo con mi burka.

—Menos mal que has tenido un niño. Si vuelves a tener una niña más te juro que la mato. Y a ti después. Con vosotras dos en casa ya tengo más que suficiente. ¡No te imaginas la deshonra que me causa Suhaila! ¡AL MUNDO LE HACEN FALTA MÁS HOMBRES Y MENOS MUJERES! —grita enfurecido.

El salón se queda en completo silencio. Me siento avergonzada de la actitud que ha tenido mi marido. Jamil comienza a recoger todas las cosas que ha utilizado para el parto y cuando le intento ayudar, Farid detiene mi mano.

—Me tengo que marchar, ya es tarde. Mañana volveré de nuevo. —Se despide de ambos mientras coge sus cosas.

Lo veo salir por la puerta y un ataque de pánico se apodera de mí. No quiero quedarme a solas con él. Pronto va a anochecer y todas las mujeres yemeníes sabemos lo que significa la oscuridad. Me siento desprotegida sin mis hijos. Suhaila, Jaul y Abdel están con Delila. Me ha prometido cuidar de ellos hasta que todo se estabilice, pero les echo de menos. Necesito verles correteando de un lado para otro, poniendo la casa patas arriba y dándole vida a este triste hogar. La electricidad aún no ha llegado a nuestro barrio, por lo que tenemos que seguir acostándonos al atardecer y levantándonos con las gallinas. Quiero que este día se termine cuanto antes. Necesito descansar. Me dirijo a la habitación sin hablar con Farid. Cualquier palabra mal pronunciada puede hacer saltar la chispa. «Callada estoy mejor», repito en mi cabeza la frase que siempre me recuerda. La tenue luz del sol desdibuja el pasillo y veo como Farid viene directo hacia mí. Actúo como si nada estuviera pasando, pero procuro dejar apoyado a Hassan cuanto antes en la alfombra. Conozco esta situación. De repente, siento sus húmedas manos sobre mi cuello. Un día más me aprietan. Un día más intento quitármelas de encima, pero se resisten. Una patada en las nalgas me hace caer al suelo. Coge mi cabeza con una mano y con la otra me da un puñetazo en el ojo izquierdo. Pierdo directamente la visión. Su mano se desliza muy deprisa por mi cuerpo. Otro puñetazo estalla en mi barriga. Mi respiración me está ahogando. El último puñetazo lo siento muy cerca de los puntos. Me destroza, pero el grito de dolor se queda en mi garganta sin poder salir al exterior. Farid se levanta y abandona la habitación. Me quedo tirada en el suelo. Hago el amago de recuperar mi postura, pero es imposible. Arrastro mi cuerpo débilmente por la alfombra para conseguir agarrarme a la ventana y poder levantarme. Tras unos minutos desesperanzadores consigo llegar a la meta. Miro hacia atrás, con la vista medio nublada, y lo que veo me deja en estado de shock. En la alfombra hay un río de sangre que he formado con mi propio cuerpo. Los puntos han saltado. La herida se ha vuelto a abrir.

Capítulo 3

SAMIRA

Hándicap

8 de enero de 1997

Han pasado diez meses desde el nacimiento de Hassan y las cosas no están saliendo como esperaba. Cada vez está más debilitado y yo aún no me he recuperado del parto. Sé que algo pasa, pero Jamil no quiere decirme nada. Todas las mañanas viene a casa a hacerle más y más pruebas al niño y se las manda a un amigo suyo para que las analice; sin embargo, los resultados nunca llegan. Me preocupa que pueda pasarle algo grave que no logremos controlar. He observado que su comportamiento no es como el de sus hermanos. No me gusta hacer comparaciones porque cada niño es diferente, pero mis anteriores hijos con casi un año ya andaban y Hassan apenas puede moverse. Cuando le pongo a gatear sus brazos están demasiado flácidos y se desploma nada más entrar en contacto con el suelo. Las piernas se le ponen rígidas al intentar que se mantenga de pie y sus manos nunca consiguen abrirse al completo. «¿Qué te pasa, hijo mío?», me pregunto cada día. Llaman fuertemente a la puerta, como si de algo urgente se tratase. Pienso un segundo en quién puede ser. Me levanto y noto un ligero cambio de visión que me provoca un extraño tambaleo. La pared me sirve de sujeción. No es la primera vez que me pasa algo así. Desde el parto, los mareos son muy asiduos y la cabeza me duele diariamente. Pregunto quién es antes de abrir la puerta. Es Jamil. ¿Qué hace aquí tan temprano? Se supone que tenía que venir dentro de dos horas.

—Samira... tenemos que hablar. Tengo las pruebas de Hassan —me dice mientras sostiene unos papeles en la mano derecha.

El corazón me da un vuelco. Nos dirigimos al salón, tomamos asiento y la mirada alarmante de Jamil me desespera.

—Hassan tiene parálisis cerebral —afirma cerrando los ojos y apretando los dientes.

No tengo ni idea de que es una parálisis, pero no suena nada bien.

—¿Qué es eso? —Me encojo—. ¿Es una enfermedad muy grave verdad? —Sabía que algo no iba bien. Lo sabía.

—Samira... —Me abraza.

No puede ser. Esto no puede ser verdad...

—¿Se va a morir? —pregunto atemorizada levantando mi cabeza de su hombro.

—De momento no, pero no sé cuánto podrá aguantar.

Me tapo los ojos con las manos. ¿Cómo puede estar pasando esto? Mis hijos son lo único bueno que la vida me ha dado. ¡No puedo perder a uno de ellos! Es muy injusto que tengan que morir los más inocentes. Me entran ganas de vomitar.

—Siento no habértelo dicho antes. Quería comprobarlo y estar seguro al cien por cien. No podía conformarme con los resultados de solo dos pruebas, por eso he venido cada día, con la esperanza de que hubiera sido un error. Pero no ha sido así. En todas ha salido positivo —me explica afligido—. Voy a estar a vuestro lado siempre, Samira. Haré todo lo posible por Hassan, es como un hijo para mí, pero tienes que tener en cuenta donde vivimos.

—¿Y no existe cura para su enfermedad? —pregunto.

—Lo único que podemos hacer ahora mismo es ayudarle a mejorar su fuerza practicando ejercicios, confiando en que sus músculos se vuelvan más robustos y pueda al menos caminar con ayuda de un andador, y cuando sea mayor trabajaremos en el habla —me explica—. Pero sin ti no puedo hacerlo. Tú me vas a ayudar a conseguirlo. Vas a estar presente en todas las sesiones. Ya verás lo mucho que te alegrarás cuando veas que tu hijo va mejorando —asegura mostrando felicidad.

Esbozo media sonrisa. Hacía mucho que no lo hacía. La risa me provoca más ganas aún de vomitar. Intento disimularlo, no quiero que Jamil se dé cuenta. Si algo le caracteriza es su bondad. Siempre quiere lo mejor para la gente de su alrededor y si adivina qué me ocurre querrá examinarme. Ahora es momento de estar pendiente del pequeño de la familia, yo estoy estupendamente. Le miro. Parece que no se ha dado cuenta. Perfecto. Pienso de nuevo en las mejoras que me ha propuesto para Hassan. No olvido que mi hijo está enfermo, pero poder ver su evolución y poner mi granito de arena para su recuperación me hace la madre más feliz del mundo. Doy una arcada y me trago lo poco que había expulsado. Introducir de nuevo mi propio vómito me hace vomitar sin poder evitarlo.

—¿Estás bien, Samira? —me pregunta Jamil.

¡Ya Allah! ¡He manchado la mitad de la alfombra! ¿Cómo voy a quitar ahora todo esto? Con un pañuelo de tela que llevo siempre metido en el bolsillo retiro el vómito restante de mi boca.

—Sí, sí. Tranquilo. Voy a limpiar este desastre —digo mirando al suelo.

El olor es tan desagradable que tengo que taparme la nariz. Cojo un trapo húmedo y empiezo a restregar lo más rápido que puedo. No quiero que apeste toda la casa. Jamil me mira mosqueado. Seguro que está pensando que me pasa algo.

—¿Te ha sentado algo mal?

—Creo que no. Hoy no he desayunado y ayer tampoco cené… no sé de qué puede ser —le miento fijando la mirada hacia abajo.

Mi respuesta parece no convencerle. La verdad es que he sonado poco creíble.

—Samira, ¿cada cuánto vas al baño? —El interrogatorio continúa.

Me sorprende esa pregunta. ¿Qué tiene que ver eso ahora? No me gusta cuando se pone tan pesado queriéndolo saber todo.

—Pues… no sabría decirte, pero mucho menos que cuando estaba embarazada. Siempre solía ir más de diez veces al día y ahora como mucho voy dos —le respondo.

—¿Y no te resulta extraño ese cambio tan drástico? —me vuelve a preguntar.

—La verdad es que no me he parado a pensar en eso, pero no te preocupes, de verdad. En unos días los vómitos desaparecerán y estaré bien —digo quitándole hierro al asunto.

—Samira, claro que me preocupo. Dime, ¿has notado algo raro después del parto? Estas preguntas pueden ser claves para saber si todo está correcto. Piensa en lo que te ha pasado estos últimos meses y respóndeme con sinceridad, por favor. —Me mira asustado.

Me pongo seria.

—Desde que di a luz, casi a diario, me mareo y me duele mucho la cabeza.

—¿Nada más? —Apunta lo que le digo en una libreta desgastada.

—Y... bueno, a veces también me cuesta respirar, sobre todo cuando estoy tumbada —le explico.

Automáticamente saca de su mochila un bote transparente de color amarillento y otro más delgado de color rojizo.

—Quiero que vayas ahora mismo al baño y al menos eches unas gotas de orina aquí dentro. —Me da el bote de color amarillo—. Y también te voy a sacar sangre. Estas pruebas se las mandaré hoy mismo a mi amigo, del que siempre te hablo, y en unos días tendremos los resultados.

—Me estás asustando, Jamil. ¿Qué ocurre?

No responde, pero con solo mirarle ya sé que algo va mal. Jamil es de esas personas que expresa todo a través de su mirada. No sé qué me pasa, lo que tengo claro es que no estoy preparada para otro fatídico diagnóstico. ¿Por qué soy tan desgraciada? ¿Y si por haberme callado solo he conseguido que las cosas hayan empeorado? ¿Debería habérselo dicho antes? ¿Por qué soy tan estúpida? Decenas de preguntas se amontonan en mi cabeza y solo puedo pensar en las palabras que Farid me dice siempre que hago algo mal. «No vales para nada». Lleva razón. No valgo para nada. No sé traer al mundo a un bebé sano. No sé cuidar de los demás. Ni siquiera de mí misma. Me empiezo a agobiar. Lo más difícil de todo esto es la incertidumbre que provocan los silencios vacíos.

—Por favor, contéstame —le pido.

—No lo sé Samira, pero esto no pinta nada bien —me dice posando su mano sobre la mía.

Capítulo 4

SUHAILA

Mamá

23 de mayo de 1997

¡Hoy es mi cumpleaños! ¡Cumplo cinco años! Me hago mayor, pero no estoy tan contenta como debería. Mamá lleva meses sin poder moverse y cada vez está más delgada. No me gusta verla así. Está como apagada, sin fuerzas. Ya no es la misma que era. Ahora nunca me despierta con un beso en la frente ni me prepara para desayunar pan con crema de chocolate. Ni siquiera mi dulce favorito cada viernes: Bint al-Sahn, una especie de tarta bañada en miel que me encanta. Ahora soy yo quién le da de comer, la aseo y le pongo guapa con mis coleteros y pulseras. Mi padre me asignó la tarea de cuidarla cuando enfermó. Él nunca está en casa y como soy la mayor de todos mis hermanos, tengo que hacerme cargo de ella. De todos modos, aunque él no me lo hubiera ordenado, yo hubiera cuidado de mamá igualmente. Ella para mí lo es todo. Siempre ha estado a mi lado y este es el momento de que le devuelva todo el cariño que me ha dado desde que nací. A pesar de tener tan solo cinco años, sé hacer muchas más cosas de las que mi padre cree. Él siempre dice que soy una inútil, pero no es así. Sé preparar algunos platos típicos y también lavar la ropa. Mamá me enseñó a «valerme por mí misma». Siempre me repetía esas palabras. Antes de que dejara de poder moverse, íbamos juntas a todas partes y me enseñaba todo lo que ella sabía: primero lo hacía ella y luego me pedía que repitiera sus pasos. Y así fue cómo aprendí algunas de las muchas cosas que sé. Muchas niñas de mi edad no saben hacer nada de esto, pero a mí me gusta mucho saber más cosas que el resto.

Termino de prepararle el desayuno y me dirijo al salón. Mamá se encuentra incorporada, con dos cojines detrás de la espalda y pegada a la pared. Una manta envuelve su esquelético cuerpo, aunque los pies quedan al descubierto. Los arropo para que no se le enfríen. Aunque ya hace bastante calor, siempre me dice que tiene mucho frío. Debe estar destemplada. Observo su mirada y la noto triste. El velo de color negro hace que su piel aún esté más blanca. Le acaricio la mano y sus brazos se abren en busca de un abrazo. Siento el latido de su corazón muy cerca de mi nuca. Me encanta esta sensación. Podría pasarme toda la vida abrazada a ella. ¡Toc, toc! El sonido de la puerta nos separa. Últimamente se pasa más tiempo abierta que cerrada, porque todos los días viene alguien a verla. Me levanto para abrir y recibo con una sonrisa a Jamil.

—Buenos días, pequeña, ¿cómo estás? ¡Felicidades a la chica más guapa del mundo! —Me pega un buen achuchón—. He traído esto.

—Gracias, Jamil —le agradezco—, pero no era necesario.

Miro el paquete que me acaba de dar sin saber qué hay en su interior.

—¿Es para mí? —le pregunto sorprendida.

Afirma con la cabeza. Parece un regalo. Nunca antes me habían regalado nada. La caja es redonda y viene envuelta en un papel rojo. Estoy muy emocionada y ahora mismo solo me apetece gritar de la ilusión, pero me contengo y lo despego despacio para no romperlo. Me parece precioso. Lo guardaré para jugar con él o decorar mi habitación. Abro la caja y... ¡NO ME LO PUEDO CREER! ¡Es Bint al-Sahn! ¡Para mí! Le doy un enorme abrazo.

—Muchísimas gracias. ¿Cómo sabías que es mi favorito? —le pregunto.

—Alguien me lo ha chivado. —Se ríe—. ¡Corre! Ve a la cocina, coge un cuchillo y corta un trocito. Mientras, yo le daré a mamá las medicinas que le tocan hoy.

Sigo sus indicaciones. Me alejo del salón y miro a mi madre sabiendo que ha sido cómplice de ese regalo. Me devuelve la sonrisa. Solo ella y yo sabemos entendernos tan bien. Estoy muy agradecida. Podría decir que es el mejor regalo del mundo, pero mentiría. El mejor sería que mamá se recuperara de su enfermedad y fuéramos felices otra vez juntas. Jamil me intentó explicar hace unos meses lo que le sucedía y por qué estaba siempre tan débil.

—Eres muy pequeña aún, Suhaila, pero creo que te mereces saber qué mamá está malita —me contó—. Su enfermedad tiene un nombre muy raro que no hace falta que te aprendas, pero necesita que la cuides. El gran amor que le das hará que ella se recupere más rápido.

Ese día me explicó muchas más cosas, aunque no entendí ni la mitad. Como decía Jamil, era demasiado pequeña todavía. Quería crecer y entender todas las cosas de las que hablaban los mayores. También recuerdo que me contó que esa enfermedad hacía que mi madre tuviera la tensión alta. No sé qué significa tener la tensión alta, pero sé que no es bueno.

Pruebo la tarta. ¡Está buenísima! Corto dos trozos más: uno para mamá y otro para Jamil. Tienen que probarla. Me dirijo de nuevo al salón, con los dos platos en la mano y con cuidado de no tropezarme. A veces soy un poco patosa.

—Toma, mamá, te he traído un trocito de tarta. Está muy, muy, muy buena. Te va a encantar. —Se la parto en trocitos para que le sea más fácil comérsela—. Para ti también hay, Jamil. Te la he dejado en la alfombra.

—Muchas gracias, Suhaila. Veo que te ha gustado. —Se ríe—. Mamá ahora no puede ingerir alimentos. Primero debe tolerar la medicina que le acabo de dar, pero dentro de un rato sí podrá comérsela.

Lleva razón. Aún hay que esperar para que mamá pueda probar la tarta, pero estoy deseando que se coma aunque sea un trozo. La devuelvo de nuevo a la cocina y cojo otro pedazo para mí. ¡Es que está buenísima! Mientras que Jamil está con mamá, friego en un barreño los platos y tazas que ensuciamos anoche. Con un poco de agua y restregando con los dedos consigo quitar los restos de comida. Menos mal que hay pocos, porque ¡odio fregar! Los dejo secando en el suelo. Escucho de fondo a Jamil. No sé qué está diciendo, pero creo que me está llamando. Seco mis manos y salgo al pasillo para poder escucharle.

—¡SAMIRA, SAMIRA, SAMIRA! —grita.

Corro a toda velocidad por el estrecho pasillo, casi chocándome con las paredes. ¡Es mamá! Está tumbada en el suelo. Con los ojos cerrados.

—¡Vete! —me ordena, pero me quedo inmóvil—. ¡SUHAILA! ¡Vete a tu habitación, por favor! ¡Y no salgas hasta que yo vaya a buscarte! ¡Vete! —Esta vez si le hago caso.

Nunca he visto tan enfadado a Jamil. ¿Qué habrá pasado? Mamá estaba bien hace unos minutos. Estoy asustada. Corro hacia la habitación y me meto dentro. Tengo grabada en la mente su imagen tumbada en el suelo. Quiero estar a su lado. Los minutos sin respuestas se me hacen muy largos. Doy mil vueltas por la alfombra, me levanto, ando de lado a lado, pero el tiempo sigue pasando y nadie me saca de aquí. Necesito salir de la habitación y volver a estar entre los brazos de mamá. Escucho golpes y voces que no sé de dónde vienen ni de quienes son. Tengo miedo. Muchísimo miedo. Parece que los monstruos con los que sueño cada noche están justo ahora mismo a mi lado. Estoy impaciente.

—MAMÁÁÁÁ —la llamo, pero no obtengo respuesta.

—MAMÁÁÁÁ —la vuelvo a llamar.

Lloro. Lloro muchísimo. Me duele la cabeza de tanto llorar. Rebusco entre los cajones de un viejo mueble y, en una caja de metal, donde guardo mis cosas importantes, encuentro una foto de mamá. ¡Qué joven! ¡Tenía la cara súper gorda! Sigo mirando la foto y al deslizar la mirada... ¡Ya Allah! ¡Estaba embarazada! ¿De cuándo será esta foto? ¿Estaría yo ahí dentro? Abrazo con fuerza la fotografía y me doy cuenta de que ya no se escuchan ruidos. La casa se ha quedado completamente en silencio. ¿Dónde estará Jamil? ¿Seguirá aquí? Una sombra tapa la luz que entra por mi ventana. Me asomo disimuladamente al exterior y lo veo. Está hablando con mi padre. ¿Por qué ha venido tan pronto hoy de trabajar? Bueno, la verdad es que ni siquiera sé qué hora es. La noción del tiempo cuando estás encerrada sin hacer nada es totalmente diferente a la realidad, pero probablemente lleve varias horas aquí. Parece que se han olvidado de mí. Decido salir de la habitación sin hacer ruido, pero nada más poner un pie en el pasillo me encuentro con Jamil.

—¿No te he dicho que no salieras hasta que yo fuera a buscarte? —grita enfurecido.

—Sí, pero...

—¡No hay peros que valgan! ¡Vuelve a tu habitación! —exclama.

Justo cuando voy a darme la vuelta veo algo extraño. ¡Es mamá! Está envuelta con una manta hasta el cuello. Parece una momia. Me río por dentro. Sonrío a Jamil, haciéndole pensar que voy a obedecerle. Cuando me deja en la habitación y sale por la puerta corro a abrazar a mamá.

—¡Mamá, por fin puedo verte! —grito contenta—. ¿Mamá, estás bien? —Le toco la cara y está más fría de lo habitual.

—¿PERO QUÉ HACES, SUHAILA? —Me aparta Jamil—. ¡Estás siendo una mala chica hoy! ¿A qué se debe este comportamiento? Con lo buena que eres tú... Pensaba que me ibas a hacer caso.

—¡Déjame quedarme con mamá! ¡Quiero estar con ella! —le suplico.

—No puedes, Suhaila. —Me coge en brazos.

Empiezo a patalear.

—¡SUÉLTAME! ¡MAMÁÁÁÁ! ¡MAMÁÁÁÁ, dile que me suelte! ¡Quiero estar contigo! —la llamo desesperadamente.

No puedo escapar de sus manos. Sigo gritando, pero nadie me hace caso ni siquiera mi madre. ¿Por qué todos me ignoran? Casi a rastras me saca al patio donde también está mi padre.

—¿Qué le ha pasado a mamá? ¿Por qué no me responde cuando le hablo? —les pregunto.

Ambos se quedan en silencio varios segundos, hasta que por fin Jamil me responde.

—¿Recuerdas la enfermedad que tenía mamá? —me dice con la voz encogida.

—Claro que la recuerdo.

—Pues verás, esa enfermedad se ha ido alimentando poco a poco del cuerpo de tu madre y...

—No te andes con rodeos, Jamil —le interrumpe papá.

Clava su mirada en mí. Sus ojos verdes y su ceño fruncido me miran cargados de odio.

—Suhaila. Tu madre ha muerto. Como eres una listilla sabrás qué quiere decir esto, pero por si no lo sabes esto significa que no volverás a ver más a «mamá», como tú la llamas. —Sus burlas no me hacen ninguna gracia—. Ahora viviremos juntos tú y yo. Verás qué divertido va a ser. —Se ríe mientras mastica un poco de qat.

Me quedo sin saber qué decir. Mamá... ha... muerto... No me atrevo a pensarlo una segunda vez. Una ráfaga de viento llega inesperadamente. Me encojo de hombros y miro hacia el suelo. Rompo a llorar, como si me acabasen de robar mis juguetes favoritos y supiera con certeza que no voy a poder recuperarlos. En estos momentos comprendo a lo que se refieren los mayores cuando hablan de dolor. Yo pensaba que era ese escozor que sentías cuando te caías al suelo jugando con tus amigos y te raspabas las rodillas, pero esta presión en el pecho me asegura que no es así. La puerta de la casa está abierta y al fondo puedo verla. Nunca olvidaré mi quinto cumpleaños. Aún no me puedo creer que no vaya a verte nunca más, mamá.

Capítulo 5

SUHAILA

Centro de rehabilitación

11 de abril de 1998

Hace casi once meses que enterramos a mamá. Es increíble lo rápido que pasa el tiempo. Aún no me acostumbro a no verla cada día. Ella era el pilar que sostenía los cimientos de esta casa y el día que se fue, quedó derrumbada por completo, conmigo dentro cubierta de escombros. A nadie más de la familia parece importarle que mamá ya no esté a nuestro lado. El pobre Hassan no es consciente de nada de lo que pasa y mis otros hermanos, Abdel y Jaul, aún son demasiado pequeños para entenderlo. Preguntan por ella alguna vez, sobre todo por las noches, y saben que esa mujer que antes estaba en casa ya no está, pero nada más. Ha habido días, incluso, que han creído que yo era su madre y me da una pena tremenda tener que mentirles en algo así. Y bueno, mi padre... qué voy a contar de él. Cuando la enterramos lo pasé muy mal. Creo que ese día siempre me perseguirá y se convertirá en una pesadilla que jamás podré olvidar. Farid cree que no me duelen las cosas porque dice que soy una niña, pero aunque apenas tenga seis años he vivido tanto en tan poco tiempo que parece que tenga más.

Desde el día en el que mamá se marchó no he vuelto a ir al colegio. Recuerdo los días posteriores a su muerte. Mientras la velábamos vino muchísima gente a casa a despedirse de ella, algunos conocidos y otros que nunca antes había visto. Estaban atónitos con la noticia: Samira había muerto. Su gran Samira. Mi gran Samira. Si soy sincera, nunca creí las palabras de mi padre. Pensaba que estaría dormida y despertaría en cualquier momento. Por eso pasé todo el tiempo a su lado, acariciándole su fría mano y esperando a que abriese los ojos de nuevo. Pero ese momento nunca llegó y fui consciente de que todo era real cuando mi padre me prohibió ir a enterrar el cuerpo de mamá, otra vez con la excusa de que era muy pequeña. Estaba harta de escucharle decir lo pequeña que era, en cambio, parecía suficientemente mayor cuando debía cuidar a mis hermanos y hacer las tareas de la casa. Al volver del entierro, mi padre habló conmigo.

—¡Suhaila! Ya estoy en casa. Ven, tengo que contarte varias cosas —me dijo con una voz muy dulce, algo impropio en él.

Salí de mi habitación, la cual se había convertido en mi mayor refugio desde que mamá no estaba, y me dirigí hacia el salón, donde me esperaba sonriente.

—Dime, padre.

—Como ya sabes, Samira ya no está para limpiar y cuidar de los niños. Ahora tendrás que encargarte tú porque eres la única mujer que tenemos en la casa —me explicó.

—Pero... ¿cómo voy a hacer todo eso mientras voy al colegio? ¡No me va a dar tiempo! —le pregunté confusa.

—No te preocupes, Suhaila. Es muy sencillo: dejarás de ir al colegio y así podrás cuidar todo el día a tus hermanos, hacer la compra y, por supuesto, la comida. Cuando yo venga tiene que estar todo preparado —expuso.

¿Cómo? ¿Dejar de ir al colegio? Me negué.

—Pero, padre, solo he ido unos meses y mamá me dijo que...

—¡ME DA IGUAL LO QUE TE DIJERA ESA DESGRA-CIADA! ¿Está ella ahora aquí? ¡NO! Así que harás lo que yo diga y ¡SE ACABÓ! No quiero más quejas de niña pequeña. Tu madre te tenía demasiado consentida, pero conmigo no vas a tener tanto libertinaje. El que manda en esta casa soy yo y ¡me obedecerás si no quieres que las cosas vayan a peor! —me dijo gritando—. Ahora vete a la cocina y prepárame algo de cenar, tengo el estómago vacío y necesito reponer fuerzas.

Asentí. No podía responderle o me pegaría, como hacía con mi madre. Alguna vez los había escuchado mientras creían que estaba dormida y al día siguiente veía a mamá intentando ocultar las heridas que le había hecho. Empecé a sentir los ojos mojados. No quería llorar, pero pensar en el colegio me ponía muy triste. Mi propio padre me estaba quitando la oportunidad de estudiar y de volver a ver a mis amigas y profesoras. Recordé todas las veces que había hablado con mamá de ir a la escuela. Ella me contaba que allí aprendería muchísimas cosas, que sería una niña muy lista y me darían una beca para estudiar en el extranjero, como a Jamil. Sería maestra, médico, bailarina, cantante... lo que yo quisiera ser. Añoro la energía con la que me lo decía. Se le iluminaban los ojos cuando hablábamos del futuro. Aquel día, esos sueños fueron solo un cristal golpeado que acababa de romperse en mil pedazos, imposible de reconstruir. Pensé que ojalá, mamá, siguiera viva, así podría seguir yendo al colegio. Solo espero algún día ser la mitad de buena de lo que era ella. Con eso me conformo.

—¡Suhaila! ¿Cuánto te falta? ¡Tengo hambre! —me reclamaba desde el salón.

A la cena le quedaba poco. Había cocido arroz que era bastante sencillo de hacer y estaba friendo pollo. Creía que sería una buena cena. Seguro que a padre le encantaba y dejaba de estar enfadado conmigo. Lo único que quería era que nos apoyáramos los unos a los otros, como una familia normal. Yo sabía que mi padre me quería, aunque a veces se pusiera tan agresivo conmigo. Era su hija, ¿cómo no me iba a querer? Lo que pasaba es que era una persona rara y diferente a mamá, pero ahora era el momento de estar todos juntos. Mamá querría vernos felices y unidos. Serví el arroz en un plato, el pollo en otro y lo llevé al salón. Puse un pequeño mantel, una bandeja de pan en el centro y me senté en la alfombra. Mi padre cogió un puñado de arroz con una mano y un trozo de pollo con la otra. Miré su cara sonriendo, esperando que le gustase lo que había cocinado.

—Puaj, ¡qué asco, joder! El arroz está durísimo. ¿ESTO ES LO QUE TE HA ENSEÑADO TU MADRE? ¡Vaya mierda de cena! ¡No sabes hacer nada, maldita Suhaila! —voceó enfurecido—. Haz arroz de nuevo y esta vez lo pruebas para comprobar que no está duro. Me avergüenza que seas mi hija... ojalá nunca hubieras nacido.

Meses después recuerdo esas palabras otra vez y duelen como si me clavasen agujas en la piel. Ese día hice arroz de nuevo, tal y cómo me ordenó, y desde entonces nunca más me ha vuelto a quedar duro. Lo cierto es que han cambiado muchas cosas desde aquel momento. Tantas que, a veces, cuesta adaptarse a esta nueva etapa. La vida de un ama de casa no es nada fácil, sobre todo cuando no tienes mucha experiencia y además eres la responsable de tres críos. Abdel y Jaul crecen por momentos y a mí se me escapan de las manos. Aunque son muy buenos y se entretienen jugando entre ellos, hay que prestarles mucha atención. Son muy pequeños, necesitan cuidados y todo se hace cuesta arriba cuando empiezan a llorar, pero tengo que ser fuerte. Voy a poder con todo, estoy convencida. Lo que más me preocupa ahora mismo es Hassan. Con dos años aún no puede andar y casi ni hablar, solo pronuncia algunas palabras pero no del todo correctamente. Según nos ha explicado Jamil, tiene un problema en la boca que hace que la lengua le impida vocalizar bien y tragar los alimentos. Por eso siempre tengo que aplastarlos con la mano para que pueda comer más fácilmente. Hace unos meses abrieron un centro de rehabilitación a las afueras de la ciudad y Jamil me dijo que sería conveniente llevar a Hassan allí. Él todos los días le hace ejercicios para que pueda ganar más movilidad, pero en el nuevo centro tienen máquinas especializadas para niños con parálisis.

—Se traslada gente de todo el país con enfermedades similares a las de tu hermano y, por lo que me han contado, hay muy buenos médicos. Estoy seguro de que podrán ayudarle a mejorar mucho más rápido que yo. Al fin y al cabo, ellos son expertos en este tipo de cosas, yo no —me explicó.

—Tengo que preguntárselo a mi padre. No puedo darte una respuesta sin hablarlo antes con él, pero ojalá acepte porque nada me haría más feliz que Hassan pudiera andar —le respondí entusiasmada.

—Creo que le vendría bien salir de casa y que le diera el aire. Y a ti también, Suhaila —me dijo preocupado.

Me quedé pensativa. Jamil llevaba razón. Desde que Hassan nació solo ha salido a la calle en un par de ocasiones. Intenté hacer memoria, pero solo me vinieron dos veces a la cabeza: una en la que le sacó Jamil y otra que le saqué yo. Hassan necesitaba ver más la luz del sol. Sería bueno para su salud.

—¿Por qué no se lo comentas a tu padre y me dices en unos días? Yo podría llevaros con el coche dos o tres veces a la semana —propuso Jamil.

Pensé que quizá fuera la mejor solución. Mi padre debía estar al llegar. En cuanto pusiera un pie en casa hablaríamos. Hacía un par de semanas que estaba un poco enfadada con él, pero no le había dicho nada. Hubo un día que llegó más tarde de lo habitual, de hecho ya estábamos todos acostados y creo que iba borracho. No le dí importancia y volví a quedarme dormida cuando dejó de hacer ruido. Dos días antes de hablar con Jamil se volvió a repetir. Estaba acostando a los niños mientras su plato se quedaba frío encima de la mesa y cuando entró por la puerta aún estaba despierta haciendo hora en el salón. Pasó por mi lado, me miró y no dijo nada. Siguió hacia adelante y se fue directamente a dormir, totalmente vestido, y empezó a roncar. No entendía qué estaba pasando ni por qué bebía alcohol. Para mi padre la religión es muy importante. No se salta ningún rezo, va a la mezquita y siempre está muy pendiente de que sus hijos sigan sus mismos pasos. La cerradura dió dos vueltas y mi padre apareció por la puerta, con un saco de arena a las espaldas y tres plátanos en la mano. «¿De dónde viene con eso?», pensé. Los plátanos podía haberlos comprado de camino, pero ¿para qué quiere la tierra?

—Hola padre, ¿qué tal el día? —le pregunté como hacía habitualmente.

—¿Qué quieres? —me respondió de mal humor. Quizá no fuera el momento más adecuado para hablarle de Hassan, pero no le veía a ninguna otra hora del día, así que no me quedaba más remedio.

—Jamil me ha contado que han abierto un centro de rehabilitación a las afueras y que deberíamos llevar a Hassan allí —le solté la bomba.

—Ya me he enterado de la apertura de ese nuevo centro y ¡Hassan no va a ir a ningún lado! —La conversación empezó a ponerse tensa.

—Pero podríamos ayudarle a tener una mejor calidad de vida. ¡Cuando sea mayor querrá andar, querrá jugar con sus amigos y no estar encerrado siempre en casa! —Le intenté explicar—. ¿A ti te gustaría estar en su situación y que nadie se preocupara por ti?

—Vaya, vaya... tan lista como pareces y ¿AÚN NO TE HAS DADO CUENTA DE QUE SE VA A MORIR? ¿Has visto lo delgado y pálido que está? ¡Parece un muerto! —Sus palabras me rompieron el corazón.

—¡No se va a morir, padre! Yo voy a cuidar de él y le llevaré a rehabilitación —le dije tragando saliva y llevándole la contraria.

—¿Cómo has dicho? —Se le empezaron a hinchar las venas de la frente. Solo le ocurre cuando está muy enfadado—. ¿Qué parte no has entendido de que no vas a salir de aquí sin mi consentimiento? Y mucho menos para malgastar el tiempo en una persona que no merece vivir. A ver cuando te enteras de que es un despojo social. Cuando sea mayor nadie va a querer ser su amigo, ninguna mujer va a querer hacerse cargo de él y yo no estoy dispuesto a cuidarlo. Tengo cosas más importantes que hacer. Así que lo mejor es que se muera ya y nos deje en paz a todos —dijo enrabietado.

—¿Cómo puedes ser tan malvado? ¡Eres un monstruo! —No quería decir eso, pero me salió sin pensarlo.

Me miró fijamente y fue hacia mí como un poseso. No dudé un instante en salir corriendo. Intenté ganar tiempo por el pasillo, es largo y me permitía alejarme más de él, pero sus piernas son más largas que las mías y si no iba más deprisa me alcanzaría en décimas de segundo. Miré hacia atrás y estaba muy cerca. «Me va a pegar», pensé ininterrumpidamente. Entré al baño y eché el cerrojo. Sin saberlo, me había metido en la boca del lobo, en una habitación sin salida, pero era la única solución. ¡Mierda, mierda! Golpeó con fuerza la puerta, gritando mi nombre y otras barbaridades refiriéndose a mí. No podía dejar de gritar. Ojalá alguien nos hubiera escuchado y hubiera ido a salvarme.

—¡Para, por favor! No me hagas daño... —Pero seguía empujando la puerta.

Mi padre es un hombre muy flaco, pero con mucha fuerza, y me daba miedo que me hiciera daño. El cerrojo no dejaba de moverse. Temía que uno de los tornillos saliera de su agujero y le permitiera tirar la puerta abajo.

—¡Suhaila, abre la puerta o cuando salgas te mato! —repetía sin parar.

Recuerdo lo aterrada que estaba porque sabía que era capaz de hacerlo. Creo que nunca he tenido tanto miedo. Empujé la puerta y puse todas mis fuerzas en impedir que pudiera entrar, pero fue inútil. La puerta cayó sobre mi cabeza y noté cómo su brazo me cogía la mano y me arrastraba hasta el exterior del baño. Empecé a mover las piernas y, sin querer, le dí una patada en la boca.

—Lo siento, ha sido sin querer... —Me empequeñecí y le pedí perdón, pero eso solo le hizo enfurecerse aún más.

—¡Esto es para que nunca me vuelvas a contradecir! Espero que a partir de ahora hagas lo que yo te diga. —Recibí un puñetazo en la cabeza.

Empezó a darme patadas mientras estaba tumbada en el suelo. Le supliqué que parara, pero se hizo el sordo. Recibí tantas patadas que acabé de nuevo en el salón. Tosí repetidas veces, intentando recuperar el aliento. Cuando intenté levantarme, un bofetón me tumbó de nuevo contra el suelo. Se quedó quieto. Abrí los ojos, tras diez segundos de temor, y vi cómo se alejaba hacia su habitación. La tormenta había terminado y, en ese momento, comprendí que mi padre nunca me había querido.

Capítulo 6

FARID

Mi nuevo juguete

23 de mayo de 1998

Son las dos de la tarde. La jornada acaba de terminar y llega el momento del día que más nos gusta: la hora del qat, como nosotros le llamamos. Alí y Faruq ya han terminado de recoger, pero a mí aún me quedan algunas cosas que cerrar. Tengo un compromiso que no hace nada más que darme dolores de cabeza y no sé cómo lo voy a solucionar. O pienso pronto en un buen plan o estaré muerto. Tengo que andar con cuidado porque al final siempre me acaba pasando lo mismo. La cago hasta el fondo y luego vienen los problemas. ¡Qué difícil es todo a veces, joder!

—¡Farid! Te esperamos en la sala —me dicen desde el otro lado de la puerta.

La sala es una habitación dentro de la casa en la que trabajamos, donde nos reunimos cada tarde, sin faltar ninguna, para mascar qat. Es algo sagrado para nosotros y para todos los que trabajan aquí. No podríamos vivir sin estos momentos de calma y descanso. Cada mañana, antes de venir, nos acercamos a Bab al-Yemen, la entrada principal de la ciudad, para comprar qat a algunos de los vendedores de la zona. Hay quienes solo compran una vez a la semana y quienes tienen un vecino de confianza al que pueden acudir cuando se les antoje, pero nosotros preferimos comprarla a diario. No tenemos vendedor fijo, lo único que nos preocupa es buscar siempre el precio más justo y la hierba de mejor calidad. Las ramas son cortadas tan solo unas horas antes de su venta, lo que nos permite disfrutar de su frescor cada día y no perder la suavidad.

Cuando llego a la sala más de una veintena de hombres están sentados descalzos en el suelo, divididos en pequeños grupos y fumando tabaco. El humo del ambiente me dificulta encontrar a mis compañeros. La mayoría nos conocemos desde siempre, llevamos muchos años trabajando juntos, pero cada uno tiene sus preferencias y decide quiénes son sus compañías. En los últimos años he tenido varios enfrentamientos con algunos de ellos y los únicos que han sabido en todo momento hacia donde disparar la bala cuando las cosas se ponían realmente difíciles han sido Alí y Faruq. Por eso, ellos para mí son intocables.

—¡Fiuuuu! —Silban desde lo lejos.

Es Alí. Su voz me guía el camino. Avanzo un metro de frente, esquivando a los hombres que hay en medio y, por fin, los veo. Están al final del todo.

—¡Date prisa, las mujeres ya están preparando el Saltah! —Se apresura Alí.

¿Hoy toca Saltah? ¿Otra vez? Es un estofado de carne que deberíamos tomar antes de fumar qat, aunque casi nunca lo hemos hecho, y también una comida muy típica en todas las casas yemeníes. Este plato me gusta, pero no para todos los días. Esta semana las cocineras se están pasando de la raya. Parece que han cocinado para mil personas y cada día sacan las sobras. Mientras nos sirven aprovecho para desunir las hojas frescas de qat. Desenvuelvo las ramas del plástico en el que nos las han dado enrolladas y comienzo a separarlas poco a poco hasta conseguir que todas estén listas para empezar a tomar. El olor que desprende es excitante. No puedo esperar para saborear esta rica hierba. Antes de probar la comida, mastico una de las hojas para saber si hemos hecho una buena compra. El mayor aroma se concentra en el líquido que sale cuando trituro la hoja con mis muelas y su amargo sabor me confirma que es de las mejores que hemos tomado en los últimos meses.

—Espéranos al menos, ¿no? ¡Los demás también queremos probarla! —me dice Faruq.

—Está buenísima, Ya Allah. —Exhalo profundamente—. Creo que no voy a comer, necesito más qat que carne. Además, estas mujeres no saben cocinar. ¿A vosotros os gusta cómo hacen la comida? ¡Está todo asqueroso siempre! Y encima llevamos cinco días comiendo lo mismo. Se les da la libertad de poder trabajar y la malgastan así, haciendo mal lo único que tienen que hacer.

—Al menos come un poco que las pobres se han pasado el día cocinando para nosotros —opina Alí.

—Me da igual. Ese no es mi problema. —Sostengo mientras mastico varias hojas a la vez—. Deberíais dejar de preocuparos por ellas. Aún sois jóvenes para entender muchas cosas, pero el tiempo os dará todos los conocimientos que debéis tener. Las mujeres deben vivir por y para nosotros. Están para servirnos, para darnos placer y para cuidar a nuestros hijos. ¿No os dais cuenta de que no saben hacer nada más? ¿Os habéis parado a pensar en cuántas mujeres de vuestro alrededor trabajan? ¡Ninguna! No son tan valiosas como los hombres, está más que demostrado. Sin nosotros ellas no tendrían dónde ir, estarían mendigando en la calle y muertas del asco. Sin embargo, les damos una casa donde vivir, comida, dinero, hijos... ¿Qué más quieren? ¡Tendrían que estar a nuestros pies! —les explico—. ¡Nos deberían dar las gracias a diario y muchas de ellas ni se nos acercan! ¿Pero quiénes se creen? —Escupo. Se me ha atascado una hoja en la garganta—. Deberían tener menos privilegios. Creo que tienen demasiados. Al final, nosotros somos los que hacemos los imbéciles por ellas y así nos lo pagan luego, haciendo mal la comida o el amor. ¿Acaso ahora la mujer tiene más derechos que el hombre?

—Por supuesto que no, Farid. Los hombres somos mejores que las mujeres, no tengas ninguna duda de eso. Si algo sucede, somos nosotros los que salimos al campo de batalla a combatir. La mujer es más de mirar y echar alguna que otra lágrima —dice Faruq entre risas.

—¡Ja, ja, ja, ja! Veo que aprendéis rápido. Os voy a confesar algo ahora que estamos entre amigos. El día que nació mi primer hijo fue el más feliz de mi vida, por fin supe que no iba a haber un solo hombre en la casa. —Revelo.

—Buf. Yo aún no tengo hijos, pero tiene que ser un infierno saber que el primero es una mujer —dice Alí—. Yo quiero tener hijos varones, que sean un ejemplo a seguir y que demuestren todo lo que vale un hombre.

—Eso mismo quería yo, pero el destino, a veces, es caprichoso. Tener hijas es una vergüenza para todo hombre, menos mal que luego nacieron mis otros hijos, aunque el más pequeño es como si no existiera. Estoy deseando que se muera ya para no tener que hacerme cargo de él. Es un incordio. —Mastico qat.

Todo se queda en silencio y aprovecho para beber un poco de té. Noto que necesito azúcar.

—Oye Farid, te lo iba a preguntar antes pero... ¿cómo te encuentras? —me pregunta Alí.

—Estupendamente, ¿no lo ves? ¿Qué hay mejor que una tarde de qat entre amigos? —Río—. ¿Por qué me haces esa pregunta?

—Bueno... yo...

—Estoy perdido. No sé a qué te refieres Alí. —Aseguro.

—Nada, olvídalo.

—No, dime —insisto.

—A lo mejor estoy equivocado pero... hoy hace un año que murió tu mujer, ¿no? —¿Cómo puede acordarse de eso?

—Ahhh... lo decías por eso. Joder... ni me acordaba. ¡Qué memoria tienes!

—¿No la echas en falta? —me pregunta.

—Si te soy sincero, no me acuerdo mucho de ella. Ahora que la acabas de mencionar se me vienen algunos recuerdos a la cabeza, pero no, no la echo en falta. Para lo único que me servía era para cuidar a los niños y desde hace ya tiempo se encarga Suhaila de ello.

Así que... mucho mejor. Menos preocupaciones para mí, que últimamente ando muy atareado con unos asuntos —digo—. Samira me hizo un gran favor, la verdad. Con ella me di cuenta de que no quiero ser hombre de una sola mujer, y ¡este último año he podido tener sexo con todas las que he querido! Bueno, aunque antes también lo hacía, pero eso queda en secreto. —Sonrío con cierta inquietud—. Que se la haya llevado Allah es lo mejor que ha hecho por mí...

—Brindemos entonces, ¿no? —dice Faruq.

Saco los vasos para tomar Arak, la bebida alcohólica anisada que bebemos de vez en cuando para celebrar algo, aunque en los últimos meses estamos tocando el fondo de todas las botellas. Nos estamos aficionando a tomar algún que otro trago cada día, ¡está demasiado bueno y es muy adictivo! Empiezas por un chupito y acabas tambaleándote de vuelta a casa.

—¡POR LA NUEVA VIDA DE FARID! —Levantan las copas.

—¡Saha wa hana! —grito al aire.

La conversación se anima a medida que la habitación se oscurece y el sonido de las risas flota por encima del esponjoso humo. Me acerco a la ventana. Con la caída del sol, el cielo se cubre de estrellas y recuerdo que tengo que regresar a casa. En medio del lóbrego camino, el cuerpo me arde por dentro. Pienso en todas las fulanas con las que me he acostado esta semana. La noto dura, tan dura que parece que va a explotar. Me meto en un callejón sin salida ni ventanas, para que ningún vecino pueda percatarse. Empiezo a tocarme. Deslizo muy rápido mi mano derecha en dirección vertical. Arriba. Abajo. Arriba. Abajo. «Rápido, más rápido», pienso. Cierro los ojos. Unos grandes pechos están sobre mi cara. Los puedo lamer. Muerdo sus pezones. Una mujer me masturba con la boca, mientras otra me besa apasionadamente. Muevo la mano cada vez más intensamente. Más. Mucho más. Ahhhhhh. El semen se desliza por mi mano y cae al suelo. Restriego los restos en la pared de barro y empiezo de nuevo a caminar con paso firme. Pienso en Suhaila. Mi objetivo es llegar a casa en el menor tiempo posible. Intento dar zancadas más grandes. Uno, dos. Tres, cuatro. Ya estoy cerca. Tengo una sorpresa para ella. Una sorpresa que, sin dudas, la dejará sin palabras.

Capítulo 7

SUHAILA

Noche de sorpresas

23 de mayo de 1998

Las marcas de los golpes siguen siendo evidentes en mi cuerpo a
pesar de haber pasado ya unos cuantos días desde la última pelea
que tuve con Farid. Aún tengo la cara hinchada y me cuesta respirar cuando hago movimientos forzosos. Lo que más trabajo me
supone es, sin duda, lavar a Hassan. Sus músculos apenas tienen
fuerzas y todo el peso recae sobre mí, lo que hace que, a veces, me
sea imposible levantarlo. Me muero de pena cada día que pasa y
veo que no mejora ni siquiera un poco. Es duro ver cómo lentamente el cuerpo de tu hermano se consume y no puedes hacer
nada para evitarlo. Si tan solo tuviera la oportunidad de salir de
casa para llevarlo a hacer los ejercicios de rehabilitación todo sería

más sencillo, pero nuestro padre es un monstruo que no tiene sentimientos. No puedo entender cómo es capaz de ver así a su hijo y estar tan tranquilo. Si fuera el mío yo no sé cómo reaccionaría, pero lo que sí sé es que estaría a su lado las veinticuatro horas del día, como lo estoy ahora. Entre pensamiento y pensamiento preparo la cena. Farid está a punto de llegar y si no está hecha me volverá a pegar, así que más me vale obedecer y tenerla cocinada para cuando entre por la puerta. No me apetece tener que pasar por sus manos. Caliento una olla a fuego alto y pelo unas cuantas patatas y varias zanahorias. Hoy voy a hacer un revuelto con ellas acompañado de un poco de arroz que sobró ayer. Mientras se cocina el resto de la cena aprovecho para preparar el mantel. Coloco el pequeño hule encima de la alfombra y, junto a él, un cuenco de arroz. Minutos después ya están listas las patatas y las zanahorias, las troceo y las sirvo en un plato. De repente escucho un ruido. Me asomo al pasillo y es Farid entrando en casa. Tiene la cara pálida y ni siquiera saluda, para variar. No habrá tenido buen día en la comisaría. Le preguntaría que qué tal está, pero hace meses descubrí que es mejor mantener las distancias con él porque nunca sé cómo va a reaccionar.

—¡Niñooooos! La cena está lista, ¡a la mesa! —Llamo a mis hermanos.

Se queda inmóvil en el pasillo, muy concentrado en quitarse el cinturón, dejando su larga túnica descansar. Los hombres yemeníes visten todos iguales. Siempre una túnica blanca que es adornada con un cinturón ancho y un chaleco, aunque cuando hace más frío este último lo cambian por una chaqueta. Lo más característico es la jambiya envainada que cuelga del cinturón. Ningún hombre va a ningún lado sin su cuchillo curvado. Farid dice que es solo decoración, pero a mí me da miedo que alguna vez pueda hacerme algo con ella.

—Suhaila, ven un momento conmigo a la habitación. —Me indica con la mano la dirección hacia su dormitorio—. Vosotros podéis empezar a cenar —les dice a mis hermanos.

¿Qué querrá ahora? ¡Con el hambre que tengo! A lo mejor quiere darme un regalo por mi cumpleaños, pero me resulta extraño que les deje empezar a cenar sin estar presente. Farid siempre es el primero en ser servido y probar la comida. Cuando mis hermanos han intentado comer alguna vez, da un puñetazo en la mesa que paraliza por completo las ganas de querer empezar antes que él. Primero es Farid, después comen el resto de hombres y, finalmente, las mujeres. Nosotras somos las últimas y nos comemos lo que les sobre a ellos, así que casi nunca consigo comer algo de pollo. Así son sus estúpidas normas. Cuando mamá vivía comíamos las dos juntas después de que ellos terminaran, pero ahora tengo que hacerlo sola. ¡Cuánto la echo de menos! Tan pronto como entro a la habitación, Farid ya se ha quitado el turbante y está completamente desnudo. Mis ojos no dan crédito a lo que ven y noto como si fueran a salirse de las cuencas. ¿Qué está pasando? Es la primera vez que veo a un hombre sin ropa.

—Desnúdate, Suhaila —me ordena.

Me quedo quieta sin saber qué hacer. ¿Me acaba de pedir que me quite la ropa? ¿Para qué? ¿Qué quiere hacer? No articulo palabra, pero Farid tiene claro que no quiere perder el tiempo.

—¿Estás sorda, niña? ¡Te he dicho que te quites la ropa! —Me vuelve a insistir, pero esta vez con una sonrisa picarona. ¿Qué hago? Si no me la quito seguro que me pega o me la quita él. Si es lo que quiere al final acabará consiguiéndolo. «Quizá lo mejor sea que le haga caso», pienso. Pero, ¿por qué siempre tengo que hacer lo que él dice? ¿Por qué tengo que desnudarme ahora? Solo aparecen preguntas contradictorias en mi cabeza, mientras sus ojos me miran sin siquiera pestañear. Estoy nerviosa. Casi involuntariamente me descalzo y mis brazos se deslizan al compás por todo mi cuerpo, desvistiéndome. Empiezo por los pantalones, luego la camiseta y mis pequeños pechos quedan al descubierto. Los cubro con mis manos avergonzada y solo quedan mis bragas. Ya tiene lo que quería, verme desnuda.

—Así me gusta, cariño. A veces eres muy lista. Demasiado inteligente para ser una mujer. —Se muerde el labio.

—¿Puedo volver a vestirme ya? —le pregunto.

—¿Vestirte? ¿Para qué?

—Tengo frío... —Miento. Estoy realmente asustada.

—No te preocupes, querida, enseguida vas a entrar en calor. —Me susurra al oído acariciando mi piel.

No sé qué está pasando, pero no me gusta nada todo esto. Trago saliva varias veces, intentando deshacer el nudo que tengo en la garganta. Tampoco entiendo este comportamiento de Farid hacia mí. Tan dulce, tan amable y tan... ¿buen padre? Él es más de fruncir el ceño, quejarse y actuar con la mano abierta. ¿Qué pretende conseguir? PUUUM. La puerta de la habitación se cierra y su rostro cambia por completo. Su cara se vuelve rígida y amenazante y se difuminan las muestras de simpatía que existían hace dos segundos. Me mira con ojos de querer hacerme daño. Conozco sus miradas y no hay nada bueno dentro de la suya. De un empujón me tumba en el suelo y me quita las bragas. ¿Qué hago ahora? ¿Huyo o me quedo aquí y dejo que haga conmigo lo que quiera? Siento un miedo terrible. No sé cómo actuar, pero el tiempo se acaba. Me ata las manos con una cuerda que no sé de dónde ha sacado para que no pueda escapar. Intento moverme, pero no puedo levantarme. Las fuerzas me fallan. Farid me abre las piernas y se coloca de rodillas frente a mí. Se frota sus partes íntimas en repetidas ocasiones y...

—¡AHHHHHHHHHHHH! —grito alto sin poder contenerme—. ¡PARA, POR FAVOR, ME HACES MUCHO DAÑO! ¡POR FAVOR, PARA! ¡AHHHHHHH! —No puedo dejar de gritar. Farid ha metido su miembro dentro de mí. Siento un dolor espantoso que no me permite casi hablar.

—¡PUTA! ¡PERRA! ¡GUARRA! —Me insulta—. ¡Por fin ha llegado el día en el que nos vamos a disfrutar! ¡Qué cachondo me pone tenerte tan cerca de mí! ¿Te gusta lo que te hago? —me pregunta.

No respondo.

—¡AYUDA, POR FAVOR! ¡AYUDA!—grito de nuevo, llamando a mis hermanos, pero nadie responde.

—No vendrán a ayudarte, ¡no le importas a nadie! Así que, ¡cállate maldita niña de mierda! —Me vuelve a insultar.

Me tapa la boca, pero los gritos silenciados siguen inundando la habitación. Mis lágrimas brotan como si una tubería acabara de romperse. Este hombre está completamente loco. No puedo evitar pensar en que algún día va a matarme. ¿Y si ese día es hoy? ¿Y si me estrangula y me muero? No quiero morir. Soy muy pequeña aún. Quiero seguir viviendo. Farid tiene la cara totalmente desencajada.

Ha perdido hasta la forma. Sus respiraciones aumentan tanto que parece que se está ahogando. No sabe a dónde mirar. La saca y el dolor me da tregua. Un líquido blanco que no sé que es me cubre la barriga y Farid lo retira con un poco de papel.

—¡Qué bien lo has hecho, Suhaila! ¿Quieres volver a repetir? —me pregunta poniéndose la túnica de nuevo.

Niego con la cabeza. Estoy tiritando y no soy capaz de decirle ni siquiera una palabra.

—Escúchame bien. Esto queda entre tú y yo. Será nuestro secreto. Si alguien se entera de lo que ha pasado esta noche, te mataré. ¿Está claro? —me advierte desatándome las manos.

Asiento y giro las muñecas para recuperar la movilidad.

—Y ahora límpiate esas lágrimas y vamos a cenar. Y recuerda... ¡ni una palabra a nadie! —Me avisa de nuevo.

Me incorporo sin poder dejar de llorar y sin ser del todo consciente de lo que acaba de suceder. Quiero salir corriendo y contarle todo esto a Jamil. Él es el único que puede llegar a entenderme. Farid me coge de la mano y me lleva hacia el salón. Salgo de la habitación con las piernas entreabiertas. Me duelen tantísimo que no consigo cerrarlas del todo. ¿Qué narices ha pasado? ¿Esto es un sueño? Estoy en estado de shock. Los niños están terminando de cenar. Lo que menos me apetece ahora mismo es meterle comida al cuerpo. No tengo hambre, pero me siento junto a ellos y hago como si nada hubiera pasado. Jaul y Abdel juegan felizmente con un camión de plástico que les regaló ayer Delila. Ojalá ser hombre y poder disfrutar de todos los derechos que tienen mis hermanos. A ellos Farid nunca les pega. Son sus hijos favoritos y, sin embargo, yo soy la rechazada. Miro al otro lado y ahí está Hassan, tumbado en una manta, moviendo las manos y regalándome una sonrisa. Su mirada se ilumina y el resto pasa a estar en un segundo plano. No lo puedo creer, ¡Hassan ha sonreído por primera vez! Percibo que nadie más se ha dado cuenta, pero qué mágico ha sido haberlo podido ver con mis propios ojos. Tras muchos meses intentando producir algún estímulo en él, ¡por fin lo hace! Le devuelvo la sonrisa. Esto es el destino. «Hassan se va a curar y vamos a poder ser grandes amigos», pienso. Le podré contar todas las cosas que me ocurran y él me apoyará, como hacía mamá. Estoy convencida de que esta señal me la envía ella desde allá donde esté. Lo único que quería para sus hijos es que fuéramos felices, por eso le ha mandado una sonrisa a Hassan y otra a mí. Le acaricio la tripa hasta que se queda dormido y un par de lágrimas emborronan de nuevo mi cara. Me detengo en cada centímetro de su piel, examinando su cabeza ovalada, sus diminutos agujeros de la nariz, sus manos, sus huellas dactilares, sus grandes pestañas... Es el niño más bonito del mundo y voy a luchar hasta el final porque tenga una vida mejor. Imagino el día en que pueda correr por el pasillo de casa o me dé un simple abrazo. A veces el amor es la única salida posible y solo él es capaz de salvarme de este infierno en el que vivo.

Capítulo 8

SUHAILA

Quimera

15 de junio de 1998

Llevo semanas pensando cómo alejarme de mi padre. El plan inicial era escaparme de casa. Lo tenía más que decidido. Sabía hasta cómo hacerlo para que nadie pudiera pillarme. Le robaría algunas monedas y billetes a Farid de su cartera para poder coger un autobús que sale desde el centro de Saná y me iría lejos de aquí. Alguna vez Jamil ha hablado de ese autobús y sé que desde allí comienza su ruta. Solo tenía que adivinar en qué lugar estaba exactamente y hacia dónde se dirigía. Nunca antes he salido de Saná, pero no me daba miedo perderme por el camino ni dónde pasar la noche, lo único que quería era salir de aquí. Sin embargo, entre todo ese batiburrillo de intenciones, me di cuenta de que era un plan inviable.

Si en algún momento me voy de esta casa, Hassan vendrá conmigo y aún no tengo fuerzas suficientes. No podría llevarlo hasta allí, no tendríamos donde quedarnos y no sé si hay algo más allá de Saná. Los mayores dicen que existen otros países al norte, pero tampoco conozco el camino para llegar hasta ellos. Lo que tengo claro es que no puedo llevarme a Hassan si no tengo la certeza de que estaremos en un lugar seguro para él. Así que tendrán que pasar unos años más para poder irnos de esta casa. Con doce estaría bien. Sí, cuando tenga doce años nos iremos, pero antes es imposible. Aún así, no puedo seguir de brazos cruzados, tengo que hacer algo para proteger a Hassan, a mis otros hermanos y a mí misma. El otro día pillé a Farid zarandeando de malas maneras a Hassan, menos mal que estaba cerca y pude cogerlo enseguida. Tengo que ser fuerte y enfrentarme a él. Para mí ese señor ya no es mi padre, así que a partir de ahora le llamaré por su nombre. Seríamos muy felices si no estuviera, pero hay algunas cosas que me preocupan. Si él no está ¿quién traerá dinero a casa? ¿Con qué comerán mis hermanos? Yo puedo comer cada dos días si es necesario, pero ellos necesitan alimentarse bien diariamente. Me autoconvenzo intentando ser positiva y pensando que, si nos quedamos sin padre, siempre nos ayudará alguien. Estoy segura de que Delila se haría cargo de nosotros. Nos quiere muchísimo y no dejaría que nos pasara nada malo. La única solución posible para que Farid desaparezca de nuestras vidas es su muerte, si no, nunca nos dejará en paz. Desde que mamá murió la muerte me asusta muchísimo, pero pensar en la de nuestro padre me hace feliz. Seríamos libres. ¡Libres! Deseo con todas mis fuerzas que deje de vivir y se aparte de nosotros. No quiero volver a verlo ni cruzármelo por los pasillos y tener pánico constantemente. Tengo que matarle. Por mí y por mis hermanos. Lo tengo que hacer y cuanto antes, mejor. Los pensamientos se acumulan en mi cabeza mientras le veo dar el último bocado al pollo. Acaba de terminar de cenar y en breves se acostará. Todas las noches antes de irse a dormir, deja el chaleco junto con la jambiya en el suelo y se mete en la habitación. Cuando esté dormido se la clavaré en la cabeza y todo acabará. No puede ser tan difícil. Yo puedo hacerlo.

Me dedico a recoger el mantel, fregar los platos y dormir a los niños mientras él coge el sueño profundo. Jaul y Abdel están más alborotados de lo normal y tardo un buen rato hasta que consigo callarles para que no despierten a Farid. Por fin han caído rendidos, ¡qué energía! ¡No paran ni un segundo! Les doy un beso a cada uno, incluido a Hassan, que lleva ya más de dos horas durmiendo. Salgo al patio y me sorprende un cielo lleno de estrellas. Parece que las puedo tocar con la punta de los dedos. Disfruto del escenario unos minutos imaginando una vida feliz. «Hoy todo acabará Suhaila», me digo a mí misma. Tengo que conseguir matarle. Cogeré la jambiya con las dos manos y la bajaré fuertemente hacia su cabeza. Tiene que salir bien, no puedo fallar. Entro nuevamente en la casa. Dejo la puerta abierta de la calle para que la luz de la luna se cuele y me ilumine. Compruebo que está totalmente dormido. Sus ronquidos me dan libertad de movimiento. Bien. Perfecto. Cojo la jambiya con cuidado de no hacer ruido y se caen unas monedas al suelo. ¡No, no, no! ¡Le voy a despertar! Debían estar en el chaleco y no las he visto en la penumbra. Se remueve, pero sigue roncando. ¡Uf, menos mal! Tengo que tener más cuidado, un solo fallo puede cambiarlo todo. Espero unos segundos para asegurarme que duerme plácidamente y me voy acercando lentamente a él. Estoy muy cerca, a menos de un metro. Me pongo muy nerviosa. Me sudan las manos. «¡Concéntrate, Suhaila! Si se despierta y te ve con la jambiya en la mano ¡estás muerta!», me dice una voz interior. Llego hasta él y me coloco al lado de su cabeza con las piernas abiertas, cada una a un lado. Es el momento. La culpa se apodera de mí y me siento la peor persona del mundo. Una asesina. ¿Por qué estoy matándole? Tengo que hacerlo. Tengo que hacerlo. Tengo que hacerlo. No puedo esperar más. Alzo la jambiya y la bajo con todas mis fuerzas. Un sonido atronador se cuela por mis oídos. Le he atravesado la cabeza y el cuchillo se ha quedado atascado dentro. No puedo sacarlo. ¡He apuñalado a mi padre! Las manos me empiezan a temblar. Las retiro del cuchillo y lloro sin parar. Mis sofocos se entremezclan con el llanto de una niña de seis años que acaba de asesinar a su padre. ¿En quién me he convertido? ¿Qué tipo de monstruo soy? ¡Allah, perdóname! ¿Qué he hecho? No puede ser. El suelo está inundado de sangre y mi padre ya no respira. Miro su delgada cara y el cuchillo sobresale por completo de su frente. Las lágrimas caen a borbotones y me cuesta respirar. Intento sacar el cuchillo y cuando lo empiezo a mover, ¡abre los ojos! Reacciono rápidamente y me aparto hacia atrás, pero sus manos son más largas que mi cuerpo y me atrapan al instante. Me coge del cuello y empieza a estrangularme. El sonido se difumina, pero escucho como me grita sin parar. No logro descifrar que dice. La presión en la garganta me ahoga, me ata. Me falta la respiraci...

Una mano en mi hombro comienza a moverse y me tambalea ligeramente de un lado para otro. Despierto de manera sobresaltada, inclinando medio cuerpo hacia delante y empapada de sudor. Miro a mi alrededor. Estoy en mi habitación, es de día y escucho a los niños de fondo. ¿Qué ha pasado? Giro la cabeza e inesperadamente me encuentro la cara de Farid muy cerca de mí.

—¡Vamos, levántate! —Me zarandea su mano—. Tus hermanos te están esperando para que les des de desayunar. ¡Están desesperados pidiendo pan con chocolate! ¡Los estás convirtiendo en adictos! Yo me voy a mi trabajo, ya sabes cuál es el tuyo —dice mientras se aleja de la habitación.

¿Cómo? ¿Qué hago aquí? Hace un momento estaba en la habitación de Farid. Miro su cara mientras se aleja y está totalmente limpia. ¿Por qué ya no tiene el cuchillo clavado? ¿Y la sangre? Me restriego las manos por la cara, muevo la cabeza verticalmente y observo mis manos. Tampoco tengo rastros de sangre. ¡Ya Allah! Me he debido quedar dormida y me ha despertado. ¡No puede ser! Todo ha sido un maldito sueño.

Capítulo 9

FARID

El ex militar

3 de enero de 2003

Llevo meses buscando excusas para retrasar el pago a Karim. No se me ocurren más evasivas para darle. Hemos quedado dentro de treinta minutos en una gasolinera que hay cerca de la casa desde la que trabajamos, pero no tengo el dinero que le debo. Karim es un buen amigo desde la adolescencia, de esos pocos en los que aún puedes confiar. A él es a quién siempre hemos comprado las armas para luego revenderlas. Nos daba lo que habíamos pedido, le entregábamos la mitad del dinero nada más obtenerlas y, cuando las habíamos vendido, terminábamos de pagarle el resto. Ese era el trato. Él ganaba y nosotros también. Todos contentos. Hubo una época en la que nos hicimos de oro. Las mercancías no paraban de llegar, las quedadas para el trapicheo eran muy importantes y tuvimos que empezar a trabajar en una habitación del viejo cuartel para que nadie sospechara. Es lo que hoy en día llamamos «la casa». Lo que al principio tan solo era una habitación, se convirtieron en dos, en tres, en cuatro y así hasta conseguir una casa completa a la que cada vez iba llegando más gente para trabajar con nosotros. Todos los meses la policía se llevaba una comisión por prestarnos ese espacio que desde hace años tenían abandonado y mantener la boca cerrada. Así fue como nosotros pudimos tener las espaldas cubiertas. Era el plan perfecto para que nuestras familias vieran que teníamos un buen trabajo que nos daba de comer, sin saber realmente de dónde procedía ese dinero que ganábamos. Ser policía en aquella época no era algo a lo que todos pudieran acceder y los que estábamos allí dentro sabíamos el por qué. A las mujeres no les gusta que sus maridos trafiquen con drogas y mucho menos con armas, pero actualmente trabajar de "policía" es algo muy habitual en nuestro país y un alto porcentaje de hombres se dedican a esto. Es honorable trabajar para el Estado, ser un cargo importante y rodearte de los que tienen poder. Eso es lo que creían nuestras esposas cuando íbamos a trabajar, pero nada más lejos de la realidad. Recuerdo cuando empecé a trapichear con Karim, tenía catorce años y aún ni siquiera sabía de la existencia de Samira. Cuando nos conocimos ya era todo un experto vendiendo armas a escondidas y, el día que nos casamos, ella se sintió muy orgullosa de tener un marido policía. A veces es necesario mentir para sobrevivir, lo que pasa es que al final te acabas creyendo tus propias mentiras. Durante muchos meses tuve que morderme la lengua en más de una ocasión, pero luego todo se convirtió en rutina. Ya no me costaba ningún esfuerzo tener que fingir y había días que no era capaz de diferenciar entre la realidad y la ficción. Nadie sabía a lo que realmente me dedicaba, solo los que trabajaban en lo mismo que yo, y, en ese momento, me di cuenta de que mi vida se había convertido en un auténtico engaño. Era un oficio que teníamos muy bien escondido, porque, si alguien sabía en lo que estábamos metidos, podíamos tener graves problemas. Después del boom, Yemen atravesó unos años duros. La economía cayó y los comerciantes empezaron a dejar de comprar armas, buscando trabajos menos peligrosos y con la garantía de que conseguirían dinero a fin de mes. La venta de armas es muy arriesgada. Un mes puedes conseguir mucho dinero y al siguiente no vender nada. Por eso hay gente que ha preferido apartarse de este mundo y vivir más tranquilamente, aunque hayan dejado algunas deudas pendientes. Hace unos meses vendí unas armas muy potentes a un ex militar y aún no he recibido todo el dinero de la venta. El trabajo escaseaba en esos momentos y era mejor asegurarse al menos algo de pasta. No tenía la certeza de si llegaría a cobrar todo, pero el comprador no me dio otra opción que no fuera a cuatro pagos. Acepté, y fue un grave error por mi parte. Nunca tenía que haberlo hecho. Si algo he aprendido en estos últimos años es que el dinero es supervivencia, pero también es muerte. Mucha gente se queda en el camino y no quiero ser uno de ellos. Le debo mucho dinero a Karim y, si no le pago, no dudará en pegarme un tiro por muy amigos que seamos. Aún quedan diez minutos para que llegue, pero ya estoy en la gasolinera. Camino nervioso de un lado para otro y veo en la distancia cómo se acerca la figura de Karim. ¡Vaya! Él también se ha adelantado a la hora acordada.

—Salam aleikum. —Me saluda como de costumbre con la mano tendida por encima de la mía.

—Aleikum salam —respondo cabizbajo acercándome a él.

—¿Has traído el dinero? —Sostiene un cigarro en la boca.

—Verás, Karim. El ex militar aún no me ha pagado los dos últimos plazos y no tengo ahora mismo dinero para pagarte —le cuento un poco acojonado.

—¡No me jodas, Farid! Te dije que necesitaba el dinero para hoy mismo. —Se echa las manos en la cabeza—. ¡Joder! No juegues conmigo. Sabes como funciona esto. ¡No me obligues a hacer cosas que no quiero! —Se enfada.

—Lo sé, Karim, de verdad que lo sé, pero tienes que darme un poco más de tiempo. Confía en mí, tío. Voy a pagarte. —Me estoy agobiando. Es capaz de sacar una pistola en cualquier momento.

—Sabes que la fe no vale nada en estos momentos. —Suspira—. ¿Cuánto tiempo necesitas? —me pregunta.

—Un par de meses —propongo.

—¿UN PAR DE MESES? ¿Estás de broma, no? —Se piensa que le estoy tomando el pelo.

—Dame dos meses más y prometo solucionarlo todo. —Quizá siga siendo poco tiempo, pero tampoco puedo abusar—. Te daré el dinero y estaremos en paz.

Le veo dudar.

—Venga, tío, llevamos toda la vida haciendo esto y nunca te he fallado —insisto de nuevo.

Se toma unos segundos para pensar. «Por favor, que acepte, por favor», repite mi cabeza. Muevo la pierna derecha como muestra de inquietud y me muerdo las cutículas de las uñas. Siempre lo hago cuando estoy nervioso. Al cabo de un minuto, responde.

—Te doy un mes, no más. ¿Está claro? —me pregunta—. Espero que la próxima vez que volvamos a quedar traigas el dinero, por la cuenta que te tiene. No hay más oportunidades, Farid. Hablo en serio. —Tira el cigarro al suelo, lo aplasta con las sandalias y se marcha. Ni siquiera se despide y, cuando alzo la mirada, camina bastante lejos de mí. Permanezco quieto en el mismo sitio que me ha dejado, intentando asimilar la situación. ¿Cómo he sido tan cobarde? ¿Por qué le he mentido? ¡Joder, siempre la estoy liando! Se ha marchado sin saber la parte más importante, lo que de verdad quería contarle y no me he atrevido a hacer por miedo a ser disparado. El ex militar ha muerto y no podrá pagarme el dinero que me debe.

Capítulo 10

FARID

El intercambio

Mil. Dos mil. Tres mil. Uf. Por más cálculos que hago, las cuentas no salen. Solo tengo sesenta mil riales. ¡Eso es la mitad de lo que le debo a Karim! He tenido que sacar billetes hasta de debajo de las piedras y, aún así, es insuficiente. Hoy es el último día de pago y me ha sido imposible conseguir más dinero, pero tengo un trato que le puede interesar bastante. Llevo varios días pensando en ello y creo que es lo mejor, tanto para él, como para mí. Espero que acepte la propuesta, porque sino iré directo al hoyo. Termino de prepararme, sin olvidar la jambiya por lo que pueda pasar, y salgo de casa con el dinero escondido debajo de la ropa para que nadie sospeche ni pueda ser visto. Conforme están las cosas últimamente, si alguien sabe que debajo de la túnica llevo sesenta mil riales, son capaces de pegarme navajazos hasta llevarse el último billete. Camino rápido por las calles de Saná, sin mirar a la gente a los ojos ni deteniéndome a hablar con nadie. Me acerco a la gasolinera donde quedamos siempre y allí lo encuentro, esperándome a lo lejos. Hoy ha llegado más pronto aún. Se nota que está angustiado por no conseguir el dinero. Karim es un hombre muy cuadriculado. Todo tiene que ser cómo, cuándo y dónde él quiera. Está acostumbrado a conseguir siempre lo que se propone y cuando las cosas no salen bien se transforma en otra persona totalmente distinta. Hay una larga fila de coches pasando a toda velocidad por la carretera que nos separa. Cuando la calzada se despeja, cruzo casi corriendo hasta llegar a la gasolinera y Karim me dirige automáticamente a la parte trasera.

—¿Has traído el dinero? —me pregunta.

—Sí, aquí lo tienes, pero tengo que hablar contigo sobre un asunto que te puede interesar. —Le tiendo en la mano el fajo de billetes naranjas, azules y marrones.

Su enfado va creciendo a medida que termina de contarlos.

—Farid, ¡aquí solo hay sesenta mil riales! ¡Me debes ciento veinte mil! —Se enfurece.

—Lo sé, lo sé. Tranquilo. Vamos a hablar, siéntate aquí. —Le guío hasta el bordillo.

Si algo me caracteriza es mi poder de convicción. Mi padre me enseñó que si quiero conseguir que una persona haga lo que yo quiero, he de llevarlo por el camino que a mí más me convenga convenciéndole de que es lo mejor para él.

—El ex militar ha muerto y no podrá pagarme el dinero que

me debe. —Por fin me atrevo a confesárselo—. Siento no habértelo dicho el otro día, te vi tan enfadado que no me atreví. Estos sesenta mil riales que te he dado ahora los tenía ahorrados por si había algún imprevisto. —Miento—. No puedo conseguir el dinero que falta ahora mismo, pero he pensado en colarme en su casa esta noche e intentar buscar dónde están las armas para volver a venderlas. Saldríamos ganando, porque tendríamos los seis mil rieles y todas las armas en nuestro poder. Vivía solo, así que no creo que suponga mucho problema entrar. Nadie se dará cuenta, estoy seguro —sugiero.

—¡Eso no me vale, joder! —Que hombre tan exigente. No se conforma con nada—. ¿A ti te parece esto normal? Sabes todo el aprecio que te tengo, pero me estás obligando a matarte, Farid. ¿Es lo que quieres? Estoy siendo demasiado bueno contigo. Si fueras otro ya llevarías enterrado varias semanas. ¡Esto no puede ser! ¡NO PUEDE SER! —alza la voz y da vueltas en círculo. Está claro que no quiere matarme, pero no le estoy dejando otra elección. Soy consciente de ello.

Sabía que no se iba a conformar con volver a buscar las armas, así que hay que aplicar el plan B. Lo he estado estudiando a fondo durante los últimos días y es perfecto.

—Está bien, está bien —digo calmando la situación—. Tengo algo mucho mejor. A esto no me puedes decir que no. —Me mira extrañado—. ¿Qué tal si te doy a mi hija a cambio de esos sesenta mil riales que te debo?

Se queda sorprendido e inmóvil.

—¿Cómo que me das a tu hija? No te entiendo, Farid. —Se extraña.

—Tu hijo Rayhan siempre ha sentido una tremenda debilidad por Suhaila, ¿no es cierto? ¿Te acuerdas cuando era más pequeña y me comentabas que te había dicho que le encantaba su cuerpo y su mirada tentadora? —pregunto.

—Sí, claro, de hecho muchas veces pasa por tu casa para ver si la ve. Él sigue claramente enamorado de ella, aunque me lo niegue cada vez que le intento sonsacar información sobre su vida.

Perfecto. Todo está saliendo como esperaba.

—¿Aceptarías que mi hija se casara con Rayhan a cambio de la deuda?

Mi pregunta le deja aturdido. Tengo que seguir dándole razones para convencerle.

—Piensa que si tú quisieras casar a tu hijo con Suhaila tendrías que pagarme por ella. Ahora es el momento y la ocasión perfecta para hacerlo. Tú no me pagas nada y nos olvidamos de la deuda. Ambos salimos ganando.

Veo que no termina de entender lo que le estoy queriendo decir.

—Si no lo hacemos ahora quizá llegue otro hombre que me ofrezca más por ella y Rayhan ya no podrá estar nunca con Suhaila. —Lo pongo al límite.

—¡Joder, Farid! Es muy buena oferta, pero tengo que pensarlo. —Por fin se pronuncia—. Debería valorar los pros y contras de esta decisión. No es nada fácil para mí.

—Me lo tienes que decir ahora. —Si dejo que se lo piense más, cabe la posibilidad de que me diga que no—. No podemos seguir perdiendo el tiempo con nuestras reuniones. Tú tienes mucho que hacer y yo también, así que lo mejor será que dejemos cerrado esto cuanto antes —le meto presión de nuevo.

—Pero, ¿me lo estás diciendo en serio? Es que aún no me creo que me quieras dar a tu hija así como así.

—No te la estoy regalando. Es un cambio por el dinero que te debo. Yo me quedo sin deudas contigo y tú y Rayhan pasáis a ser los dueños de Suhaila. Creo que es un trueque justo.

Si todo sale bien Rayhan se casará con Suhaila y ella será una boca menos que alimentar en casa. Así solo trabajaré para mis hijos varones y nunca más para ninguna mujer. Además, me ahorraré la deuda y acabar muerto en cualquier cuneta. ¿Qué más se puede pedir? Miro a Karim. La indecisión le está matando. Sé perfectamente lo que está pensando, nos conocemos desde hace muchos años y, a veces, solo con mirarle puedo adivinar lo que se le pasa por la cabeza. Para él es el plan perfecto, haría feliz a su hijo Rayhan y conseguiría a mi hija, pero lo que no le termina de convencer es el dinero que le debo. Es mucho dinero y ahora él precisamente no anda muy boyante. Sigo esperando a que me de una respuesta, pero no sale ninguna palabra por su boca.

—Entonces qué, Karim, ¿aceptas? —le pregunto fijamente.

El tiempo parece detenerse. No se escuchan coches pasar por la carretera. El sonido de los pájaros al piar ha desaparecido y las ruidosas puertas de la gasolinera se han quedado mudas.

—¡Sí, acepto! —dice después de unos segundos en silencio—. Lo he pensado y creo que tienes razón. El dinero a veces no lo es todo y yo por Rayhan haría cualquier cosa. Además, lo que estaba ganando con estas armas iba destinado para su casamiento, así que perfecto ¿no?

Bien, joder, bien. Farid uno, Karim cero.

—¡Así me gusta, compañero! ¡Veo que nos vamos entendiendo como futuros consuegros!

Karim y yo nos abrazamos y en forma de agradecimiento le doy dos palmaditas en la espalda. Sabía que no iba a poder resistirse a esta oferta. Su hijo Rayhan es lo más importante para él y haría lo que fuera sin importar el precio a pagar.

—Vamos hablando más detenidamente. Estamos en contacto. —Me despido de Karim y me marcho de la gasolinera.

Me siento feliz y noto cómo una sonrisa pícara se cuela en mi boca. Ya he hecho con Suhaila lo que he querido durante mucho tiempo, ahora ya es un estorbo. Esta noche, cuando todos duerman, iré a la casa del ex militar y cogeré las armas que me pertenecen. Si consigo que me las compren de nuevo haber vendido a Suhaila me saldrá rentable. Tengo que recuperarlas como sea. Doblo la esquina y tan solo unos minutos me separan de la casa. Allí me esperan Alí y Faruq para otra de nuestras tardes de qat. Es lo único que necesito ahora mismo: un poco de esa hierba. O mucho, no lo sé. Karim me ha demostrado que para él no todo es el dinero, pero para mí sí. De hecho, es lo único que me importa. Ahora el que consigue lo que se propone soy yo y no voy a parar hasta tener lo que me pertenece.

Capítulo 11

SUHAILA

Dificultades

8 de febrero de 2003

Jaul y Abdel acaban de levantarse y Hassan aún duerme. Mientras se despierta aprovecho para limpiar la casa y doblar las mantas que hemos usado durante la noche. Hoy ha sido uno de esos días en los que el frío se cuela por todos lados y no te deja pegar ojo. Por si esto no fuera suficiente, últimamente hay tantas cosas que me preocupan que dedico las noches a pensar en cómo puedo mejorar mi vida. Lo que más angustiada me tiene desde hace años es, sin duda, la enfermedad de Hassan. No hay día que no piense en ella. Farid sigue sin dejarnos ir a la rehabilitación. Por más que hemos intentado convencerle, nunca nos hace caso. Ni a Jamil ni, por supuesto, mucho menos a mí. Es desesperante ver cómo Hassan está cada vez más delgado y los ejercicios que yo le hago diariamente no son suficientes. Al principio sí se notaban las actividades caseras, pero con el tiempo los músculos y los huesos se han ido debilitando hasta perder por completo su forma. Hace unas semanas, Jamil me dijo que las máquinas eran esenciales en el punto en el que estaba Hassan y ese día no me importaron las patadas que pudiera recibir de mi padre cuando llegara a casa. Por primera vez, decidí arriesgarme, saltarme las normas y le pedí a Jamil que nos llevara al centro de rehabilitación. Cuando llegué allí me quedé asombrada, nunca antes había visto nada igual. Era una sala grandísima con un montón de máquinas, donde las personas con discapacidad hacían los ejercicios que una monitora les indicaba. No podía creer que estuviera allí. Desde luego, nunca hubiera imaginado que ese lugar del que tanto me hablaba Jamil sería así. Aquel día fue maravilloso, los monitores ayudaron a Hassan en todo lo que necesitó y se le veía feliz con el trato que le estaban dando. Esa primera toma de contacto duró tan solo una hora, pero fue tan especial y mágica para mí que no puedo describirla sin que se me salte alguna lagrimilla. Ver a Hassan allí todos los días era lo único que le pedía a la vida, pero no podía ser. Si lo hacía, Farid nos encerraría en casa con un candado. Solo fui capaz de lanzarme al vacío esa vez. No quería más problemas con él. Así que en cuanto terminamos la sesión, Jamil nos llevó con el coche de vuelta a nuestra casa y cuando llegué sentí un enorme alivio al ver que Farid aún no había llegado. He de reconocer que, aunque rebosaba felicidad, estaba algo asustada y nerviosa por si Farid nos pillaba con las manos en la masa. Al final todo salió bien.

—Esto lo he hecho por ti y por tu hermano, pero no nos podemos arriesgar más. Tienes que respetar las decisiones de tu padre. No quiero que os pase nada malo —me dijo al despedirse de mí. Por mucho que me doliera debía hacerle caso. Jamil siempre sabe lo que hacer en el momento adecuado y si me advirtió será mejor escuchar sus sabias palabras.

Hassan es un niño muy fuerte y valiente. Sin apenas poder ver, oír y caminar, siempre sonríe como si nada malo pasase. Todos los días sueño con que es un niño normal de siete años, que puede hablar y no babea, que puede andar porque sus huesos no son débiles, que va a la escuela y es feliz... Ojalá recibiera toda la atención que se merece. Nadie se le acerca nunca. Le tienen miedo por tener una cara extraña, pero puedo asegurar que no conozco a ninguna persona más vulnerable e indefensa que él. Ser discapacitado en Yemen es muy complicado, sobre todo cuando el apoyo que tienes es mínimo y todo el mundo te mira como si fueras un bicho raro.

Hoy va a ser un día duro porque toca duchar a los niños. Normalmente hacemos el baño los sábados. Después de comer, los enjabono y les quito los restos con agua de la cisterna, hasta que consigo eliminar la última burbuja de sus cuerpos. Así, al día siguiente van recién limpios al colegio y empiezan la semana oliendo fenomenal. Primero empiezo con Jaul y Abdel, que son con los que menos tardo. Los meto a los dos juntos, pero empiezan a jugar entre ellos y no hay quien consiga quitarles la roña de encima.

—¡Suhaila! ¡Jaul me ha metido el dedo en el ojo! —se queja Abdel de su hermano mayor.

Ya empiezan. Mucho estábamos tardando.

—¡Porque él me ha echado jabón en la cara! —responde Jaul enfurecido.

—¡Mentira, has sido tú! —le contesta Abdel de nuevo.

Qué locura de casa. ¿En qué momento decidí que era buena idea ducharlos una vez a la semana? Cuando menos me doy cuenta ya está el sábado de nuevo encima y otra vez la misma historia.

—¡Basta! ¡Quietos ya! —les digo mientras uno se burla del otro y viceversa—. ¿No véis que estoy intentado ducharos y no paráis de moveros? ¡Me estáis llenando de agua! —les riño—. Cuanto antes acabemos, antes os podréis ir a jugar.

No me gusta regañar a los niños, pero hoy me tienen harta. Están muy revoltosos y ya no son tan pequeños como para armar tanto jaleo. Jaul tiene nueve años y su hermano ocho.

—¡Es hora de comportarse como niños mayores! ¿Qué os parece si a partir de la semana que viene os ducháis cada uno solos y así no hay discusiones con el jabón? —les propongo.

—¡SIIIIII, BIEEEEN! —grita Abdel—. ¡Quiero bañarme solo! ¡Yuhu!

—¡Mejor, así no tengo que aguantar a enanos como tú! —le provoca Jaul.

Abdel levanta la mano dispuesto a pegarle, pero freno la pelea antes de que vaya a más.

—¡Eh, para esa mano! —La sostengo en el aire—. Ya hemos terminado, así que venga... ¡al patio a secarse! —Los invito a salir hacia el exterior.

Salen disparados haciendo una carrera para ver quién llega antes y coge el mejor sitio. Esta hora es perfecta para que se les seque el pelo y el cuerpo antes de irse a dormir. No tenemos nada para secarles, así que se quedan en el patio jugando mientras el sol se encarga de hacerlo.

Ahora es el turno de Hassan. Voy a por él al salón. Me acerco al sofá, donde pasa todo el día sentado, y lo cojo en brazos. Cada día pesa más y me cuesta levantarlo. No puede estar en las alfombras, como sus hermanos, porque se clava sus propios huesos y le empieza a doler el cuerpo. Por eso, hace unos cuantos años, decidí crear un espacio para él en el rincón del sofá con algunas mantas alrededor que hacen de reposo para que pueda estar más cómodo. No tenemos dinero para comprarle una silla de ruedas, así que de momento nos apañamos así. Lo saco hacia afuera con cuidado de no tropezarme con el escalón del patio. El baño se compone de dos espacios: uno donde hay un agujero para poder hacer nuestras necesidades y otro donde hay suelo de cemento para ducharnos y una silla para sentar a Hassan. Lo dejo allí sentado, atado con un cinturón para que no se caiga, y mientras voy a sacar agua del bidón. Acaba de llegar Farid. Saluda amablemente a sus hijos y hasta me dice «Hola, Suhaila» desde lejos. Qué amable viene hoy. Vuelvo al baño, le quito la ropa a Hassan y mojo su cuerpo con el agua. Se queja de que está fría, pero es bueno y no mueve demasiado la cabeza. Empiezo a frotar con la pastilla de jabón todo su cuerpo y cabello. Cuando termino, le echo agua para quitar los restos y noto un ruido que proviene de sus pulmones. Le cuesta respirar. Tres segundos después, sus ojos se cierran inesperadamente y la cabeza se le inclina lentamente hacia el lado derecho.

—¡Hassan, Hassan, Hassan! —exclamo atemorizada.

No responde. Le doy palmaditas en la cara tan rápido como puedo, pero no reacciona.

—¡JAUL! ¡ABDEL! —digo con la voz entrecortada.

Se acercan al baño corriendo ante mi llamada de emergencia.

—¡LLAMAD A JAMIL, POR FAVOR! —les pido—. ¡ID A SU CASA Y DECIDLE QUE VENGA! ¡RÁPIDO! ¡ALGO LE PASA A HASSAN!

Los niños salen corriendo y Farid entra en el baño.

—Suhaila, tengo que hablar contigo —me dice indiferente.

—Ahora no puedo, más tarde hablamos.

Sigo intentando reanimar a Hassan, pero no consigo que vuelva a respirar. Farid nos mira y no hace nada. Me pone de los nervios. ¿Cómo puede estar tan tranquilo viendo a su hijo así? Ni tan siquiera ha preguntado qué le ocurre. ¡No le importa lo más mínimo! Solo piensa en él.

—Es importante, Suhaila. Venga, vamos al salón —me repite.

—¿No ves que ahora no puedo? No voy a dejar a Hassan así —le digo histérica.

¿De verdad no puede esperar lo que tiene que decirme? Maldice en voz baja y se marcha fuera de la casa. Creo que me ha insultado. No sé dónde va otra vez. Acaba de llegar y se vuelve a ir de nuevo. En fin, que haga lo que quiera, es mejor no tenerlo cerca ahora mismo estando así Hassan. Espera un momento... ¡no me ha pegado! No le he obedecido y ¡no me ha pegado! No sé qué le ocurre a Farid, pero está muy extraño. Aparto rápidamente ese pensamiento de mi cabeza y miro a Hassan de nuevo.

—No te puedes ir ahora de mi lado. —Le acaricio la cara con la yema de los dedos.

Se me acelera el corazón solo de pensar en lo que puede pasar. No puedo volver a perder a una persona que quiero. Me quito la chaqueta que llevo puesta encima de la túnica y le tapo. No quiero que coja frío y enferme más. Justo llega Jamil. Ha tardado menos de lo que pensaba.

—¿Qué ha pasado, Suhaila? —me dice sofocado.

—No lo sé. Lo estaba duchando y, de repente, se ha quedado así, con la mirada perdida. —Estoy muy asustada—. Pero creo que aún respira. Compruébalo tú, ya no estoy segura de nada —le indico cogiéndole la mano.

Jamil hace oído y le toma el pulso con la mano.

—Me lo llevo a mi casa, allí tengo todo lo que necesito. No me ha dado tiempo a coger nada, pensaba que sería menos grave —me explica—. En cuanto sepa algo te digo. Por favor, ¡no vayáis hasta que no os avise! Tengo que reanimarlo y necesito tranquilidad.

—Coge en brazos a Hassan y sale por la puerta de nuestra casa.

—De acuerdo. Pero, por favor, ¡sálvale! —le pido en la distancia.

Hassan no puede morirse. Ahora no. Él es un luchador. Un campeón. Un auténtico héroe. Tiene que sobrevivir a esto. Todo estaba perfectamente y de un momento a otro ya no era él. Me dirijo a la casa de Jamil y me quedo esperando en la puerta, sentada en el suelo. El tiempo se hace eterno. Juego con el hilo que cuelga del bajo de la túnica hasta que consigo romperlo. Lo empiezo a enredar por mi dedo índice, formando un tirabuzón al volver a soltarlo. Repito varias veces el mismo juego, pero unas risas que proceden del fondo me distraen. Es Farid con los niños. Parece que ya está de nuevo en casa. Los escucho jugar desde lejos. Me siento sola y no entiendo muy bien qué está sucediendo. ¿Por qué estoy aquí preocupada por mi hermano y ellos están felizmente al otro lado de la casa? No me esperaba esto de Jaul y Abdel. Pensaba que se vendrían conmigo. ¿A ellos tampoco les importa Hassan? Me levanto. Necesito movimiento y pensar con claridad. Todo esto es muy difícil para mí. Ando hacia un lado de la calle y luego hacia el otro, repasando mis propios pasos más de veinte veces hasta que por fin veo que la cabeza de Jamil asoma a la puerta. Corro directa a la casa.

—¿CÓMO ESTÁ HASSAN? ¿QUÉ HA PASADO? ¿PUEDO VERLE? —Le aturdo con varias preguntas a la vez.

Me abraza fuertemente contra su pecho y presiento que las cosas no están bien.

Capítulo 12

FARID

A punto de morir

9 de febrero de 2003

¡El maldito niño de mierda está vivo! ¡Joder, joder, ¡JODER! Podía haberse muerto y habríamos acabado con las preocupaciones de una puta vez. Me va a traer problemas hasta el final de sus días. No tenía suficiente con todo lo de Karim como para preocuparme ahora también de un niño que no debería haber nacido. Solo ha traído desgracias a nuestra familia desde que apareció. He pasado toda la noche sin apenas poder dormir, porque Hassan no paraba de llorar y había muchísimo ruido en casa. Suhaila de aquí para allá en busca de medicamentos y paños de agua fría; Jamil tomándole la temperatura cada veinte minutos... Qué infierno de noche. A ver cuándo entienden que la oscuridad es sinónimo de descanso.

Así que no he tenido más remedio que levantarme temprano, ponerme el turbante y salir a tomar el aire fresco mientras veía amanecer. Era imposible seguir en esa casa. Parece que está maldita y que todo lo malo sucede allí. Tras una mañana de tés y qat con Alí y Faruq me he acordado de que tengo una cita con Karim. Con tanto alboroto no recordaba que hoy habíamos quedado para conversar con detenimiento del matrimonio de nuestros hijos. Ahora tendré que explicarle todo lo que ha pasado en las últimas horas. Bufff. Menudas ganas.

—Buenas tardes, Karim. Ha pasado algo. Tenemos que hablar de la boda —le digo un poco descontento con la situación que estamos teniendo que vivir.

—¡Farid! Bienvenido a casa, siéntate, que Najwa está preparando té. —Me invita a entrar en el recibidor de su casa—. Hoy hace un día estupendo, ¿verdad? No podíamos haber elegido mejor fecha —me dice.

Lleva razón. Con lo bajas que eran ayer las temperaturas y el buen tiempo que hace ahora. Parece que estamos en otra estación distinta. El cielo está completamente despejado, no hay ninguna nube. Es como si tuviéramos el mar por encima de nosotros. En Saná casi nunca suele llover, pero los días de atrás ha habido un par de lluvias y estábamos deseando que saliera de nuevo el sol. No podemos vivir sin calor. Para nosotros es el pan de cada día. Cuando desaparece unas cuantas horas ya lo echamos de menos. Dejamos atrás la puerta principal y nos dirigimos al salón. A pesar de ser amigos desde hace tanto tiempo solo he venido un par de veces a la casa de Karim, pero siempre que paso por el hall me quedo impresionado con lo lujosa que es. Predominan los altos techos, el color rojizo y algunos detalles en dorado que hacen el espacio más acogedor. Karim es un apasionado de la decoración árabe, igual que lo era su difunta esposa, Nour. Su casa siempre ha sido como un museo que todos quieren visitar, aunque tan solo unos pocos tenemos el placer de deleitarnos con su belleza. Es tan enorme que tienes la sensación de estar en una película en todo momento. Karim me enseña su nueva adquisición: un cuadro de dos metros que ha colocado en la entrada del salón, donde se puede ver una imagen de los ojos de su mujer a gran escala, con unas letras grabadas en árabe que significan «el amor de mi vida». Qué romántico, qué asco. ¿Y este se hace llamar hombre? Aunque he de reconocer que esos ojos atraerían a cualquiera. Accedemos al salón y justo Najwa nos avisa de que el té está listo para servir. Es hora de hablar de la boda.

—Cuéntame, Farid —me dice Karim mientras prueba un sorbo de té para comprobar si le falta azúcar.

—Ayer creía que Hassan se moría. Por un momento pensé que todo había acabado y que no sobreviviría, menos mal que al final volvió a respirar. —Me hago la víctima, como si de verdad me importara.

—¿Cómo? ¿Qué ha pasado? —Se preocupa—. No sabía que estaba tan mal. Era consciente de que estabais pasando momentos muy duros por su enfermedad, pero no tenía ni la menor idea de que pudiera llegar a ser tan grave. ¿Por qué no me has contado nada antes? Podría haberte ayudado todo este tiempo. —Me encantaría contarle que yo a ese malnacido no lo quiero como hijo, pero cierro el pico.

—Hasta hace unos días todo iba bien, nada fuera de lo normal, pero ayer sufrió una parada cardiorrespiratoria. Menos mal que nuestro médico, Jamil, llegó a tiempo y consiguió reanimarlo. Se encuentra estable, según nos ha informado, pero no sabemos cuánto pueden durar estos momentos de paz. Hassan ahora mismo está vivo, pero mañana a lo mejor no lo está. Nos ha advertido que le queda poco tiempo de vida. No sabemos si será una semana, un mes... pero me temo que el final está cerca. —Finjo intranquilidad.

—Siento muchísimo por todo lo que estás pasando. Si necesitas cualquier cosa sabes que puedes contar conmigo —me ofrece su ayuda.

Genial. Era justo lo que quería escuchar. Mis falsas muestras de interés y cariño hacia Hassan han funcionado. He conseguido apenarle ante una situación tan terrible como es perder un hijo. Él cree que me importa porque es un varón, pero para mí Hassan es basura humana, si es que le podemos llamar humano. En más de una ocasión he intentado acabar con él, pero me ha sido imposible porque, desde que nació, Suhaila siempre ha permanecido a su lado. Si no llega a ser por eso, Hassan no existiría a día de hoy. Estaría junto a su querida madre. En el cementerio. Ahora solo falta convencer a Karim para retrasar la boda.

—Justo eso quería, tu ayuda. —Cojo confianza—. Daría lo que fuera por pasar los últimos momentos junto a mi hijo y disfrutar de él los días que le quedan. Ya sabes que Suhaila es la encargada de cuidarlo y me gustaría que la boda se hiciera cuando todo esto haya terminado.

—Claro, Farid, no te preocupes. Es normal que quieras estar

con Hassan. Rayhan ya sabe que se casará con Suhaila. No le importa cuándo, no tiene prisa. Tan solo quiere casarse con ella. Le comunicaré todo lo que está sucediendo y seguro que lo entenderá. Es comprensible tu decisión, yo como padre haría lo mismo por mi hijo —me cuenta.

—Muchas gracias, Karim. Te lo agradezco de corazón. —Le abrazo.

Tras un sorbo de té viene la pregunta estrella.

—¿Sabe ya Suhaila que va a casarse? ¿Le has comentado algo? —pregunta con recelo.

—Aún no le he podido decir nada. Justo ayer iba a hablar con ella cuando llegué a casa, pero no pude porque pasó lo de Hassan. En cuanto se normalicen las cosas, tengo que tener una conversación de padre a hija como las de toda la vida —le explico.

Nos reímos al unísono. Decido pasar un par de horas más junto a Karim, donde la conversación transcurre entre el qat, la política y la boda. Los tés son el plato principal de la tarde. Justa cantidad de azúcar y agua y la espuma empieza a brotar por sí misma. Me encuentro en un estado de liberación, de independencia, de felicidad... Hassan va a morirse. Cuánto tiempo llevo esperando este momento. Quiero que llegue ya, que todo se acabe y Suhaila se case con Rayhan. Todo lo que siempre he querido está a punto de cumplirse y me siento eufórico. Cuando llegue a casa hablaré con Suhaila. Debe saber que va a casarse. No le hará ninguna gracia esta noticia, pero yo estaré feliz de ver la cara que se le queda.

Capítulo 13

SUHAILA

La hora

10 de febrero de 2003

Un nuevo día se vislumbra entre las montañas de Saná y la luz del cuerpo de Hassan se apaga para siempre. Todo deja de importar, todo carece de sentido en este preciso instante. El mundo se difumina. Solo veo a personas andando de un lado para otro, caminando sin parar, y a Jamil entre las sombras llevándome a la habitación a descansar. Mantengo los ojos abiertos, pero mi mirada opaca no me permite diferenciar quiénes son los hombres que están a mi alrededor. No consigo articular palabra. Me quedo inmóvil, fría y sin ser consciente de que Hassan ha cerrado los ojos para no volver a abrirlos más. Primero fue mamá y ahora parece que ha llegado el momento de que Hassan también nos deje. No puedo más. Me derrumbo y caigo al suelo, pero antes de tocarlo la mano de Jamil me sostiene. Creo que es él. No estoy muy segura. Miro hacia la puerta y veo una bolsa de color negro. ¿Van a meter ahí a mi hermano? No me creo que esto sea real. Pellizco mis manos hasta dejarme señales. «Estoy soñando. Estoy soñando». Repito constantemente la misma frase hasta que veo cerrar la bolsa con Hassan dentro. Se lo llevan. Intento salir corriendo detrás, pero mis piernas se quedan ancladas al suelo, como si estuviera sumergida en arenas movedizas y no pudiera salir. Escucho a dos hombres que no conozco de nada decir que lo trasladan al cementerio. ¿Por qué lo llevan allí? ¿Por qué no podemos velarlo unos días como hicimos con mamá? Quiero ir con ellos, pero en esta ocasión no son mis piernas las que me detienen, sino mi padre.

—No vamos a ir —me dice.

Parpadeo boquiabierta. ¿Cómo que no vamos a ir?

—Yo quiero ir. Quiero verle por última vez. —Esta vez sí que me salen las palabras.

—Ya no puedes verle más. Han cerrado la bolsa.

—Me da igual. Al menos quiero despedirme, ¡déjame ir! —insisto, a sabiendas de que es imposible hacerle cambiar de opinión.

—Tienes que olvidarte de él. —Su cara se muestra fría, sin presentar ningún tipo de tristeza.

Intento correr, pero, antes de conseguir salir por la puerta, mi padre la cierra de un manotazo.

—Escúchame, Suhaila. Ni tú, ni yo, ni tus hermanos, ni nadie va a ir al cementerio. Estos hombres se lo llevarán y se encargarán de enterrarlo, pero nosotros ya no tenemos nada que ver con ese niño.

—Ese niño, como tú le llamas, ¡es tu hijo! —grito de rabia.

—Hassan ya no forma parte de nuestra familia ni de nuestras vidas. Lo que muere hay que olvidarlo para siempre y continuar hacia adelante. Ahora tú tienes otros planes mucho mejores. Es hora de que dejes de pensar en Hassan.

¿Cómo se atreve a hablar así? El que debería haber muerto es él, y no mi pobre hermano. Hassan se ha criado sin madre, pero tampoco ha tenido padre. Debería darle vergüenza ser como es y hablar así de su hijo muerto. ¿Y de qué planes habla? No entiendo nada. Le miro fijamente queriendo decir tantas cosas...

—Si vas a contestarme con tus frases románticas de mierda, ahórratelo, princesa. A menos que quieras que juguemos a lo de hace unos días. —Se relame los labios—. Bueno, quizá ahora ya no me pertenezcas y no podamos hacer esas cosas que tanto me gustaba hacerte. —Babosea ante mí.

Qué guarro y desagradable es. Cómo le gusta meter el dedo en la llaga. Lo único que le interesa es acostarse conmigo y aprovecharse de mí. No tengo palabras para describirle. Su cuerpo se apoltrona sobre el hueco del sofá que pertenecía a Hassan. ¿Qué narices hace ahí? ¡Ese hueco no es suyo! Con sus grandes manos comienza a apartar todas las mantas, hasta que encuentra la postura perfecta entre dos cojines. Miro y enmudezco. Callo como otras muchas veces. Se me parte el corazón en dos al darme cuenta de que no soy capaz de alzar la voz, que soy otra sumisa más en este país de hombres. Intenta decirme algo con su mirada enigmática y, seguidamente, aparece en su rostro una poderosa sonrisa, encerrada bajo unos dientes amarillentos a causa del agua y el azúcar del té. Me da tanto miedo quedarme a solas con él... «Te odio», le digo sin despegar los labios. Recojo las mantas que han caído al suelo y las doblo para guardarlas de nuevo en el armario. Estas mantas siempre van a ser tuyas, Hassan. No voy a permitir que nadie las trate tan mal como tu padre. En el intento de huir hacia la habitación, con la excusa de dejar las mantas allí, Farid me habla.

—Creo que va siendo hora de que sepas que la semana que viene pasarás a ser propiedad de otro hombre, vivirás en otra casa, tendrás una nueva familia... Esas cosas que les pasan a las mujeres cuando se hacen mayores —me dice—. ¿No te daba rabia que pensase que aún eras una niña y siempre me dijeras que ya eras una mujer? Pues te voy a tratar como tal. Como una mujer adulta. ¿O acaso no lo eres?

Desconcertada, asiento con la cabeza. ¿Propiedad de otro hombre? ¿Vivir en otra casa? ¿Nueva familia? ¿Qué está queriendo decir con todo eso? Creo que está borracho. Yo no me voy a ir de esta casa, aquí tengo a mis hermanos y soy yo la que se encarga de la limpieza. Sin mí no puede vivir, no sé qué tonterías está diciendo. ¿Por qué ahora de repente soy mayor? ¿Por qué ha cambiado de opinión en estas últimas semanas? ¡Siempre me ha dicho que soy una niña pequeña que no sabe hacer nada! No comprendo qué está pasando. Con las mantas en la mano me doy la vuelta para abandonar el salón y su voz vuelve a interrumpir el silencio, dejándome paralizada.

—Dentro de dos semanas te casas.

Capítulo 14
SUHAILA
Matrimonio

10 de febrero de 2003

El mundo se me cae encima y mis manos no dan abasto para sujetarlo. «Dentro de dos semanas te casas». Las palabras de Farid retumban en mi cabeza, produciéndome escalofríos y pesadillas aún estando despierta. Solo tengo diez años, ¿cómo me voy a casar ya? Es demasiado precipitado. ¡No puede ser tan pronto! Sabía que mi padre querría proponerme en matrimonio mientras fuera joven, pero creía que iba a ser más tarde. Justo ahora es lo que menos esperaba. Hassan acaba de fallecer y lo único que piensa es en la boda y en deshacerse también de mí. ¿Por qué? ¡Ya Allah! Estoy entrando en pánico. Ni siquiera sé cómo funciona un matrimonio.

No recuerdo como se trataban mis padres antes de que mamá muriera. Era muy pequeña. ¿Qué se supone que tengo que hacer cuando me case? ¿Y quién va a ser mi marido? Lo único que me ha contado es que es un tal Rayhan, el hijo de un amigo suyo, que tiene unos treinta años. No tengo ni idea de quién es. No le conozco ni le he visto nunca antes, pero ¡con esa edad podría ser mi padre! Yo no quiero casarme con un hombre tan mayor. Pero no es lo único que me preocupa. ¿Cómo voy a casarme con alguien que no conozco? El matrimonio es para toda la vida. ¿Y si no le quiero y tengo que estar con él hasta que me muera porque es mi marido? Me estoy agobiando. ¿Tendré a mis hijos con ese hombre? No quiero ni imaginarlo. ¿Por qué me obliga a hacer algo así? ¿Y qué pasa si me opongo? ¿Se casarán todas las mujeres con el hombre que elige su padre para ellas? Me aterra la idea. No puedo dejar de pensar en si realmente esto es malo o bueno. No sé diferenciar. No sé qué es lo correcto ni cómo debo sentirme. ¿Alegre porque me voy de esta casa o aterrada por casarme con diez años con un hombre mayor que yo? Esta situación me resulta extraña y muy difícil de asimilar. Si me voy con ese hombre significará alejarme del maltratador de mi padre, no verle nunca más o al menos no todos los días. Pensar en esa opción es justo lo que me hace feliz, lo que me da alas hacia otra parte que no sea el cementerio. Estando con Rayhan no podrá volver a tocarme, ni a abusar de mí, ni pegarme. Dejaré de ser suya a costa de pertenecer a otro hombre. Si esto sucede, Farid ya no podrá hacer nada conmigo. Pero ¿y si Rayhan es igual? ¿Y si él también intenta violarme? ¿Se comportarán todos los hombres como Farid y seguiré recibiendo palizas?

«No creo que todos sean así. Mira Jamil, es un hombre maravilloso», me respondo automáticamente. Intento pensar con claridad y analizar los pros y contras, pero cuánto más lo hago más oscuro veo todo. Jamil es el hombre que toda mujer desearía tener. Amable, apuesto, respetuoso, fuerte, con un buen trabajo... No entiendo por qué aún no está casado. Ojalá hubiera sido él mi padre y mi futuro marido se parezca aunque sea un poco, pero tengo que aprender que no todo el mundo es tan bueno como él. Es increíble lo mucho que ha cuidado de mí todos estos años. Y de mamá y Hassan. Siempre le voy a estar agradecida. Quizá debería preguntarle su opinión sobre este matrimonio, aunque a lo mejor ni siquiera sabe aún que me voy a casar. ¿Cómo se tomará la noticia cuando se entere? Supongo que en algún momento Farid se lo contará y le invitará a la boda. La boda. Llegan de nuevo decenas de preguntas sin respuesta. ¿Cómo será? ¿Dónde? ¿Qué día exactamente? ¿Quiénes vendrán? Nunca he ido a ninguna y no tengo ni la menor idea de qué se hace en una boda. ¿Será algo así como una celebración donde se come mucho y se habla aún más? Tendré que esperar unas semanas para descubrirlo.

Escucho la última llamada al rezo. ¡Oh, no! ¡Tengo que empezar a hacer la cena! He pasado todo el día sola en mi habitación y no me he dado cuenta de la hora que era. Los niños han estado con unos amigos jugando en la calle y Farid no sé dónde estará, pero esta mañana, después de la noticia, salió y aún no ha regresado. Pongo a calentar el agua para hervir el arroz y, cuando salgo al pasillo con el mantel en la mano para preparar la mesa, veo a Abdul y Jael sofocados tras haber ganado un partido de fútbol.

Entran a casa corriendo y dando saltos de alegría. Me quedo mirándolos desde la puerta de la cocina y pienso: ¿algún día seré tan feliz como ellos?

Capítulo 15

SUHAILA

La boda

24 de febrero de 2003

Ha llegado el día de la boda. No he pegado ojo en toda la noche pensando que estoy a tan solo unas horas de casarme con un hombre que no conozco. Aún tumbada y envuelta entre las mantas miro las paredes de mi cuarto y pienso en todas las cosas que van a cambiar a partir de ahora. Mi habitación, la que tantas veces ha sido mi refugio, ahora dejará de serlo. Mis muñecas, las que conservo con cuidado en una cesta de mimbre, ya no son para niñas adultas. No habrá más salidas al patio cuando el sol descienda para ver el atardecer. Ahora voy a vivir con Rayhan en casa de su padre y este dejará de ser mi hogar, aunque aquí siempre habrá una parte de mí. He vivido muchos años entre estas cuatro paredes y todo está plagado de recuerdos. Algunos buenos y otros no tanto, pero en esta casa guardo los mejores momentos de mi vida junto a mamá y Hassan. Aunque ellos ya no estén, los siento cerca de mí en cada rincón. Desprenderme de todo esto duele, duele demasiado, pero no me queda otra opción. Marcharme y alejarme de Farid puede que sea la única escapatoria para ser feliz. Debo ser fuerte. Mamá siempre me decía que de mayor sería una mujer capaz de hacer todo lo que me propusiera. Sus palabras ahora son mi fortaleza y mi motivo para seguir hacia adelante. Tengo que ver esta boda como algo positivo, dejarme guiar por la fe y confiar en que todo saldrá bien.

¡Toc, toc! Me levanto sobresaltada al escuchar la puerta. Es Delila. ¡Toc, toc! Vuelve a llamar. Me comentó ayer que vendría temprano para ayudarme a empaquetar mis cosas y empezar con los preparativos. La boda es esta misma tarde y al parecer hay mucho que hacer antes del gran momento. Cuando supo que me casaba le hizo una ilusión tremenda y me dijo que ella se encargaría de todo. Así que no tengo ni idea de qué me tendrá preparado, pero me está matando la curiosidad. Abro la puerta y la recibo con una gran sonrisa. Quiero parecer contenta, no estoy dispuesta a arruinar su ilusión con una mala cara. Sus manos están cargadas de bolsas y la invito a pasar mientras le sostengo algunas de ellas.

—¡Buenos días, mi querida Suhaila! —dice dejando los bártulos en el suelo del salón—. No sabes lo feliz que me hace que te cases. Llevo toda la mañana recordando mi boda y uff... me emociono. Fue un día muy especial para mí. Solo deseo que también lo sea para ti. —Me acaricia la cara y el hombro, apunto de soltar alguna lágrima—. Pero bueno, ya me callo, que como empiece ya con las lágrimas me voy a quedar seca de tanto llorar.

Nos reímos a la vez.

—Sí, ojalá sea un día especial y mi nueva vida sea mejor —le respondo apenada.

Me mira hablando con la mirada. Estoy convencida de que sabe perfectamente a qué me refiero sin que nunca le haya contado nada.

—¿Tienes todo recogido ya? —me pregunta cambiando de tema.

—No, iba a empezar ahora. No tengo muchas cosas que guardar, así que no creo que me lleve mucho tiempo —le explico.

—¡Te ayudaré y así tardaremos menos! ¿Qué te parece? —propone—. Te he traído este bolso para que puedas meterlo todo. Si quieres tú me vas dando y yo voy guardando.

Asiento con la cabeza y nos dirigimos a la habitación donde tengo la mayor parte de mis cosas. Delila abre el bolso que me ha traído y empiezo a vaciar el pequeño mueble donde guardo las pocas prendas que tengo. Dos pantalones, unas zapatillas, cuatro hiyabs, varias camisetas descoloridas... Saco todo para comprobar que no me dejo nada y, al fondo, descubro la ropa de mamá. Trago saliva. Hace años que no miraba la parte trasera de la cómoda. La gran mayoría de sus pertenencias las tiró Farid nada más enterrarla, pero antes de que lo hiciera fui rápida y me guardé un pañuelo suyo junto con algunas cosas que me recordaban a ella, como su túnica favorita con bordados en el pecho, una foto antigua de cuando era joven donde salía preciosa y un collar que hizo a mano una tarde de verano mientras yo le acompañaba en el salón. Todo

121

estaba metido en una caja de cartón que me dieron en la frutería. Cuando era más pequeña fue mi gran tesoro. Jugaba a buscar los lugares más recónditos de la casa, creyéndome pirata, y cuando encontraba uno mejor que el del día anterior cambiaba la caja de sitio. Lo tenía tan bien guardado para que Farid no lo encontrara que se me olvidó que lo tenía ahí. Menos mal que lo he descubierto antes de irme de esta casa. No me hubiera perdonado que después de tantos años Farid los hubiera tirado. Le doy la caja a Delila y su mirada me transmite tristeza.

—Ojalá pudiera ver lo guapa que vas a ir hoy.

—Mamá me ve lo guapa que voy todos los días, no solo hoy. —Sonrío.

Abrazo la túnica antes de devolverla de nuevo a la caja y un suspiro se escapa en el aire. Qué complicado va a ser todo. Me pongo manos a la obra y, en apenas media hora, termino de coger el resto de mis cosas. Únicamente falta un peluche que me regaló Delila para mi décimo cumpleaños y la pulsera que me encontré hace unos meses por la calle. Solo me la pongo los viernes porque no quiero que se me rompa. Ya tengo metido en el bolso todo lo que tengo que llevarme, pero examino por última vez la habitación. ¡Oh, claro! Casi se me olvida, ¡qué cabeza tengo! Voy corriendo al salón y debajo de la alfombra, en la parte que hace esquina, guardo el libro que me regaló Jamil hace un par de años. El suelo está un poco curvado y no se nota que hay nada debajo, así que era un buen escondite de fácil acceso para sacarlo diariamente. Cuando iba al colegio tenía una asignatura en la que hablaba inglés. No pude aprender prácticamente nada porque estuve muy poco tiempo yendo a clase, pero siempre quise saber más. Un día hablando con Jamil le dije que me encantaría saber muchos idiomas para poder hablar con todas las personas y, justo unos días después, me trajo un libro enorme para poder aprender las lenguas más habladas del mundo. Todos los días, cuando Farid no está en casa y no tengo nada que hacer, me encierro en mi habitación y aprendo inglés y español. El chino me parece muy complicado, aunque algún día profundizaré más en él. Hasta ahora me conformo con aprender bien inglés y español. Ya sé decir muchas cosas y podría hasta tener una conversación sencilla, pero soy consciente de que me queda mucho por mejorar. Meto el libro en el bolso y damos por finalizada la preparación de mi equipaje.

Ya hemos acabado de comer y Delila quiere comenzar a vestirme porque dice que vamos muy justas de tiempo. Durante la comida hemos estado hablando, principalmente, del día en el que ella se casó y me ha contado algunas cosas que yo no sabía. Al parecer, las bodas en Yemen son grandes eventos sociales, donde el novio y la novia no se juntan durante la ceremonia. El marido celebra una fiesta junto con cientos de invitados varones y la esposa hace lo mismo con mujeres, estando en todo momento separados, excepto a la hora de intercambiar los anillos. En ese preciso instante, el novio tiene derecho a pasar a la carpa de las mujeres para ver a su futura esposa y hacerse algunas fotos con ella. La verdad es que estoy muy nerviosa. Todo esto me parece surrealista. Sigo sin entender por qué tengo que casarme tan pronto y no puedo elegir yo a mi marido cuando sea más mayor. Las costumbres que me ha contado Delila me parecen un aburrimiento. Ojalá pudiera pasarme el día jugando y aprendiendo nuevas palabras de otros idiomas, pero parece que esta es la vida que me ha tocado vivir y ahora mismo no puedo hacer nada para cambiarla. Tendré que aceptarlo.

—¡Suhaila! Estás muy distraída. Te hablo y no te enteras. La boda te está dejando atontada. Baja de las nubes, cielo, que te casas en unas horas —me dice Delila.

—Ay, perdóname. Estaba pensando en mis cosas y no he escuchado lo último que me has dicho. No volverá a pasar, te lo prometo —me disculpo.

—Anda mira, tengo algo que enseñarte. —Abre una bolsa enorme y veo un vestido tapado con un plástico que tiene bastante polvo—. ¡Es tu vestido de novia! —dice ilusionada.

¿Ese es mi vestido? ¿Con eso me voy a casar? Sinceramente, me parece bastante horrendo. A medida que lo desenvuelve aprecio que es negro y naranja, con algunos tonos rojizos entremezclados y muchas joyas a su alrededor. El vestido llega hasta el cuello y luego lleva como complemento un hiyab que también está decorado con abalorios. Demasiado cargado para mí. Yo soy más sencilla y siempre visto de colores oscuros. ¡No me pega nada este atuendo! Me acerco a él, lo toco con cuidado de no mancharlo y descubro lo brillante que es con solo un vistazo. Delila sonríe y me acaricia el hombro.

—¡Venga, pruébatelo! A ver cómo te queda. ¡Estoy segura de que vas a estar súper guapa con él! Lo he guardado durante mucho tiempo con la esperanza de algún día concebir una hija, pero, desafortunadamente, nunca llegó. En cambio, la vida me regaló la oportunidad de tenerte a ti, que ya eres de la familia. Ten, te lo regalo. Es todo tuyo. No podía dejar pasar este momento. —Se emociona y casi me hace llorar—. Es de cuando yo me casé. Era uno o dos años mayor que tú, pero creo que te quedará bien porque tú eres más alta. Espero que te guste y lo cuides mucho —me pide.

Sus palabras me calman y, a la vez, me angustian. No tenía ni idea de que ella se había casado cuando tenía más o menos mi edad. Nunca me lo había dicho. La verdad es que no sabía que esto fuera tan habitual. Hay veces que es mejor la ignorancia. Después de haberme contado la historia que hay detrás de su vestido de novia, ya no me parece tan mala idea llevarlo puesto. De hecho, hasta me está empezando a gustar. Delila me ha contado que los vestidos de las novias yemeníes muchas veces son heredados de generación en generación. Ha sido un gran detalle por su parte haber decidido cederme el suyo para la boda porque, aunque me guste más o menos, yo nunca habría podido comprarme un vestido tan elegante. ¡Debe valer muchísimo! Ahora entiendo por qué lo ha guardado todos estos años y lo tiene tan bien cuidado. Para ella es una joya, como para mí la caja de cartón con las cosas de mamá. Cojo el vestido y me voy a la habitación de al lado a probármelo. Me quito la ropa que llevo puesta y meto la cabeza por el cuello. Pesa bastante, pero a la vez la tela tiene una caída muy ligera y bonita. El vestido me viene perfecto de ancho y largo. ¡Parece que esté hecho para mí! Me coloco el hiyab antes de enseñarle el vestido completo a Delila y me dirijo de nuevo junto a ella. Cuando me ve se queda asombrada.

—Pero... ¿¡CÓMO PUEDES ESTAR TAN PRECIOSA!? —exclama conmovida—. Ya Allah, Suhaila, cuando te vea el novio se va a enamorar de ti por completo, aunque bueno, él siempre ha estado enamorado de ti.

¿Cómo? ¿Él sabe quién soy? Se me acelera el corazón. Entonces, si me conoce, ¿es probable que yo también? Me quedo pensativa. A lo mejor lo he visto alguna vez que he salido a hacer la compra, aunque creo que los únicos hombres que conozco son Jamil y Farid. Que yo recuerde no he hablado con ninguno más. Antes conocía también al padre de Jamil, pero murió hace muchos años y apenas recuerdo su cara. No tengo ni idea. Delila no deja de mirarme y sonreír al verme así vestida.

—¡Vamos a empezar con el maquillaje!

¿Maquillaje? ¿También me va a pintar la cara para la boda? Veo cómo abre un neceser donde tiene pinturas y saca un lápiz negro para maquillarme los ojos. Me pide que los cierre y la punta comienza a deslizarse por todo mi párpado. Dibuja varias líneas de izquierda a derecha, una y otra vez, y después pasa al siguiente ojo, donde repite los mismos pasos. Es una sensación extraña. No sé si me gusta o quiero que termine ya, porque me raspa y a la vez es relajante. A continuación, me echa unos polvos en la cara para que «tenga la piel más blanca» y pinta mis labios de carmín. Cuando me miro al espejo que tiene al lado de las pinturas, no me reconozco. ¡Parezco un payaso! Me siento ridícula. Quiero que acabe ya el día para quitarme todo esto de encima y volverme a poner mi ropa de todos los días, pero parece que Delila no piensa lo mismo.

—Estás guapísima, Suhaila, esta noche vas a brillar. Qué ojazos, por favor. El negro te resalta muchísimo —me halaga.

Me siento tan incómoda en estos momentos que me gustaría desaparecer de aquí. La boda es dentro de una hora y nos tenemos que ir ya para estar allí cuando todo el mundo empiece a llegar. Mientras Delila se prepara con la ropa que se ha traído de su casa y se hace un maquillaje improvisado lo más rápido que puede, me cuenta toda la gente que irá a la boda. Que si la vecina de no sé quién, la prima de no sé cuántas, el marido de la hermana de su cuñado... Creo que aún no ha entendido que no conozco a nadie de toda esa gente, pero está tan ilusionada que la escucho detenidamente y asiento con la cabeza. Recogemos lo que hemos dejado por medio, nos aseguramos de que llevamos lo importante y nos marchamos. Cuando salimos por la puerta para ir al centro de Saná, donde están las carpas de la boda, una avalancha de mujeres viene directamente hacia mí. Parece que me estaban esperando y, en cuanto me ven, deciden acompañarme hasta las carpas, sin previo aviso ni consentimiento. Dos de ellas enseguida toman la iniciativa y me cogen del brazo, mientras las demás se amontonan detrás de mí sujetándome el vestido. El fuego se apodera de mí y rompo a sudar. No consigo que me suelten. Con la mirada perdida en busca de Delila, justo la veo llegar. Estaba cerrando la puerta con llave.

—A ver, hacedme hueco, por favor, que soy yo la que la lleva a la boda, no vosotras. —Su respuesta me descoloca. ¡Qué atrevida, Delila!

A pesar de sus palabras, las mujeres hacen oídos sordos, se sitúan detrás de nosotras y nos acompañan igualmente. Cuando llegamos al centro de la ciudad, las calles están abarrotadas. Hay dos carpas enormes de color beige y el bullicio es inimaginable. ¡Ya Allah! ¿Quiénes son todos estos? ¡Nunca he visto a tanta gente junta en mi vida! Aún sigo boquiabierta cuando Delila me indica que pase a la carpa de la derecha que es la de las mujeres. Nada más entrar mis ojos se quedan pegados al techo. ¡Es tan alto y bonito!

Está perfectamente decorado con luces, brillantes que destellan ante los ojos de cualquiera y telas de varios tonos de marrón. ¿Quién habrá pagado todo esto? Porque dudo mucho que haya sido Farid. Avanzo hasta el centro de la carpa y me quedo impresionada al ver al fondo un lujoso sillón elevado.

—Ahí vas a estar tú, querida. Así todas podremos verte y elogiarte. Ve sentándote, si quieres, ya mismo va a empezar la boda. —Me invita con la mano.

—Pero, ¿cómo va a ser la boda? ¿Qué tengo que hacer? —Las dudas vuelven a aparecer.

—No te preocupes, tú siéntate ahí y espera. Lo vas a hacer genial. Y lo más importante, mantente seria y no manifiestes tus sentimientos en ningún momento. Si lo haces demostrarás debilidad, y no quieres que nadie huela tu miedo, ¿verdad? —Niego con la cabeza.

Las invitadas se despiden de sus maridos en la puerta y, a medida que acceden, se van acomodando en las alfombras que hay nada más pasar al recinto. Estoy sentada justo enfrente de la entrada, lo que me permite ver todo lo que sucede fuera. Los hombres se juntan en el exterior y comienzan a festejar la boda del novio. Su vestuario no es muy diferente al de todos los días. Solo añade unas flores de colores en la cabeza, una bufanda llamativa que rodea su cuerpo y un sable encima del hombro, sin olvidar, por supuesto, la jambiya. Da igual dónde haya que ir o lo que se celebre, nunca se quedará en casa. Todos hablan a la vez y no consigo escuchar lo que dicen, pero de un momento a otro unos tambores empiezan a sonar y, tras un breve desfile, los hombres bailan y cantan sin parar. Las mujeres miran desde dentro, cuchicheando entre ellas e incluso algunas se atreven a intentar copiar el baile al mismo compás. Levantada de mi asiento pretendo reconocer entre la multitud a mi futuro marido, pero es imposible. Más aún cuando no sé cómo es su cara. Es como buscar una aguja en un pajar. Cuando el espectáculo termina, los hombres se dirigen a su carpa. Según me ha contado Delila, la suya es muy diferente a la de las mujeres, que tan solo es territorio de fotos y vídeos.

Tras varias horas de banquete y regalos tengo el estómago lleno de tanta comida y las manos y los pies pintados con henna, pero aún no he conocido a mi marido. Justo acaban de anunciar que son casi las diez de la noche y que el novio está a punto de llegar a la carpa de mujeres. ¿Qué tarde es ya, no? He pasado las últimas horas tan sorprendida con los bailes, los vestuarios y la decoración que no he sido consciente de que la novia soy yo. ¡Soy yo quien se está casando! Pero lo que no entiendo es cómo no ha venido el novio aún. Se está haciendo de rogar. Ahora sí que estoy nerviosa de verdad. No es que antes no lo estuviera, pero dentro de unos minutos llega el momento de conocernos y estoy asustada. ¡Quiero verle ya la cara! ¿Cómo será? ¿Me gustará pasar tiempo con él? ¿Será amable conmigo? Solo quiero que me trate bien, el resto me da igual. No importa lo que tenga que hacer, solo quiero que no me pegue. Con eso será suficiente. Las luces bajan su intensidad y el salón pasa a verse más oscuro, excepto mi sillón que está iluminado. El cotorreo de las mujeres se silencia por completo y sus miradas se dirigen directamente a la puerta que hay a mi derecha. Giro mi cabeza y ¡es él! ¡ES RAYHAN! Antes de mirarme, saluda al resto de mujeres y después sus intensos ojos se clavan en los míos. Me tiende la mano para levantarme del sillón y, delicadamente, mis pies comienzan a bajar los escalones hasta colocarme a su altura. ¡Vaya, qué chico más alto! ¿Cómo puede ser tan guapo? Es el hombre más atractivo que he visto en mi vida, hasta estoy temblando solo con mirarlo. Impone muchísimo. Luce un increíble pelo negro, un negro demasiado intenso que también se aprecia en su barba de unos cuantos días. Tiene pinta de ser bastante peludo, pero eso le hace aún más atractivo y que su mirada verdosa y brillante resalte. Con solo dos minutos a su lado ya he podido comprobar lo expresivo que es. Su sonrisa me quiere contar algo más, pero no es el momento. Ahora toca intercambiar los anillos. Sin dejar de mirarme, Rayhan coge mi mano y me pone el anillo en el dedo anular. Yo hago lo mismo con el suyo. Todas las invitadas están muy atentas a este momento tan especial y, sin perderse detalle, comienzan a aplaudir cuando el anillo entra en su dedo. Ya estamos casados. No me lo puedo creer. Ni tan siquiera he tenido que dar el sí quiero. Mi silencio ha sido interpretado como consentimiento.

—En unas horas nos vemos —me dice Rayhan al oído—. Ahora diviértete.

Suelta su mano de la mía y vuelve de nuevo a su carpa. El primer contacto ha sido demasiado efímero. Ni siquiera he podido fijarme en los detalles de su cara. Las mujeres rápidamente se separan en dos y me dejan un pasillo para que pase contoneándome. Unas aplauden. Otras cantan. Yo sigo pensando en que acabo de casarme. Esto no puede ser real. Tiene que ser uno de esos extraños sueños que tengo todas las noches. Durante el paseo, que no dura mucho más de dos minutos, clavo mi mirada en los rostros de las invitadas. La mayoría de ellas son bastante jóvenes y algunas no tienen muchos más años que yo. Me miran, dan palmas y yo me muero de la vergüenza. «Tierra trágame», pienso constantemente. Si llego a saber que esto era así me hubiera negado a salir. Lo paso fatal cuando estoy delante de tanta gente. Menos mal que ha sido corto y ya estoy de nuevo en mi sitio. Paso un par de horas más sentada en el sillón, mientras las mujeres se acercan para hablar conmigo. No les presto mucha atención. Me detengo más en mirar como el resto de mujeres, divididas en varios círculos de amigas, hablan entre ellas. Otras se marchan pronto, porque sus maridos no les permiten quedarse hasta tan tarde. Yo también quiero irme. Esto empieza a ser aburrido y tengo sueño. Solo quedan diez personas, entre ellas Delila que me está acompañando hasta que Rayhan llegue para irnos a su casa. El salón sigue vaciándose y mi marido no tarda en llegar. Qué raro se me hace llamarlo así. Cuando menos me doy cuenta entra de nuevo a la carpa de mujeres, nos despedimos en un pispás de Delila y salimos de aquel lugar. No he tenido ni siquiera tiempo de agradecerle todo lo que ha hecho hoy, pero ya iré en los próximos días a su casa para que hablemos más tranquilamente. Si Rayhan me lo permite, claro. Ahora lo mejor será descansar. Nos vendrá bien a todos. Las luces me han dado un increíble dolor de cabeza y necesito quitarme este vestido tan aparatoso. Los primeros minutos que Rayhan y yo estamos juntos apenas hablamos, más allá de lo bien que nos lo hemos pasado y lo divertida que ha sido la boda. Me cuenta que vive cerca del centro y no tardamos ni cinco minutos en llegar. Desde ahora viviré con él y su padre. ¿Cómo será todo? Uf. Mejor pienso en eso mañana. Hoy ha sido un día demasiado largo como para seguir dándole vueltas a la cabeza. Acabamos de llegar a la que ahora será mi casa para siempre. Accedemos a la vivienda por la puerta principal y subimos a la parte superior, que será donde nos alojaremos, según me explica.

—Mañana te enseño toda la casa, pero estoy seguro de que te va a encantar.

—Mejor mañana, sí. Seguro que es preciosa. Deberíamos dormir. Hemos vivido muchas emociones y ha sido un día muy ajetreado.

—Eso es cierto —me da la razón entre carcajadas—. Cámbiate tranquilamente en esta habitación. Tienes ahí tu bolso. Lo trajo esta tarde Delila para que tuvieras todas tus cosas esta misma noche. —Me indica con el dedo.

—¡Ay, que atenta es Delila! Muchas gracias por la habitación, Rayhan. —Delila siempre controlando hasta el más mínimo detalle.

—Por cierto, ahora que estamos completamente a solas quería decirte que hoy he sido el hombre más feliz del mundo. —Me sorprende. No esperaba esas palabras—. Casarme contigo era un sueño para mí y al fin lo he cumplido. —Enrojezco.

—Eres muy amable. Yo también he disfrutado mucho de la boda. —Sonrío—. Entonces, ¿esta será la habitación donde dormiré? —le pregunto.

—No, Suhaila. A partir de ahora dormiremos juntos en la habitación que ha preparado mi padre para nosotros.

—¿Dormir juntos? Nunca he dormido con ningún hombre. Prefiero dormir sola.

—Suhaila, ahora estamos casados. Los matrimonios duermen juntos. Sé que hasta ahora has dormido sola, pero aquí tienes que dormir conmigo. ¿De acuerdo? —No respondo—. No tardes en cambiarte. Te espero en la habitación del fondo. Todavía nos falta consumar el matrimonio para poder decir que somos marido y mujer.

Capítulo 16

RAYHAN

Una nueva vida

25 de febrero de 2003

Los chasquidos de la tetera se escuchan en toda la casa. Estoy preparando té para desayunar y poder tomarlo junto a Suhaila cuando se despierte. Me he levantado hace más de dos horas porque no lograba dormir y, desde entonces, no he podido dejar de mirarla. Es tan preciosa que su belleza me deja deslumbrado cada vez que la veo. Qué suerte tengo. Jamás pensé que conseguiría que fuera mi mujer. Esto se lo debo a mi padre. Como todo en la vida. Sin él no soy nada. Observo por enésima vez la silueta de su cuerpo, su tersa piel, sus enormes pestañas... Todos querrían tener una mujer como ella. Me siento afortunado de poder decir que es mía. Solo mía. La noche de ayer fue inmejorable. Poder acariciarla después de tantos años deseándolo, sentir el calor de su pecho y rozar su respiración con la mía es un placer que nadie más puede permitirse. Su tacto es delicado y suave, sus ojos simulan a las olas del mar y yo a su lado me siento como si un tsunami me alcanzara, pero luego de nuevo todo volviera a la calma. Nunca he estado tan enamorado de nadie como de ella. Su dulce voz me da ganas de besarla y sus labios me incitan a hacerle el amor. Anoche nos deshicimos de la ropa en apenas segundos y pude contemplar de cerca cada poro de su piel. Cuando le acercaba mis manos, su cuerpo se encogía y mostraba rechazo, pero lo entiendo. Es muy joven, nunca ha experimentado estas cosas y le cuesta adaptarse. Aun así, estoy seguro de que se sentirá como una reina en esta casa. Ya me encargaré yo de ello y de que viva lo más cómodamente posible. Ella lo es todo para mí.

El aroma del té se esconde por cada recoveco, buscando ser el protagonista de la mañana. Levanto con cuidado un lado de la tetera y descubro que ya está casi listo. ¡Qué bien huele! Lo dejo en el fuego durante unos minutos más y aprovecho para terminar de preparar el resto del desayuno. Abro el mueble que tenemos en el salón y saco varios bollos de chocolate envueltos en una bolsa de plástico. Los coloco en la alfombra y me dirijo a la habitación para despertar a Suhaila. Si no está en el salón antes de cinco minutos, el té se enfriará y perderá todo su sabor. No podemos permitirnos eso. Las horas del té, para mí, son sagradas. Lo tengo que beber al menos siete veces al día y hay veces que me parece insuficiente. Para todos los árabes el té es como una de nuestras extremidades, sin la cual no podríamos vivir. Pero creo que lo mío ya es adictivo. Consumo mucho más té que el resto de personas. De hecho, es raro verme sin un vaso en la mano a cualquier hora del día. Seguro que a Suhaila le gusta tanto como a mí. Me asomo a la habitación y la luz de casi mediodía se refleja en ella. No entiendo cómo es capaz de dormir con el sol en la cara, yo en cuanto el cielo empieza a clarear tengo que levantarme, porque no puedo dormir sabiendo que ya ha amanecido. Pero ella... Ella es capaz de todo. «Ayyy», se me escapa un suspiro sin querer. Suhaila empieza a removerse soltando algún que otro bostezo.

—¡Oh, ya es de día! Me he quedado dormida —dice nerviosa—. Iba a levantarme temprano a limpiar la casa y prepararte el desayuno para que estuviera listo cuando te despertaras. —Se frota los ojos y se pone de pie inmediatamente.

—Tranquila, Suhaila. Aquí no tienes que vivir agobiada y pensar simplemente en limpiar y hacer la comida. De eso ya se encarga Najwa. Hoy es el día después de la boda, te mereces descansar. El desayuno está preparado en el salón. ¿Me acompañas? —Le tiendo la mano.

Se queda unos segundos callada.

—¿Me has preparado el desayuno? —me pregunta extrañada.

—Claro, mi amor. ¿Por qué no iba a hacerlo?

Se hace el silencio. Solo se escucha la tetera de fondo.

—Ningún hombre me había preparado nunca el desayuno. —Parece bastante sorprendida.

Siento la necesidad de abrazarla, volver a tocarla y decirle lo mucho que la amo, pero recuerdo que el té nos espera. La guío hasta el salón y cuando ve la alfombra llena de dulces se queda boquiabierta.

—¡Guau! ¿Y toda esta comida, Rayhan? ¿A quién has invitado a desayunar?

—A nadie, vida mía. —Me hace reír—. ¡Esto es solo para nosotros! Así que disfruta de este manjar que te he preparado. Puedes comer todo lo que quieras.

—¿Cómo sabías que me gustaba tanto el chocolate? —Alucina.

—Ahhh, ¡sorpresa! —Río—. ¿Has visto que marido más listo tienes?

Suhaila se sienta en el suelo, degustando varios bollos a la vez y un vaso de té. Disfruta de cada bocado como si fuera el último y sus ojos se abren y se cierran saboreando la comida. He hecho bien en preparar tanto desayuno, creo que tiene bastante hambre. Bebe varios sorbos de té caliente para que entre mejor y vuelve a pegar un bocado. No puedo dejar de mirarla. Recién levantada es aún más guapa. Sonrío. Me hace gracia ver cómo tiene la cara llena de churretes de chocolate. Intento limpiarlos con una servilleta, pero cuando me acerco a ella, sus ojos se despegan del dulce y se fijan en los míos. Tras dos segundos de conexión, retira la mirada y de sus labios aflora la sonrisa más bonita del mundo.

Capítulo 17

SUHAILA

Una noticia inesperada

31 de mayo de 2003

Llueve. Hacía meses que no veía las gotas de lluvia caer del cielo. Es algo que me impresiona desde que soy pequeña y siempre que empieza a llover me quedo embobada sin pestañear disfrutando de las cosas bonitas que nos regala la vida. Hoy es sábado y creo que va a ser un día tranquilo. Rayhan está trabajando en unos asuntos con su padre en la planta de abajo y yo estoy aquí arriba mirando por la ventana, tomando té y escuchando el agua gotear sobre Saná. Creo que me hacían falta unos días de tranquilidad para descansar, porque mi vida últimamente ha sufrido muchos cambios y aún estoy asimilando todo esto. Vivir en esta casa es totalmente distinto. En todo momento me tratan como si fuera una princesa o al menos esa es la sensación que tengo. Rayhan se desvive porque no me falte nunca de nada, me cuida, me mima y siento mucho cariño cuando estoy cerca de él. Nunca se podrán comparar, pero en sus brazos encuentro lo que había en los de mamá: un refugio. Todos los días me acuerdo de ella y no puedo dejar de echar de menos a Hassan, pero por fin he entendido que no van a volver, ni los voy a poder abrazar por última vez. Ahora es momento de continuar el camino viviendo por los que ya no pueden. Esta nueva etapa, cargada de buenos y felices momentos, ha llegado para demostrarme que es posible dejar todo lo malo atrás. No he tenido unos años fáciles. He sufrido mucho, he perdido a mi familia y he sobrevivido conviviendo con un hombre demente, pero ahora eso se acabó. Por fin vuelvo a sonreír sin necesidad de preocuparme por los problemas. ¡No puedo creer en la burbuja en la que vivo! Hace tan solo unas semanas estaba encerrada en casa de Farid bajo amenazas, humillaciones y maltratos, y ahora con Rayhan me siento como nunca antes. Cada día intento ver más allá y buscar dónde está el error. Pienso en si será una broma de mi padre o me están engañando, pero nunca encuentro ningún fallo a pesar de mantenerme alerta. Esto es igual de real que los puñetazos que Farid me daba en el estómago. Y hablando de él... La última vez que le vi fue el día de la boda antes de la ceremonia. Desde entonces, no ha venido a verme y yo tampoco me he sentido con fuerzas de volver a mi antigua casa. Aunque allí todavía sigan mis hermanos, en este tiempo he aprendido que cuando estás plenamente feliz en un lugar no quieres volver a donde no lo fuiste. Disfruto el último sorbo que me queda de té y relleno el vaso con unas hierbas secas para calmar el dolor de barriga. Me encuentro fatal y lo único que me apetece es pasar el día tumbada. Creo que estas infusiones están en todas las casas yemeníes, al menos mamá también las tenía. Deben ser una especie de medicina tradicional de nuestro país, porque su efecto desde luego es inmejorable. Siempre que siento dolor me preparo unas pocas y en cuestión de unos minutos estoy recuperada. Sin embargo, esta vez llevo tres días tomándolas y sigo teniendo ganas de vomitar. Anoche Rayhan me preguntó preocupado si estaba bien. Me contó que me encontraba muy pálida, pero yo le respondí que solo necesitaba descansar y me fui a dormir, sin mencionar nada sobre la somnolencia que llevo cargando a las espaldas desde hace varios días. El crujido de las escaleras hace que desconecte de la caída de las gotas de lluvia del cielo. Rayhan ha debido hacer ya el descanso de media mañana. Sus pisadas se escuchan al subir al segundo piso.

—¡Hola, mi amor! —me dice—. ¿Anoche nos dejamos algo pendiente, no?

—No sé de qué me hablas, Rayhan —le digo, pero claro que sé a qué se refiere.

Desde que nos casamos «hacemos el amor», como él dice, casi todos los días de la semana. Ayer él tenía la intención de hacerlo por la noche, pero yo me fui a dormir enseguida. Justo cuando estaba a punto de caer rendida sentí como una mano tocaba mis partes íntimas, pero no quise abrir los ojos y me hice la dormida. Como no reaccioné, Rayhan apartó la mano, se tumbó a mi lado y se quedó dormido conmigo. No voy a mentir si digo que la mayoría de las veces me escaqueo si puedo. Si no lo evitara estaríamos todo el día sin parar. Me gusta que me trate bien, pero no quiero hacer esas cosas con él. Me recuerdan a Farid.

—Oye, ¿de verdad que no te ocurre nada? —me pregunta—. Tienes unas ojeras espantosas y cada día estás más pálida. Con lo morena que eres tú... —Me levanto de la alfombra sin contestarle—. ¿Suhaila?

Salgo corriendo. Me ha venido una bocanada de repente y necesito vomitar. Sentir los fluidos viscosos en la boca me produce... Puag. Solo de pensarlo me entra angustia. Consigo llegar al baño tras tropezar con dos cojines y una manta. Me agacho a la letrina y expulso todo lo que tenía dentro de mi cuerpo.

—¡Suhaila! —exclama Rayhan que ha seguido mis pasos y está justo detrás de mí.

—¡Qué mala me he puesto en un momento! —Ya estoy más calmada.

—Esto no es normal, Suhaila. Ya es la cuarta vez que vomitas esta semana. Deberíamos llamar a Jamil para que venga a observarte. Es tu médico de confianza, ¿no? A lo mejor es solo un simple resfriado o cualquier tontería, pero me quedo más tranquilo si te revisa y nos dice que está todo correcto. Voy a pedirle ahora mismo que se acerque en un momento.

—Gracias, Rayhan. Sí, creo que será lo mejor. Yo también me estoy empezando a preocupar.

Me limpio con un poco de papel los restos de vómito y regreso de nuevo a la habitación para reposar junto a la ventana, en la misma posición que estaba antes. Aprovecho mientras Jamil llega y me pongo el hiyab para estar preparada. Pensaba que una vez casada me obligarían a llevar burka como a mamá. Menos mal que no ha sido así. Eso también me hace muy feliz. El hiyab es mucho más bonito y menos agobiante. Con él me veo guapa cuando me miro al espejo cada mañana y voy a poder seguir sintiendo el aire en la cara. ¡Que sensación más maravillosa! Esto es gracias a Rayhan. Le debo mucho. Muchísimo. En tan solo unas semanas ha hecho por mí más que Farid durante toda la vida. Me ha regalado la libertad que tanto ansiaba, y eso nunca lo voy a olvidar. Ser libre es el mejor regalo que podía hacerme.

En menos de quince minutos Jamil ya está en casa y Rayhan lo recibe asustado. Suben rápidamente por las escaleras y me encuentro de nuevo con Jamil, después de varias semanas sin saber nada de él. Sonrío al volver a verle con su famoso maletín en la mano. Tal y como lo recordaba. Tras la boda ha sido todo un poco caótico. Primero fueron las presentaciones, luego la adaptación a esta casa, conocer a la persona con la que me acababa de casar, después llegaron los continuos vómitos... En cuanto me recupere, si puedo, tengo que ir sin falta a la casa de Jamil. Es un buen amigo para mí, y les tengo que contar muchas cosas a él y a Delila sobre mi nuevo hogar.

—¿Qué te ha pasado ahora, Suhaila? No puedo dejarte sola unas cuantas semanas. Qué harías sin mí, eh... —Se ríe y me abraza.

Lleva razón. Si no tuviéramos su ayuda no sé qué haríamos. La sanidad aquí es muy cara y no podemos permitírnosla. Hemos tenido suerte de haberlo podido tener cerca siempre que lo hemos necesitado y espero que eso continúe siendo así. Tras el largo abrazo, nos sentamos y me examina. A Jamil le encanta hacer preguntas, así que esta vez no iba a ser menos.

—¿Has tomado algo en mal estado estos últimos días? —Comienza el interrogatorio.

—Que yo sepa no.

—¿Quizá demasiadas grasas?

—No, todo lo que he comido apenas tiene grasa.

—¿Con qué frecuencia vas al baño? —Su pregunta estrella.

—Entre lo que sale por debajo y por arriba... bastantes —respondo sonriente, pero avergonzada.

Presiona levemente la zona estomacal, las costillas por la parte de la espalda y la pelvis para ver si siento dolor. Rayhan en ningún momento se extraña al ver que está tocándome.

—Necesito descartar algunas posibilidades y para eso tengo que hacerte un análisis de sangre y otro de orina.

Las comprobaciones que me ha realizado parece que no son suficientes. Me va a pinchar y voy a tener que volver al baño, menos mal que creía que iba a tener un sábado tranquilo.

—Si lo hacemos rápido, puedo irme ya e intentar tener los resultados pronto. Así podremos saber cuanto antes de qué se trata. Seguramente no sea nada más que un virus, así que no tenéis que preocuparos —dice mientras sostiene los tubos de los análisis en las manos.

Desde que se fue Jamil no he conseguido comer nada. Todo lo que entra por mi boca vuelve a salir. Aunque tengo hambre, soy incapaz de mantener nada en el cuerpo. Rayhan está bastante preocupado. Se lo noto en la mirada. Me ha traído una botella de agua para que al menos me hidrate, pero no bebo más de dos tragos sin que me produzca angustia de nuevo. Me siento junto al teléfono que tenemos en la mesa del salón a esperar la llamada de Jamil. Al cabo de un rato, Rayhan termina de trabajar y sube para ver cómo me encuentro. Se sienta a mi lado y seguimos esperando juntos a que suene el teléf... RINGGGGG. RINGGGGG. ¡Qué susto! El sonido es demasiado fuerte y se me encoge el corazón. Rayhan descuelga y su cara cambia completamente al escuchar la respuesta de Jamil. Le agradece que se haya dado tanta prisa y cuelga inmediatamente. Me mira conmovido.

—Suhaila. Estás embarazada.

Me quedo muda. Esto es lo último que me esperaba.

Capítulo 18

SUHAILA

Zaida

9 de enero de 2004

Han pasado casi ocho meses desde aquella trágica noticia que, con el paso de los días, conseguí transformar en algo positivo y ver mi embarazo como un milagro de Allah. Al principio fue muy duro reconocer lo que estaba sucediendo e imaginarme siendo madre de un bebé. No me daba miedo enfrentarme a aquella situación porque ya había cuidado de mis hermanos y sabría defenderme, pero me aterraba la idea de convertirme en mamá con tan solo once años. ¿Cómo iba a saber hacer las cosas bien si aún estaba aprendiendo a cuidar de mí misma? Desde que me fui de aquella casa en la que viví durante mi infancia, muchas cosas han dejado de ser igual. He pasado de las palizas de mi padre a estar casada y embarazada en tan solo unos meses. En todo este tiempo he tenido que aprender a ser esposa, a enfrentarme a los dolores, a vivir en soledad... No me ha quedado más remedio que madurar a la fuerza, y hasta me veo físicamente cambiada. No sé si estar embarazada tendrá algo que ver, pero me noto diferente. Como si llevara a mis espaldas muchos más años vividos. No todo es tan fácil como parece desde fuera. Cuando voy al mercado veo a mujeres felices, hablando con sus amigas mientras compran la comida del día, pero la realidad es que al llegar de nuevo a sus casas el mundo se les cae encima. Como me pasa a mí. Al fin y al cabo todos aparentamos. Unos más, otros menos, pero la mentira es el pan de cada día de todos los seres humanos. No queremos que vean lo que nuestros maridos hacen con las luces apagadas o, a veces, a plena luz del día. ¿Por qué tenemos que vivir así? No nos lo merecemos. Lo peor es que si tengo una hija también tendrá que aguantar todo esto, simplemente por ser una mujer. Qué injusto, de verdad. Ha habido momentos durante el embarazo que incluso he llegado a rechazar lo que llevaba dentro, temiendo que fuera una niña. No me atrevía a querer a esa personita que iba a venir al mundo, pero cuando noté sus primeras patadas todo cambió. Absolutamente todo. Estos meses, sin duda, han sido la prueba más difícil de mi vida. Menos mal que Delila ha estado conmigo en todos estos momentos complicados de asimilar, porque no tengo a ninguna mujer más en la que apoyarme. Llevo varios días con fuertes contracciones, y parece que esto no va a parar. Ya no sé ni cómo ponerme para que no sean tan dolorosas. Presiento que el parto está demasiado cerca y solo de pensarlo me muero de miedo. Mi barriga es enorme y hace dos días cumplí nueve meses de embarazo, así que, según mis cuentas, queda poco tiempo. Las piernas me pesan al andar, tengo que ir al baño continuamente y los pinchazos son cada vez más molestos. Desde que empecé con contracciones, Delila viene todos los días a cuidarme. Me prepara la comida, limpia la casa y recoge todo lo que está por medio. Es una gran ayuda para mí porque hay días en los que no puedo ni siquiera dar un paso y a Rayhan le gusta que todo esté bien limpio y organizado. Con él, poco a poco todo ha ido evolucionando a mejor y el trato que recibo por su parte es inmejorable. En el sexo algunas veces me hace sentir incómoda, pero creo que con el tiempo me acostumbraré a que sean sus manos las que me tocan. Al menos sé que detrás de la penetración hay amor, aunque desde hace unos meses ya no es el mismo. En septiembre falleció su padre y su inesperada muerte marcó un antes y un después en su vida. Karim era su ejemplo a seguir, su alegría, su paz mental, su vida... La madre de Rayhan también murió cuando él era pequeño y, desde entonces, su padre fue padre y madre a la vez. Era todo lo que Rayhan tenía, hasta que un infarto le hizo no despertar al día siguiente y perder completamente a su familia. Fue un golpe muy duro y aún no ha asimilado su pérdida. Yo intento ayudarle cada día porque sé lo que es vivir la muerte de un ser querido, pero muchas veces prefiere encerrarse en sí mismo y no quiere que nadie se le acerque. Hace pocas semanas cayó en una profunda depresión y, a causa de eso, perdió el trabajo que tanto le había costado a su padre conseguir para él. Así que ahora estamos intentando sobrevivir con el dinero que nos dejó Karim, aunque no tardará en agotarse. Dentro de nada tendremos otra boca que alimentar, y Rayhan ha empezado de nuevo a buscar empleo, pero las cosas están complicadas en Yemen. ¡Ahhhh! Otra contracción. He perdido la cuenta de las que llevo hoy. Najwa ya no viene a limpiar, no podemos pagar sus servicios, así que Delila pasea por la casa como si fuera ella, de un lado para otro, haciendo las tareas, pero cuando me ve doblada de dolor, deja el trapo en el suelo y empieza a ponerse nerviosa. Intento no contagiarme de su inquietud. La tranquilidad es clave ahora mismo. Exhalo. Respiro intentando controlar lo que siento, pero es inevitable. «AAAAAAAWWWWWW». Grito de dolor.

—¿Estás bien, cielo? —Se asoma por debajo de la túnica y su rostro cambia por completo—. ¡Tenemos que llamar YA a la partera! —¿Cómo que a la partera? ¿No va a venir su hijo?

Me encuentro demasiado mareada. ¿Y Jamil? Creía que iba a ser él el que estuviera en el parto, no una desconocida. Pero bueno, mejor no preguntar, ahora no es el momento. Tengo mucho calor. Me asfixio. Reposo el cuerpo y la cabeza sobre la alfombra, controlando las contracciones. Cierro los ojos para no pensar en nada. Son mis últimos instantes antes de ser madre. No me lo puedo creer. Este día ha llegado. Parecía tan lejano... La luz de la calle rebota de lleno en mi cara, cegándome por completo. No sé cuánto tiempo ha pasado desde que Delila la llamó, pero la partera acaba de aparecer por la puerta de mi casa. Según me cuentan sus arrugas debe tener alrededor de sesenta y cinco años, pero conserva una agilidad impropia para su edad. Sin detenernos en presentaciones, toca mi barriga y me sube la túnica. Cuando se asoma, rápidamente me tumba. Me dice que el bebé está asomando la cabeza. ¿Cómo? ¿Asomando la cabeza? Me toco y siento un bulto que sobresale. ¡Ya Allah!, ¿cómo he podido no darme cuenta de que estaba saliendo? Estoy muy nerviosa. No sé cómo tengo que sacarlo. ¿Y si lo hago mal y la criatura no sale viva? Todo sucede más rápido de lo que me gustaría. La partera me coge por las rodillas y las sujeta debajo de sus axilas, zarandeándome para que el bebé se coloque correctamente y podamos sacarlo cuanto antes. No estoy preparada. No lo estoy. Los dolores son insufribles. No puedo apenas empujar, no me quedan fuerzas. Respiro al compás de la partera y relajo los músculos para que todo sea más fácil. Me gira hacia un lado y me aprieta la barriga. Luego al otro y repite la misma fórmula. No digo nada, solo lloro sin saber por qué mientras exploto de dolor. Me devuelve boca arriba, a la postura original, y llega el momento de la verdad.

—Tenemos que empezar a empujar, Suhaila. ¡Vamos! Empuja todo lo que puedas y, cuando dejes de poder hacerlo, coge aire. Vuelve a repetirlo una y otra vez, ¡sin parar!

Delila sostiene mi mano con la certeza de que todo va a salir bien. Ambas me animan, pero yo no estoy segura de nada. Tengo tantas dudas... Cojo aire. Lo expulso. Cojo aire. Ahhhhhhhhh. ¡Qué dolor!

—¡APRIETA, SUHAILA! —exclama Delila.

Sigo apretando sin parar, pero me derrumbo y noto más lágrimas caer por mi sudorosa cara.

—¡Tienes que ser fuerte! ¡Venga, aprieta! —No puedo más. Respiro. Respiro. Respiro. AHHHHHHHH.

—Tienes que seguir empujando, Suhaila. ¡Vamos! ¡Sigue! —El parto se está alargando más de lo esperado.

Se me hace muy difícil sacar al bebé, pero sigo intentándolo. El corazón me va a mil por hora.

—¡Una más, una vez más, una vez más! ¡Empuja una vez más! Ya casi lo tenemos —insiste.

De repente, se apodera de mí un inmenso sentimiento de culpabilidad. ¿Cómo he permitido que Rayhan me dejase embarazada? ¡Yo no quería ser madre! ¿Por qué soy tan puta? Me siento una basura de persona. Aprieto con más fuerzas que nunca, soltando toda la rabia contenida, y noto como algo sale completamente de mi cuerpo dejando un vacío enorme en mi interior. Al unísono, el llanto del bebé suena entre el silencio. Cuando le veo, mis ojos se abren como platos y ríos de lágrimas se deslizan por mi rostro. La inevitable sonrisa aparece frente a la partera y Delila. Ellas también están emocionadas. Acabo de ser madre. Esto es increíble.

—Es una niña —afirma la partera.

Me pongo la mano en la boca intentando controlar mi ilusión, pero todas acabamos riendo y celebrando la nueva vida que acaba de nacer. Cojo en brazos por primera vez a mi hija y siento amor a primera vista. Es ella. Es ella la que ha estado dentro de mí todo este tiempo. Soy madre. ¡Ya Allah! Qué fuerte. Esta es mi hija, para ahora y para siempre. Es preciosa. Tiene los ojos como su padre, pero de cara es idéntica a mí. Le canto versos del Corán para calmar su llanto y su cuerpo entra en estado de relajación. La mezo como si de mi muñeca favorita se tratara. Cuando era pequeña cuidaba de ella para que nada malo le pasara, le limpiaba la cara con agua porque estaba empeñada en que siempre tenía que estar guapa y la vestía con trajes de colores que yo misma fabricaba con restos de ropa vieja. Ahora mi muñeca ya no es de plástico, sino de carne y hueso. A ella la tengo que proteger aún más. ¿Cómo es posible querer tanto a una persona tan pequeña con la que solo has pasado unos segundos de tu vida? Jamás pensé que estos sentimientos pudieran existir. Le acaricio la cara aún manchada de sangre y comprendo que se acaba de convertir en mi única prioridad. Al final, la vida puede ser maravillosa. Bienvenida al mundo, Zaida.

Capítulo 19

RAYHAN

Vuelta al trabajo

2 de febrero de 2004

Hace tan solo unas semanas que nació Zaida y llenó nuestra casa de alegría. Ser padre es el mejor regalo que me ha podido hacer Suhaila. Siempre había querido casarme con una bella mujer, tener hijos y formar una familia. Ahora tengo todo esto y me siento muy afortunado, pero estas últimas semanas están siendo bastante duras porque no encuentro trabajo y el dinero se está agotando. Zaida necesita mucho más de lo que pensábamos. El otro día vino el padre de Suhaila por primera vez a nuestra casa desde que nos casamos para ver a su nieta. Se deshacía en amores con ella y eso fue algo que me sorprendió. Le recordaba de otra manera y, después de tanto tiempo sin verlo, parecía hasta otro hombre. Siempre he considerado a Farid una persona soberbia, prepotente y engreída, en cambio su forma de ser y actuar ahora habían cambiado. Se mostraba más sereno, más pausado, más calmado y hasta me escuchaba mientras hablaba. Nunca antes había visto a Farid comportarse así. Aquel día se quedó a comer y estuvimos un rato charlando mientras Suhaila preparaba la comida. Hablamos de mi padre, de Suhaila y la niña, pero, sobre todo, hablamos de trabajo.

—¿Por qué no te vienes conmigo a trabajar en el cuerpo de policía? Creo que puedo conseguirte algo por allí. Déjame que pregunte y te digo en cuanto sepa cualquier cosa. —¿Mi suegro me estaba ofreciendo trabajo? Esto era algo inaudito.

Ahí quedó la conversación. Esta mañana, cuando aún dormían las dos mujeres de la casa, me ha llamado para que me pasase por la oficina. «Te he conseguido un trabajo, Rayhan. Te espero por aquí en una hora», me ha dicho colgando el teléfono, pero cuando le he contado la noticia a Suhaila no le ha gustado demasiado.

—¿Vas a trabajar con mi padre? ¿En serio? ¿Después de no venir a ver a su nieta el día que nació? Rayhan... no me gustaría que te relacionases con él. Es muy influyente y tú eres una persona maravillosa. Estar cerca de él solo te perjudicará. —¿Y si lleva razón?

—Sé que no te gusta, Suhaila. Para mí tampoco es plato de buen gusto tener que trabajar con tu padre. Ya sabes lo que opino de él —le digo.

—Pero, ¿no hay otra alternativa? ¿De verdad que no hay otra opción? ¿Ya hemos agotado todas las posibilidades? Sabes por todo lo que me ha hecho pasar en los últimos años, no entiendo cómo quieres trabajar ahora con él —responde alterada.

—No es que quiera, es que tampoco tengo más opciones. Es eso o no trabajar. ¿Tú qué harías? ¿Dejarías que tu hija se muriese de hambre? Zaida necesita cada día más cosas y nosotros casi no tenemos dinero para comer. Llevo meses buscando trabajo y lo único que he encontrado hasta ahora es esto. ¡El dinero se nos acaba! No puedo dejar pasar la oportunidad de meterme dentro del cuerpo policial. Allí ganan bastante y no les suele faltar el trabajo. —Tengo que convencerla de que es una buena idea—. Además, ¡no tengo por qué ver a Farid! Cada uno irá a lo suyo y solucionado. Yo trabajaré, después volveré a casa y todos felices.

—De verdad que no me fío nada de las palabras de mi padre. ¿Y si luego es mentira y solo te quiere utilizar? —Desconfía.

—Bueno, vamos a hacer una cosa; yo voy a ir ahora a la oficina a ver qué me cuenta y qué trabajo es exactamente, y luego valoramos qué hacemos. ¿Qué te parece? —le consulto. Su opinión también es importante para mí—. Aunque también te voy a decir una cosa: creo que tu padre está cambiando. El otro día estaba muy tranquilo, cuidando de Zaida y queriendo estar con ella en todo momento. Sabes que nunca ha sido así.

—¿Tú crees? No sé qué pensar. —Duda—. De todos modos, ten cuidado y en cuanto salgas de la oficina ven a casa y me cuentas. —Asiento con la cabeza. Suhaila cada día se preocupa más por mí. Desde que tuvimos a la niña está más receptiva conmigo y eso me gusta mucho.

Quedan algo menos de veinte minutos para ver a Farid, así que me calzo y me dirijo hacia las oficinas de la policía. Por el camino me fumo un cigarro y cuando estoy casi llegando vislumbro a lo lejos que está esperándome en la puerta.

—Pasa por aquí. —Me guía por un pasillo de luz tenue, hasta llegar a un mini despacho iluminado por una lámpara de color ocre, de la que cuelgan algunas telarañas.

El espacio no es el más adecuado para una reunión de trabajo, pero tampoco me puedo poner exquisito. Me siento en una silla que Farid me tiene preparada y va directo al grano.

—Desde ahora en adelante lo que hablemos en esta sala, se queda en esta sala. ¿De acuerdo? —Su semblante cambia.

Asiento sin rechistar.

—Quiero que vendas armas para mí. —¿Cómo?

Me quedo de piedra. ¿Qué me está contando de unas armas? ¿Desde cuando Farid está metido en esto?

—No le vas a contar nada a nadie, y si lo haces enviaré a mis hombres para que maten a Suhaila y a tu hija. —Se me corta la respiración—. Tu padre se dedicaba a esto y tenía el dominio absoluto de todo, pero ahora sus clientes son míos. —Hace varias muecas con la cara simulando una media sonrisa—. Creo que deberías saber que tu padre no era tan bueno como tú te imaginabas. Mucha gente ha muerto debido a las armas que él ha vendido. Conmigo no va eso de aparentar ser buena persona y hacer creer al resto que soy un héroe. Prefiero que me odien y no se acerquen a mí, así no descubrirán a lo que realmente me dedico. ¿De dónde crees que sacaba tu padre el dinero para tener esa casa que ahora es tuya? —No respondo—. Te he llamado porque necesito urgentemente a una persona de confianza para que transporte las armas desde Saná hasta la frontera con Arabia Saudí sin ser sospechoso. Te daré un buen coche y un sueldo más que merecido. Sé que suena arriesgado, y lo es, pero tú solo tienes que llevar la mercancía, dejársela a un civil del que más tarde te desvelaré su nombre y recoger el dinero que te proporcionará en el acto. Eres el candidato perfecto para hacer esto. Joven, inteligente, sin rasgos violentos y, lo más importante, tu historial no está manchado. Irás una vez cada dos semanas hasta la frontera y el resto de días te quedarás aquí con nosotros. Prepararás los pedidos y ayudarás en lo que necesitemos. A Suhaila le dirás que trabajas aquí en la comisaría con nosotros. No te preocupes por mentirle a tu querida mujer, todos lo hemos tenido que hacer alguna vez para sobrevivir. Y recuerda: no debes levantar sospechas, así que ándate con ojo para no mentir más de la cuenta.

Me quedo en shock con su discurso. No soy capaz ni siquiera de contestarle. ¿Es cierto todo lo que me ha contado de mi padre? ¿Se lo habrá inventado para que acepte este trabajo? Si de verdad hacía esas cosas no puedo creer que no me contara nunca nada. ¡Éramos uña y carne! Siempre hablábamos de lo que le preocupaba y compartía conmigo hasta los más íntimos detalles. Esto es realmente fuerte, no puede ser verdad. No puedo asimilar tanta información de golpe. ¡ADEMÁS ME HA CHANTAJEADO! ¡Maldito Farid! ¡Ya Allah!, ¿hasta dónde es capaz de llegar este hombre? Me está usando para no pringarse él las manos y encima me amenaza con matar a mi familia. ¿Pero qué cojones es esto? Lo único que me apetece en estos momentos es partirle la cara a este cabronazo. Sin embargo, me levanto de la silla y me voy sin decir nada.

—¡Chh! —me chista a mis espaldas desde su sillón—. ¿Qué me dices entonces? ¿Aceptas o vas a permitir que tu hija se muera de hambre? —justo dice las mismas palabras que le he dicho a Suhaila hace tan solo una hora.

Sabe hurgar en la llaga para encontrar lo que más daño puede hacerte. Trago saliva antes de contestar y, sin pensarlo mucho, le doy la respuesta que quiere recibir.

—Trabajaré contigo.

Capítulo 20

SUHAILA

Confusión

18 de marzo de 2004

Aunque parezca increíble creo que mi padre está cambiando. Esta vez de verdad. Rayhan lleva razón en que nunca antes había estado tan pendiente de la familia, ni se había mostrado tan predispuesto a escucharnos. Su actitud en estas semanas de atrás me ha dado mucho que pensar, pero también me ha dejado preguntas en el aire. ¿Y si Farid está cambiando porque ahora es abuelo? ¿Lo estará haciendo por su nieta? ¿Se habrá dado cuenta de todo el daño que le ha hecho a sus propios hijos durante estos últimos años y ahora querrá remediarlo siendo una buena persona con mi hija? Sea como sea, su comportamiento no ha sido el mismo de siempre desde que nació Zaida. Eso está clarísimo. Parece que su llegada al mundo ha cambiado muchas cosas en esta familia, desde la situación económica hasta el comienzo de una nueva etapa. Aún así no me termina de encajar todo esto. He de reconocer que tengo mis dudas y no sé qué pensar sobre Farid. Hay días que tengo clarísimo que es la misma persona de siempre, pero minutos después lo veo jugando con Zaida, cuidando de la familia y ofreciéndole un trabajo a Rayhan y es imposible que no me obligue a mí misma a cambiar de opinión. Aún así, no me creo que una persona como Farid cambie tan de repente, que de la noche a la mañana sea quien nunca ha sido y que venga a visitarnos todos los días después de tantos meses. Jamás he visto salir tanta bondad por su boca como ahora y es normal que dude de si esto es real. No sé qué intenciones tiene, pero estoy segura de que está buscando beneficiarse de algún modo de todo esto. Ojalá esté equivocada, pero hay algo que no me da buena espina. Conozco a mi padre y a mí no me va a engañar. Su maldad no se va a esfumar nunca, y menos tan de repente. Puede ser que se oculte bajo una falsa sonrisa al ver a su nieta, porque digo yo que algún trozo de corazón le quedará vivo aún, pero él no es así. ¡Él nunca ha sido así! ¿Por qué tendría que creerme que ahora sí lo es? No sé. No sé. Estoy demasiado confusa. Hemos pasado muchos meses sin verle y puede que en este tiempo haya recapacitado y ahora vea las cosas de otra manera. Yo ya no vivo con él para poder saber cómo es su vida ni qué le ha pasado para hacerle cambiar de actitud tan drásticamente. Quizá me eche de menos. Quizá quiera hacer con su nieta lo que no ha podido o no ha querido hacer conmigo. Quizá esté cambiando de verdad y solo quiera la felicidad para su familia. Quizá. Yo lo único que quisiera saber es si alguna vez me miró con los mismos ojos con los que justo en este instante mira a Zaida. Con eso sería suficiente.

Capítulo 21
RAYHAN
El hombre que debo ser

15 de diciembre de 2004

El negocio cada vez va mejor. Llevo ya bastantes meses trabajando para Farid y, aunque al principio me pareció una locura, ahora no puedo estar más a gusto. Tal y como me contó en la primera reunión, cada dos semanas viajo a la frontera con Arabia para transportar los encargos de armas desde Saná. Los primeros días fueron duros porque no sabía a qué me estaba enfrentando. Iba hacia lo desconocido, en solitario por carreteras desérticas y sin saber si me iban a pegar un tiro cuando llegara allí, pero al final todo fue más fácil de lo que imaginaba y con el paso de las semanas ya se ha convertido en algo normal. Es un trabajo sencillo, sin demasiado estrés, y cuando no tengo que ir hasta la frontera me dedico a preparar pedidos y hacer algunos recados extra, aunque principalmente paso los días fumando qat con Farid y sus amigos. Nunca lo había probado y ahora creo que soy adicto a tomarlo a todas horas. Estos meses he experimentado con las drogas y el alcohol, jamás pensé que me podría sentir atraído por este mundo, y he conocido a muchísimos cargos importantes con los que he hablado sobre temas realmente interesantes que nunca me había cuestionado. Además, tengo un buen coche y un sueldo bastante bueno, con el que a Suhaila y a Zaida no les falta de nada. ¿Qué más puede pedir un hombre? Vuelvo a ser yo. El tiempo que estuve sin trabajar encerrado en casa me estaba volviendo loco. Empezaba a estar obsesionado con Suhaila y la niña, quería estar todo el día con ellas porque eran mi único apoyo tras la muerte de mi padre, pero ahora he salido y he entendido que hay mucho que ver fuera de Saná. Tanto mis compañeros de trabajo como Farid me han ayudado a despegarme más de casa, a pasar tiempo con los amigos y a disfrutar con gente que no es de mi familia. Eso ha significado pasar menos tiempo con Suhaila y la pequeña de la casa, pero ellas lo entienden perfectamente. Me cuesta reconocerlo pero, después de mucho tiempo, ahora estoy mejor que nunca, sobre todo porque Farid valora mucho mi trabajo y está contento con lo que hago diariamente para que esto funcione a pleno rendimiento. Por supuesto, Suhaila no sabe la verdad. Prometí a Farid no abrir la boca y no puedo fallarle. Soy un hombre de palabra. Alejarme de casa también ha servido para que piense menos en qué ando metido realmente y que sea más fácil ocultárselo a mi mujer.

—¡Oye, Rayhan! —me llama Farid con un golpe en el hombro—. Avisa a Suhaila para decirle que no vas a llegar a casa hasta por la noche. Hemos quedado todos al mediodía para comer juntos y pasar una buena tarde hablando de mujeres y fumando qat. ¿Y quién mejor que tú para estar ahí con nosotros?

—¡Vaya, no esperaba esta invitación! Claro que me quedo. En unas horas nos vemos —le digo ilusionado.

La mañana ha transcurrido cargada de cosas que hacer. Últimamente están entrando muchos pedidos y no doy a basto porque estoy yo solo. Menos mal que ya es mediodía y pasaré la tarde relajado. El qat me ayuda a olvidar los problemas, me evade y me transporta a una realidad más bonita. ¿Cómo es posible haber permanecido toda mi vida aislado de los estimulantes y caer de lleno en cuestión de meses? Alí, Faruq y Farid me esperan sentados en la alfombra para comer. Una de las mujeres de Faruq nos ha preparado un delicioso cuscús. Se me hace la boca agua con solo reconocer el olor que ambienta la habitación. El cuscús es una de mis comidas favoritas y solo con saber que voy a comerlo ya me alegra el día.

—A Rayhan llénale el plato —bromea Faruq.

—Seguro que tarda cinco minutos en comérselo y quiere repetir —dice Farid—. Cuando come cuscús parece que lleva dos años sin comer. Siempre devora el plato.

Todos reímos y ni siquiera le digo nada. Tiene toda la razón, no puedo discutirle. Cojo el cuscús con la mano, lo espachurro y, cuando consigo tener la forma de una bola, le pego un bocado. UMMMM. Extremadamente bueno. Irresistible.

—Esta mujer cocina increíblemente bien. Ojalá Suhaila cocinara la mitad de bien —le comento a Faruq refiriéndome a su mujer.

—Es que hay que saber elegir bien —presume.

Su mujer se marcha avergonzada rápidamente del salón y, tras un breve silencio, nos echamos de nuevo a reír.

—Bueno, bueno, bueno, pero ¿y esta nueva mujer, Faruq? —le pregunta Farid—. No sabíamos que habías unido a una más a la familia. ¡Qué calladito te lo tenías! ¡Qué cabronazo! Cómo te las llevas a todas a tu terreno.

—Es lo que tiene ser tan guapo y adorable como yo.

—Yo estoy alucinando con esta situación —dice Alí—. ¿Pero cuántas mujeres tienes ya, Faruq? Cada mes se suma una nueva a tu lista, tío, al final tu casa va a parecer una guardería, porque encima te las buscas jovencitas. ¡Qué capullo!

—Solo tengo tres mujeres, ¡tampoco son tantas! Cuando me canso de una, busco a otra. El problema llegará el día en que me canse de todas, ¡tendré que buscarme más! —dice mientras se ríe.

—¿Y cómo es eso de acostarte cada día con una mujer diferente? A mí me resultaría muy extraño tener que hacer cosas con otra mujer que no fuera la mía —dice Alí.

—Yo creo que tampoco podría —añado.

—Todo es acostumbrarse, hombre. Y a lo bueno se acostumbra uno muy deprisa —se burla Faruq—. Pasadme las hojas de qat, anda.

La bolsa donde se encuentra el qat está justo a mi lado. La logro alcanzar con la mano izquierda y se la paso. Faruq reparte las hojas y mascamos mientras seguimos hablando.

—Bueno ¿y tú qué, Rayhan? Nunca nos hablas de Suhaila.

—Ahora parece que me toca a mí dar explicaciones—. Aquí ya muchos la conocemos por las cosas que ha contado Farid sobre ella, que han sido muy buenas, ¿eh? —le da un codazo a Farid y le guiña el ojo—, pero tú nunca nos comentas nada de tu vida fuera de estas cuatro paredes.

—La verdad es que nuestra vida es normal, como la de cualquier otra pareja, tampoco tengo nada especial que contar. Somos gente muy normal. —Me muestro totalmente sincero.

—Venga, hombre, seguro que hay algo que contar. En estas reuniones siempre sale algún trapo sucio que alguno de nosotros escondía bajo llave. Sin ir más lejos, el otro día Faruq nos contó que había violado y pegado a su primera esposa. No me digas que tú nunca has hecho eso...

—Pues no sé... Suhaila y yo lo hacemos muy a menudo, no me hace falta hacer esas cosas. Tampoco creo que sea necesario pegarle, ¿no creéis? —les digo.

—Pero, tío... —Se ríe sin poder parar—. ¿Cómo eres tan pringado? ¿Me lo estás diciendo en serio? —me pregunta Faruq.

—Totalmente —respondo, intimidado.

—No me lo puedo creer, de verdad. Deberías empezar a ser un hombre de verdad y a tratar a las mujeres por lo que son: mujeres y nada más —me dice Farid—. A ver si aprendes un poquito de mí y disfrutas de sus carnes, que están bien buenas.

Las palabras de mi suegro me dejan completamente congelado. Me entran ganas de decirle lo hijo de puta que es, pero me muerdo la lengua una vez más. Si no fuera porque no quiero perder el trabajo ahora mismo, bien sabe Allah que le daría un buen puñetazo en la boca. Me duele que hable así de Suhaila, pero sobre todo me duele que no me vean como un hombre. Me ven débil. Inferior. Creen que soy una nenaza. No soy uno más entre ellos. Soy un niño pequeño que no tiene ni idea de vivir. O eso es lo que ellos creen. Recojo mis cosas y me voy sin siquiera despedirme. Estoy muy enfadado. Me han despreciado y no voy a consentir que esto quede así. A partir de ahora voy a ser el hombre que debo ser. El hombre que todos quieren que sea.

Capítulo 22
SUHAILA
Una familia unida

30 de diciembre de 2004

Si algo he aprendido en mi corta pero intensa vida es que cuando menos lo esperas todo cambia. Te ves envuelta en un nuevo camino, a veces lleno de rosas y otras cargado de espinas. Desde que murieron los pilares fundamentales de mi vida y mi padre me forzó a mantener relaciones sexuales con él, todo dió un giro para siempre. Comencé a dejar atrás, casi sin darme cuenta, la dulce niña que era, mostrándome reacia a todo y sin nunca tener ganas de vivir, para convertirme en la mujer con la que se acostaba siempre que le venía en gana. Mi dignidad por los suelos. La autoestima más abajo aún. Ni a mi peor enemigo le deseo ese sentimiento de que tu vida no valga nada. Creo que esto será algo que siempre llevaré a cuestas. Por más que intente aparentar que no pasa nada, los monstruos nunca pararán de danzar a sus anchas en mi interior. Nunca lograré recomponerme. Nunca más conseguiré vivir como aquella niña inocente que un día fui. Me entristece pensar que toda mi infancia quedó olvidada hace mucho tiempo, reducida a tan solo un renglón, sin posibilidad de volver a vivirla. Es imposible no tener pesadillas por las noches y recordar todos y cada uno de los días lo que me hizo durante años, pero la llegada de Zaida ha revolucionado por completo mi vida. Ella me ha dado la alegría que necesitaba. Me ha devuelto las fuerzas para seguir luchando. Su sonrisa dibuja otra en mi cara, le saca el sol al cielo y paraliza el mundo con sus carcajadas. Lo único que deseo ahora es conseguir para Zaida la vida que yo no he podido tener. No quiero que su padre la viole. No quiero que le pegue. No quiero que nadie le haga daño. Y para eso necesita a unos padres unidos, que se quieran, se respeten y se valoren. Si ella crece bajo esos valores, todo saldrá bien. Estoy convencida de que solo así podremos ser una familia feliz. La familia que Zaida merece tener. Últimamente, Rayhan y yo estamos un poco distantes. Él tiene mucho trabajo en la policía y siempre regresa muy tarde a casa. Ya apenas me cuenta cómo ha ido su día porque no tenemos tiempo para hablar y el único momento que podemos estar juntos yo nunca quiero hacer el amor. Me sigue costando acostumbrarme a esta situación. Soy muy desconfiada por culpa de Farid y se me hace complicado abrirme ante un hombre. Pero tengo que hacerlo. Sé que debo dar un paso más allá. Por Zaida. Por Rayhan. Por mí. Por tener la familia perfecta. No todo el mundo es tan malo como me han hecho creer. No todos los hombres son como Farid. Rayhan me está demostrando que me quiere de verdad. Él siempre será mi marido y, cuanto antes sea consciente de ello, mejor será. Es el hombre que sostiene a esta familia, el que se preocupa por su hija, el que hace que nunca le falte de nada, y yo no lo estoy valorando. Tengo que entregarme más a él.

Camino en dirección a la cocina. Voy a prepararle el postre que tanto le gusta. Saco los ingredientes de un pequeño armario que tenemos en la pared y comienzo a mezclarlos. En un par de horas llegará a casa. Para entonces, estará más que listo. Lo dejo cocinándose y mientras me arreglo un poco. Quiero estar guapa para él. Siempre voy destartalada y no me cuido lo suficiente. Me gustaría que me mirara con los mismos ojos que el día que nos casamos. Recuerdo que brillaban más de lo normal y no tenían otro objetivo que clavarse en los míos. Desde la boda no he vuelto a arreglarme, y creo que mi cuerpo me lo pide tras el embarazo. He perdido algunos kilos que me sobraban después del parto y ahora vuelvo a sentirme bien conmigo misma. Accedo al baño para coger un pequeño neceser en el que tengo las pinturas que me regaló Delila y elijo una sombra color marrón para iluminar mi mirada. Me lavo los dientes y seguidamente me aplico un pintalabios natural. Cuando me miro al espejo me siento igual de ridícula que aquella primera vez. Nunca entenderé por qué a los hombres les atraen las mujeres pintadas así. Pero, bueno, todo sea por Rayhan. «¡Suhaila, creo que el vestuario no es el adecuado!», me digo. He descuidado por completo mi imagen. De hombros para arriba estoy lista, pero el vestido sucio de estar limpiando todo el día no acompaña con la cita de esta noche. Me río por dentro. Abro el armario y elijo una túnica azul marino con los detalles del pecho y las mangas en dorado, a conjunto con el hiyab.

Como dicen, año nuevo, vida nueva. 2005 será nuestro año. Ahora solo queda esperar a Rayhan. Esta noche será él el rey de la casa.

Capítulo 23

RAYHAN

Menos que el resto

30 de diciembre de 2004

Es noche cerrada. A pesar de no ser aún las siete de la tarde, ninguna tienda está abierta y apenas hay gente por las calles. Solo he visto a dos mujeres regresando a sus respectivos hogares y a un hombre que intentaba arreglar el coche alumbrado por las luces del patio de su vecino. El camino hasta llegar a casa se hace lento y pesado. Tengo los labios entrecortados. El qat hoy me ha dejado bastante nervioso y no he parado hasta hacerme sangre. Menos mal que solo quedan dos calles para encontrarme con Suhaila, si no acabaré quedándome sin labios. Me apresuro y saco las llaves antes de tiempo. Ser tan impaciente a veces me desespera, pero no aguanto más. Necesito verla ya. Cuando giro la calle corro rápido hasta llegar a la puerta de nuestra casa. Las manos me tiemblan. No consigo meter la llave por la cerradura hasta que, al cabo de unos minutos, la puerta principal se abre. Suhaila está al otro lado esperándome en el recibidor con un regalo entre las manos.

—¡Bienvenido a casa! Te he preparado tu postre favorito y me he puesto guapa para ti. ¿Te gusta cómo me he arreglado? —pregunta entusiasmada.

No le dejo más tiempo para preguntas. Retiro el postre de las manos y la beso desenfrenadamente. Le quito el hiyab. Quiero ver su pelo, tocarlo, sentirlo, perderme entre su mantón laberíntico de melena negra. Ella me sigue el juego. Noto que está más cariñosa de lo normal. Acaricia mi cuello y enciende mi cuerpo. Le quito la ropa, pero las prendas se enredan entre sí y Suhaila me mira asustada.

—Quiero hacer el amor contigo, pero me gustaría ir más despacio. Hoy he estado pensan... —No quiero escucharla.

—Cállate y colabora. Ayúdame a quitarte la ropa. Quiero verte desnuda ahora mismo. —Jadeo.

—Pero, Rayhan. Podemos primero cenar y cuando se duerma la niña... —propone.

—¿No me escuchas cuando te hablo? ¡AHORA ES AHORA! —Saco mi pene—. Ya me sé yo esos cuentos tuyos. Siempre dices eso de esperar a que se duerma la niña, pero luego tú también te quedas dormida y nunca hacemos el amor. Esta vez lo vamos a hacer ahora. Así que, desvístete. —Ordeno.

La dirijo hasta la habitación que está al lado del pasillo. Nos valdrá este espacio para echar uno rápido. Me quito el resto de ropa hasta quedarme completamente desnudo.

—Por favor, Rayhan. No me hagas tú también esto... —me suplica a punto de echarse a llorar y tapando sus pechos con las manos.

No escucho sus palabras. No servirán de nada. No me va a convencer de lo contrario. Hoy mando yo y follaremos hasta que no se me levante más. Quiera o no quiera. El hombre es quién decide y la mujer la que acepta las decisiones del hombre. No hay más que hablar. Me acerco a ella y retiro desapaciblemente las manos de sus senos. Suhaila sale rápidamente de la habitación y empieza a correr por el pasillo de la casa, subiendo a la planta superior y escondiéndose en el cuarto de baño. Cuando alcanzo sus pasos ya se ha encerrado. Instantáneamente, mis manos empujan la puerta. No puedo abrirla. Suhaila está detrás haciendo fuerza en sentido contrario para que no pueda entrar.

—Suhaila, ¡abre la puerta, por favor! —le digo sin intención de que vaya a obedecerme—. Suhaila, ¡abre! No te lo voy a decir más veces. O abres o esto va a acabar muy mal —insisto nuevamente.

Suhaila no abre la puerta, así que no me queda otra opción que forzarla. Lo intento otra vez con las manos. Imposible. Sus llantos se escuchan al otro lado. Me estoy empezando a sentir mal, pero no puedo dejar que el corazón gane esta batalla. Empujo de nuevo, pero tampoco consigo abrirla. Finalmente, le doy una patada y la madera se resquebraja hasta que cede y se abre. Suhaila retrocede hasta tocar la pared con su espalda. Puedo oler su miedo a dos metros de distancia.

—P... or... fa...vor..., por... fa... vor... —Se ahoga entre sofocos.

No voy a permitir que una mujer me diga lo que tengo que hacer. No puedo. No puedo. ¡No puedo! No puedo ser el hombre del que todos se ríen. No estoy dispuesto a esto. ¡JODER! La cojo del cuello y le doy la vuelta. Su mirada está clavada en la pared, y la mía sobre su trasero. No voy a permitir ser menos hombre que el resto. Nunca. Jamás.

Capítulo 24

SUHAILA

Las escaleras

31 de diciembre de 2004

El frío del suelo se cuela por mis riñones. Abro los ojos y el escenario es distinto al de todas las mañanas. ¿Por qué he dormido en el suelo del baño? Me levanto con el cuerpo entumecido y las piernas agarrotadas de haber estado toda la noche en posición fetal. Me duele la cabeza y la parte derecha de la cara. Saliendo del baño me encuentro la puerta destrozada y recuerdo todo. Instantáneamente, me miro al espejo y veo que tengo media cara morada. Anoche Rayhan me pegó como nunca antes lo había hecho. Abusó de mí durante varias horas. Me forzó hasta hacerme temblar. No sé cuánto tiempo estuvo torturándome, pero sé que al final mis piernas fallaron y caí al suelo. Me dí de lleno en la cara y noté como si los huesos de mi rostro se rompieran por completo. Después de ese intenso dolor no recuerdo nada más. ¿Y Zaida? ¿Dónde está mi hija?

—¡ZAIDA! ¡ZAIDA! —la llamo, pero no obtengo respuesta—. ¡ZAIDAAAAAA! ¡MI NIÑA! ¿Me escuchas? ¿Dónde estás?

Recorro la casa entera. Está silenciosa, desértica. No encuentro a nadie. Parece que estoy sola. ¿Dónde está la niña? ¿Y Rayhan? Ayer, antes de que volviera del trabajo, Zaida estaba en el salón, pero no sé qué pasó después. No la he vuelto a ver. Rayhan tampoco está. ¿Y si se la ha llevado y no vuelvo a verla nunca más? Me desespero y el corazón me da un vuelco. Tengo que ir a buscarla. Cojo el hiyab, me lo pongo sobre la cabeza y salgo a la calle en dirección a ningún lugar. No puedo perder el tiempo, pero al salir, ahí está mi niña. En los brazos de Rayhan, con Delila al lado. Rompo a llorar al ver que Zaida está bien, que no le ha pasado nada malo. Vienen con bolsas en las manos. Intuyo que han ido a hacer la compra. Rayhan y Delila se han convertido en íntimos amigos desde la boda. Se llevan muy bien y ella está feliz de que esté conmigo un hombre que me cuida tan bien. O me cuidaba. Ahora ya no estoy tan segura de si Rayhan es quien aparenta ser delante del resto. Al final me ha demostrado que es como todos. Qué ilusa soy. No debería haber confiado nunca en él. Cuando Delila me ve llorando enseguida se acerca a mí.

—¿Pero qué te ha pasado en la cara, Suhaila? —pregunta preocupada.

¡MIERDA! No recordaba que tenía el moretón a la vista. Enseguida me tapo con el hiyab la parte amoratada y Rayhan coge el turno de palabra.

—Ah, es verdad, Delila. ¡Se me ha olvidado contártelo antes! Ayer Suhaila se tropezó mientras bajaba las escaleras. Era de noche, estábamos a oscuras y acabó rodando hasta el piso de abajo. Al principio pensábamos que no había sido nada, porque tenía aparentemente la cara bastante bien, pero parece que esta noche se le ha hinchado y mira como la tiene ahora. —Los ojos con los que me mira Rayhan me angustian.

—Por dios, Suhaila. ¿Cómo te las apañaste para ser tan torpe? ¡Ay, qué chica! Bueno, no os preocupéis, que ahora mismo llamo a Jamil para que venga y te cure. ¡Tienes la cara que parece que te han pegado una paliza! —Ojalá pudiera contarle la verdad—. Id pasando a la casa. Suhaila tiene que descansar. Ahora paso yo más tarde a ver qué tal se encuentra. Voy a avisar rápidamente a mi hijo.

Delila se queda en la calle y Rayhan me hace un amago para que pase dentro. No quiero entrar. No me quiero quedar a solas con él. No quiero que me hable, ni que me mire, ni que me toque. Solo quiero que me devuelva a mi hija. Le hago un gesto para que me deje aupar a Zaida, pero se la lleva. Delila me mira y un silbido me llama desde dentro. Obedezco y me meto en casa para no levantar sospechas. No dejo de pensar en lo que me ha hecho Rayhan. ¡Confiaba en él! Hasta había llegado a empezar a quererle, y lo único que ha hecho ha sido reírse de mí, tal y como lo hacía mi padre. Me ha humillado exactamente de la misma manera que él. Sabía que no sería buena idea que Rayhan se relacionase con ese maltratador. ¡Lo sabía! Es un manipulador, y Rayhan acabará siendo como él. ¿Cómo he podido dejarme engañar de nuevo? ¿Cómo he podido tropezar con la misma piedra?

Se hace el silencio. Me intimida. Me fragmenta por dentro. Me parte en dos. ¿Hasta cuándo tendré que seguir sufriendo?

Capítulo 25

RAYHAN

El significado de ser hombre

12 de mayo de 2005

Si me hubieran dicho hace unos años que me iban a respetar tanto solo por cambiar de actitud con mi mujer, lo hubiera hecho mucho antes sin pensármelo dos veces. Desde que les conté a mis compañeros de trabajo, hace ya varios meses, que había dado el gran salto con Suhaila y que ahora era yo quien tomaba el mando en la relación, el mundo cambió para mí. Ahora me adoran, me tienen en un pedestal y ¡hasta me piden consejos sobre qué hacer con sus esposas! Soy como un rey para ellos. Gracias a esto he ganado confianza en mí mismo. Ya no soy el joven inseguro que iba a trabajar con miedo, al que le aterrorizaba la idea de ser menos que el resto. Sé que puedo conseguir todo lo que quiera y que nadie me va a parar. Me dirijo hacia el salón y cojo a Suhaila de la mano. La arrastro hasta el dormitorio y la desnudo como cada día.

—Este es mi regalo por todo lo que he trabajado esta semana. Me merezco este momento de paz y placer —le explico—. Yo hago todos los días muchas cosas por ti y no las valoras. Trabajo, mantengo a la familia y cuido de vosotras. Tú a cambio no haces nada. Así que lo único que te voy a pedir es que no grites. No quiero que los vecinos escuchen tus asquerosos lloriqueos de adolescente, que luego vienen preguntando qué ha pasado y me toca dar falsas explicaciones. ¿Entendido? —le dejo claro a Suhaila.

Ni siquiera me mira a los ojos. Introduzco mi miembro en su vagina y empiezo a sentir el placer de la vida. Tras unos minutos en su interior, necesito más. Más. Y más. Y más. La pongo a cuatro patas y mi pene entra con dificultad en su ano. Está algo cerrado y Suhaila no puede reprimir soltar un gemido doloroso por su boca. La abofeteo. Me aprieta. Me gusta. Me excita. Me pone cachondo. Le agarro del pelo. Le toco las tetas y me corro en menos de dos minutos. Caigo rendido en la alfombra y dejo escapar un suspiro de alivio.

—Madre mía, estoy exhausto. Esto sí que sabes hacerlo bien, no como todo lo demás. Al menos sirves para algo. ¡Venga! ¡Ve a hacer la cena mientras yo me recupero! Y límpiate un poco, ¡que da asco verte!

Suhaila se marcha arrastrándose y sollozando lamentablemente. Como le gusta exagerar, de verdad. Qué débil es. Qué débiles son todas. Por estas cosas una mujer nunca le llegará a un hombre ni a la suela de los zapatos.

Capítulo 26
SUHAILA
Al Hudayda

20 de septiembre de 2006

Voy a escaparme. No puedo seguir viviendo en esta casa. He pasado toda la noche dando vueltas en la cama pensando en huir lejos de Rayhan. Aún me cuesta creer que haya podido cambiar tanto en este último año. Me duele admitir que ni mi hija ni yo somos nada para él. En muy poco tiempo se ha convertido en una persona muy parecida a Farid, y me asusta que esto al final pueda ir a más. Tengo los mismos pensamientos que cuando tenía seis años. Mi plan de fuga no ha cambiado. Estoy segura de que podría funcionar. Me levanto con más ganas que nunca, porque sé que hoy va a ser un gran día. Como de costumbre, le preparo a Rayhan el desayuno en una mesita pequeña que tenemos en el salón. Mientras termina de desayunar, aprovecho para despertar a Zaida y ganar un poco de tiempo. A ella le cuesta mucho levantarse por las mañanas y no quiero salir tarde de casa. Cuanto antes nos vayamos, menos probabilidades hay de que alguien nos vea. Esto tiene que salir bien sí o sí. Zaida se termina de desperezar y sus balbuceos mañaneros me indican que ya está lista para una nueva aventura. Ay, hija, la que nos espera hoy. Si fueras mayor pensarías que estoy loca, pero tengo que salvarte. No te mereces esto. Tú eres desde que naciste mi única prioridad. Tenemos que ser fuertes juntas y lograr escapar. Rayhan se levanta de la mesa y se va de casa sin despedirse de nosotras, algo muy común en él desde hace unas semanas. Lo que más me duele de todo esto es el desprecio hacia Zaida. A estas alturas a mí ya me da igual, nada me sorprende, pero el daño que le hace a mi hija es como si a mí me matara por dentro. Espero unos minutos por si Rayhan entra de nuevo en casa y cuando veo por la ventana que su sombra camina bastante lejos, sé que es el momento. Cojo la bolsa que tengo de cuando me traje mis cosas de casa de mi padre para venir a vivir aquí y empiezo a llenarla con lo que nos tenemos que llevar. Casi todo lo que meto son cosas de Zaida: ropa, algún juguete, pañales, una crema para el culo, medicamentos y una manta. Yo solo añado una muda para mí, no caben más cosas. Zaida desayuna y yo termino de cerrar el bolso. La miro desconsoladamente y ella me sonríe. Qué dulce es.

—Querida hija, hoy nuestra vida va a cambiar para siempre. Espero que me perdones algún día por alejarte de tu padre y que entiendas por qué estoy haciendo todo esto. —Acaricio sus gordos mofletes y la beso en la frente.

Ella no entiende nada. Y menos mal. Le quito los churretes que el desayuno le ha dejado en la cara y cambio su pijama por unos pantalones y una camiseta para irnos. Compruebo que llevamos lo que vamos a necesitar lo más rápido que puedo. ¡Bien! Parece que ya está todo listo. Ahora empieza la segunda parte del plan e intuyo que va a ser la más complicada. Tenemos que encontrar la estación de autobuses de la que hace años me habló Jamil, aunque no tengo ni idea de dónde se encuentra. Espero que siga habiendo transporte para poder ir a otras ciudades. ¡Tiene que haberlos! Muchas veces, cuando he salido a hacer la compra, he visto muchos circulando por la calle o parados en el centro. Iré hasta allí e investigaré dónde puedo coger alguno. Y cuando llegue a mi destino, ¿dónde me quedo? Recuerdo que mi madre tenía familia a las afueras de Saná, pero nunca he tenido el placer de conocerles, así que no puedo irme con ellos. Tampoco debo ir a Adén. Allí vive la familia de Rayhan. Me conocen del día de la boda y podrían localizarme pronto. Se me echa el tiempo encima. No importa. Ya encontraremos un lugar en el que quedarnos. No puedo detenerme con tantas preguntas. Me tengo que ir ahora mismo. Iré viendo qué hago sobre la marcha. Encontraremos la manera de sobrevivir cuando estemos allá donde vayamos. Si tardo mucho en marcharme al final acabarán descubriéndome. Cojo un poco de dinero, a Zaida en brazos y me cuelgo el bolso en el hombro izquierdo.

—¡MIERDA! —digo en voz alta cuando estoy saliendo por la puerta.

Vuelvo a entrar en casa. Sin el consentimiento de mi marido no me dejarán coger el autobús y salir de Saná. ¡No puede ser! ¿Por qué no he caído antes en eso? ¡Debería haber sido lo primero que tenía que haber pensado! ¿Qué hago ahora? Se me enciende la bombilla. Me parece una locura lo que se me acaba de pasar por la cabeza, pero no tengo otra opción. Es arriesgarme a hacerlo o quedarme aquí para ver como Rayhan nos mata de una paliza. Voy al armario y empiezo a sacar su ropa. Elijo una túnica de color negro y un turbante blanco. Me quito mi ropa y me pongo la suya. Me queda bastante larga, aunque creo que podría hacerme pasar por un hombre, pero necesito tapar más mi cara, sino mis ojos me delatarían. Busco unas gafas de sol por todos los cajones de la cómoda y encuentro unas opacas que me vienen perfectas. ¡Genial! Tengo casi todo. Solo necesito tener barba. Eso es imposible, y tampoco puedo pintármela porque parecería falsa. ¿Qué hago ahora? Ya Allah, esto no tiene buena pinta! ¡Va a salir mal! ¡Me van a pillar seguro! ¡Soy pésima haciendo estas cosas! «Joder, Suhaila, piensa un poco», me repito constantemente mientras doy vueltas en círculo. ¡YA ESTÁ! No hay problema. Me taparé con el turbante la boca. Nadie sospechará nada. Hay muchos hombres que se la tapan cuando hace siroco. Perfecto. Ahora sí puedo salir de casa. Zaida se queda asombrada cuando me ve y empieza a hacer pucheros.

—¡No, por favor, no! No llores, amor mío. Ahora no... Soy mamá. ¿Lo ves? —Me destapo la boca y me quito las gafas para que pueda verme.

Se queda más tranquila cuando se asegura que soy yo. Aún así, no termina de estar convencida totalmente. Pongo los pies en la calle y cierro la puerta de la casa. Me coloco de nuevo el turbante y las gafas. No hay nadie. Es demasiado temprano. Aún la gente no está despierta. Mejor así. No quiero que nadie averigüe quién soy ni ser reconocida a simple vista. Me dirijo hasta el centro de la ciudad y esta zona ya empieza a estar más concurrida. Las tiendas están abriendo. Los tenderos colocan sus productos en la puerta de sus locales. Las mercancías llegan en pequeñas furgonetas blancas. Me siento muy extraña vestida de hombre y con una niña a la que todos miran. Noto que me observan más de lo normal. No sé si son imaginaciones mías o todo el mundo sabe que no soy un hombre en realidad. Quizá están acostumbrados a ver a los hijos con sus madres y no al contrario. Camino cada vez más deprisa, esquivando a todo aquel que encuentro en mi camino, y consigo ver a lo lejos un autobús con destino a Al Hudayda. A medida que me acerco hay más autobuses. Creo que estoy en la estación de Saná. Miro los carteles de información y veo nombres de otros lugares: Taiz, Dhamar, Adén... ¡Anda, este lo conozco! Buf, no sé a dónde ir. No quiero equivocarme de destino. Cuanto más lejos me vaya, menos probabilidades habrá de que me encuentren. Está claro que a Adén es imposible, pero el resto ni siquiera sé en qué parte se encuentran y no puedo preguntar, si no descubrirán por mi voz que soy una mujer y llamarán directamente a la policía. Lo mejor será que no hable con nadie y me deje guiar por mi intuición. El primer autobús que he visto al llegar ha sido con destino a Al Hudayda, así que tengo que ir allí. Es una señal. Me acerco a la pared donde están puestos los horarios ordenados en lista, compruebo en mi reloj la hora que es y descubro que falta exactamente una hora para que salga ese bus. ¡Uf! Quizá es demasiado tiempo estando aquí, aunque, bueno, una hora no es tanto, ¿no? Tampoco tengo muchas más opciones. Quería irme antes, pero este es el próximo en salir. El resto parece que eran más temprano. ¡Ya está, perfecto! Me gusta pensar en que todas las cosas en esta vida pasan por algo, y si tengo que esperar para coger ese autobús es porque Al Hudayda es el destino al que tengo que ir. Esperaré en el cuarto de baño encerrada para que nadie me vea y cuando queden diez minutos subiré a mi asiento. Me dirijo a las taquillas para comprar el billete. Hay dos personas delante de mí. ¡MIERDA! No puedo hablar con el hombre de la ventanilla. ¿QUÉ HAGO AHORA? ¡Ya Allah! Qué nerviosa estoy. Es mi turno.

—Salam Aleikum, ¿qué desea? —me pregunta el hombre.

No sé qué decirle. No puedo hablarle vestida así y encima siendo un hombre. Tengo totalmente prohibido hablar con desconocidos, pero lo que más me preocupa ahora mismo es que pueda descubrirme. No puedo hacerlo. No puedo estropear el plan perfecto tan fácilmente.

—Señor, ¿se encuentra bien? ¿A qué ciudad quiere ir? —me dice pacientemente tras mi silencio inicial.

Le señalo el destino en el cartel y carraspeo tocándome la garganta. El hombre me mira fijamente y baja la mirada hacia el papel. Escribe Al Hudayda junto a la hora de salida y me da la factura del billete para poder subir al autobús.

—Son 1300 riales. La niña no paga hasta los cinco años.

Saco dinero del bolsillo y se los pago. Me vuelve a mirar y acto seguido observa a Zaida. Siento miedo. Es una mirada de desconfianza. Lo noto.

—El bus al que tiene que subir es el número tres. Está situado en la acera derecha. Saldrá dentro de unos cincuenta minutos.

Puedes esperar sentado en esos bancos de ahí enfrente. ¡Y cuídese ese resfriado, hombre! —bromea.

Le hago un amago de agradecimiento. Uf, menos mal. Estaba atada de pies y manos. Pensaba que nos había descubierto. Gracias a Allah y a este buen hombre tenemos billetes para irnos a Al Hudayda. ¿Qué habrá allí? ¿Será tan bonito como Saná? La curiosidad me mata, pero la espera aún más. Miro hacia todos los lados de la estación por si veo a alguien que nos pueda reconocer. «Suhaila, relájate», me digo a mí misma. Mejor me voy al baño como había pensado inicialmente. Allí me sentiré más segura que estando rodeada de tanta gente. No puedo creer que esté a punto de acabar esta pesadilla. He logrado hacer todo esto yo sola. ¡Sin ayuda de nadie! Estoy contenta, muy contenta, pero a la vez impaciente y asustada. Pendiente de que nadie vea entrar a un hombre al baño de mujeres, me encierro en un maloliente inodoro. Miro a Zaida. Se está portando de maravilla. Es una niña tan buena, inocente y educada... «Eres la luz de mi vida», le digo al oído. Sonrío por debajo del turbante y de nuevo doy gracias por todo lo que está por venir. Una nueva vida está a punto de comenzar para nosotras.

Capítulo 27
La llamada

20 de septiembre de 2006

La ciudad de Saná madruga y deja ver sobre los tejados el rocío de la noche. Es temprano y las calles no están transitadas, pero pronto se empezarán a escuchar voces de niños en todos los rincones. Media población aún duerme y a la otra mitad la ha despertado la voz del muecín llamando a la oración. A mí me queda un buen rato para llegar a casa y poder rezar como cada mañana. He tenido unos asuntos que resolver y al final se me ha hecho de día volviendo del trabajo. Lo importante es que ahora podré descansar y volver a recargar energías. Doblo la esquina y recorro los mismos pasos que cada jornada. Veo algo extraño. ¿Quién está saliendo de la casa de Rayhan? No es él. Está trabajando. ¿Quién es ese hombre? ¿Están robando? ¿Está Suhaila engañando a su marido? Me escondo detrás de un coche que hay aparcado en la acera de enfrente y asomo un poco la cabeza para conseguir descifrar su identidad. ¡LLEVA A ZAIDA EN BRAZOS! ¿Qué está pasando? Estoy demasiado lejos. No consigo verle. Fijo más detenidamente la mirada en el rostro del hombre. Me resulta familiar. Intento pensar de qué me suena tanto esa cara. Esos labios, esa nariz, esos ojos... ¿Suhaila? ¿Es Suhaila? ¡ES SUHAILA! Pero, ¿por qué está vestida de hombre? ¿A dónde va a estas horas? ¿Qué hace saliendo de casa con Zaida en brazos? Se acaba de tapar la cara con el turbante y se camufla completamente con unas gafas de sol. Mira hacia todos lados. Me muevo rápidamente escondiendo la cabeza detrás del coche por segunda vez. Sigue ojeando por todas partes, pero no me ve. Menos mal. La miro alejarse con Zaida en brazos. Lleva un bolso colgado. Es grande y parece que dentro hay bastantes cosas. ¿Dónde irá? Cuando camina lejos, me dirijo a casa y cojo el teléfono. Tengo que llamar a Rayhan. Piiiiiiiii. Piiiiiiiii. Piiiiiiiii. Vamos, cógelo. Piiiiiiiii. Piiiiiiiii.

—¿Sí? —Descuelga Rayhan.

—Buenos días. Te llamo porque acabo de ver algo muy extraño. Creo que tu mujer se quiere escapar de Saná.

Capítulo 28

RAYHAN

Al límite

20 de septiembre de 2006

—¿Me estás diciendo que Suhaila ha huido de casa con Zaida y con un bolso lleno de ropa? —Resoplo—. Muchas gracias por la información. Nos vemos más tarde.

Cuelgo el teléfono y descargo un fuerte golpe sobre la pared. Estoy muy cabreado. Es que esto no puede ser. ¿Quién se cree que es? Coge a la niña y se marcha de la ciudad, así sin más. Sin pedir permiso, sin avisar, aprovechando que estoy en el trabajo... ¡Se va a enterar! No tengo suficiente con aguantar que no quiera tener relaciones conmigo, que me mire con cara de odio todos los días y que apenas me deje estar con mi hija, como para tener que soportar también que además se vaya de casa. Esto es increíble. No doy crédito a lo que está pasando. Jamás pensé que Suhaila podría hacerme algo así. Y encima se viste de hombre, ¿pero qué pretende conseguir? A esta mujer se le ha ido completamente la cabeza. ¡Está loca! Es lista, pero yo lo soy más que ella. Por mucho que se haga pasar por un hombre no conseguirá salir de Saná sin mi consentimiento. ¿Quién se va a tragar que es un hombre llevando a la niña en sus brazos? Tengo que ir a buscarla ahora mismo. No puedo esperar más. Sino conseguirá lo que quiere y no voy a dejar que se salga con la suya. Acaban de verla justo ahora mismo, lo que significa que no hace mucho que salió de casa. No puede haber ido muy lejos. Aviso a mis compañeros de que tengo que marcharme urgentemente un momento y que no tardaré en llegar. Cojo rápidamente el coche para ir a buscarla. Recorro nuestro barrio y toda la zona de alrededor. Miro por algunas callejuelas ocultas, por el centro de la ciudad y hasta por las afueras, pero no la veo por ninguna parte. ¿Dónde se habrá metido? Espera un momento. Si intenta escapar lo más seguro es que haya ido a la estación de autobuses. Lo más lógico es que quiera coger transporte para huir de la ciudad, lejos de mí. Por eso lleva a la niña y el bolso con todo lo que le hace falta. ¡No piensa volver a Saná! ¿Cómo no he podido darme cuenta antes? Ya verás cuando la coja. ¡No puede hacerme esto! No puede darme estas preocupaciones. Acababa de llegar al trabajo, estaba tan tranquilo tomándome un té, y de repente me avisan de esto. Es inadmisible. La encerraré a partir de ahora y no saldrá ni para ir al baño. Estoy furioso y la rabia recorre cada centímetro de mi cuerpo. Si ahora mismo la tuviera delante la mataría. Siempre está dándome disgustos. ¡Voy a acabar loco por ella! El coche parece que va a echar a volar. Voy a toda prisa para llegar cuanto antes a la estación. Necesito detener esto. No puede marcharse. La necesito aquí conmigo. Un niño cruza corriendo la calle y pego un frenazo impresionante.

—¡EH, TÚ, podrías tener un poco más de cuidado! —me dice una señora enfurecida—. ¡Casi atropellas a mi hijo! ¡Estás loco!

El niño y yo nos miramos asustados y él se aleja en brazos de su madre, a punto de romper a llorar. Trago saliva y ni siquiera contesto a la señora. Me toco la cara con las dos manos a la vez y, entre suspiros, vuelvo a meter primera. He estado a punto de tener un accidente por culpa de Suhaila. Es que yo la mato. ¡La voy a matar! Saná ha crecido mucho en estos últimos años. Cada vez hay más niños corriendo por las calles y un día de estos me voy a buscar la ruina. Paro en seco, alzando el freno de mano y abriendo a la vez la puerta del coche. Acabo de llegar a la estación de autobuses. Me bajo sin cerrar ni siquiera la puerta, buscando desesperado lo que quiero encontrar. ¿Dónde estás, Suhaila? Tienes una visita sorpresa.

Capítulo 29

SUHAILA

A punto de partir

20 de septiembre de 2006

Tan solo quedan quince minutos para que salga el bus con destino Al Hudayda y las puertas se abren para dejar entrar a decenas de personas que se acumulan en la cola. Suerte que soy de las primeras y podré entrar cuanto antes. Estoy impaciente por salir de Saná y ver todo lo que me espera fuera. La fila avanza rápido, pero se me hace eterno. ¡Necesito estar ya dentro! Zaida me da la mano para que la ayude a subir. Sus pequeñas piernas no alcanzan el escalón. Es demasiado alto para ella. Nada más pasar, le damos los tickets al conductor, que apenas nos mira, y eso me alivia. Nos sentamos en los asientos que nos han asignado, justo en medio, y esperamos hasta que todos estén listos para poder marcharnos. Es la primera vez que me subo en un autobús. Me parece curioso ver a tanta gente junta.

—Estamos a un paso de ser libres, te prometo que todo va a salir bien —le digo a Zaida en voz baja, pero ella solo está pendiente de mirar a la multitud.

Hombres, mujeres y niños pequeños van entrando y colocándose en sus sitios. Ya está casi todo el mundo sentado y tan solo faltan dos minutos para arrancar. Estoy muy nerviosa. Mis piernas no paran de moverse inconscientemente. Cierro los ojos, respiro profundo y aprieto la mano de Zaida buscando tranquilidad. El conductor arranca el autobús y cierra las puertas. El corazón me palpita descontroladamente. Se coloca unas gafas de sol y mira por el retrovisor para asegurarse de que no viene nadie más. Sigo todos sus pasos, pero me desespero. «¡Por favor, arranque ya!», pienso. Se acomoda y bebe un trago de agua. Abre la puerta de nuevo. ¿Pero qué pasa ahora? Parece que falta un último pasajero. Le invita a subir y... ¿RAYHAN? ¡OH, NO, NO, NO! ¿Pero qué hace aquí? ¡No puede ser! Me escondo tras el respaldo del asiento de delante. ¿Cómo se ha enterado de que me iba? ¿Por qué tengo tan mala suerte? Está hablando con el conductor mientras mira por todos los asientos hasta que me localiza. No me reconoce, pero ve a Zaida a mi lado. ¡Mierda!

—Perdone, señor. —Le escucho decir—. Mi esposa tiene que bajarse inmediatamente del autobús y regresar conmigo a casa. Se ha camuflado con vestimenta de hombre y viaja con mi hija —le explica. Esto no puede ser verdad. Qué vergüenza... me está dejando en ridículo—. Tengo que entrar a por ellas ahora mismo. Le prometo que solo será un segundo. Enseguida nos marchamos y le dejamos partir.

Rayhan viene directo a por mí. No me atrevo ni siquiera a mirarlo y él no me dirige la palabra. Ya Allah, está muy enfadado... Me agarra fuertemente del brazo y sus dedos aprietan mi piel hasta clavarme las uñas. Coge a Zaida de la mano y, en apenas unos segundos, abandonamos el autobús. No soy capaz ni tan siquiera de respirar. Permanezco paralizada, cabizbaja, aterrorizada... Las puertas se cierran, dejando atrás mi destino, y decenas de miradas me atraviesan la nuca a través de las ventanillas. El sonido del motor se aleja y mis propios pasos me llevan a la salida de la estación, separándome cada vez más de lo que podía haber sido mi única salida. Rayhan sigue sin hablarme, pero noto como emana el odio por cada poro de su piel. Nos sube en el coche de malas maneras y mete el bolso a empujones en la parte de atrás. Supongo que nos llevará de vuelta a casa. ¿Qué va a pasar ahora? Me va a matar por haberme querido escapar. ¡Me va a matar! ¿Por qué lo habré hecho? ¿Por qué? Debería haberme quedado en casa, quieta, sin hacer nada. El miedo me invade, me corroe. Me aterra llegar de nuevo a casa. Rayhan va muy rápido, sin respetar la distancia entre los coches y saltándose las intersecciones. Me asusta que nos estrellemos y le pase algo a Zaida, pero una vez más me trago mis palabras. Cuando llegamos, se baja, abre la puerta, saca a la niña, la mete en casa y yo ni siquiera soy capaz salir del coche. Sigo vestida de hombre. ¡Soy ridícula! Me siento más sola que nunca. Las lágrimas son las únicas que me acompañan. Rayhan regresa de nuevo a la calle y me saca del coche de un tirón. Apenas me sostengo en el aire y caigo rendida al suelo. Me levanta con una mano. Noto cómo su fuerza va creciendo cada vez más. Una patada en el trasero. Otra en las costillas. Y otra más en la barriga. Se repite la misma historia de siempre. Me arranca el hiyab con las manos y me tira del pelo hasta ponerme de pie. Veo a dos mujeres que caminan por la calle. Les grito ayuda con la mirada, pero deciden seguir hacia adelante y no meterse en problemas. Las entiendo. Yo haría lo mismo. Las piernas me tiemblan, me tambaleo, pero me da tiempo a entrar en casa. Me persigue y cierra la puerta. Ahora nadie sabrá lo que pasará aquí dentro.

Capítulo 30

RAYHAN

La llamada II

20 de septiembre de 2006

El día se ha disipado entre los imponentes edificios de Saná y ahora la noche duerme, transformando la arquitectura de barro en oscuridad, aunque aún brillan los grabados blancos de las casas con la luz de la luna llena. Todo está en completo silencio. Zaida y Suhaila descansan en el salón, a pesar de ser aún temprano. Hoy ha sido un día muy largo, demasiado largo. Miro al cielo con la esperanza de encontrar respuestas, pero solo hallo más preguntas. No entiendo cómo Suhaila ha podido comportarse así. Marcharse sin decirme nada. ¿Qué habría pasado si hubiera llegado cinco minutos después al autobús? La hubiera perdido para siempre. A ella y a Zaida. Me ha decepcionado muchísimo. Ya no es la misma que era antes. Desde que nos casamos, hace más de tres años, hemos pasado por momentos muy complicados: la llegada de la niña, el trabajo... pero su inmadura actitud es lo que más me duele. Yo ya tengo una edad para estar aguantando tonterías de adolescentes. Si quiere estar conmigo tendrá que madurar de una vez por todas y entender que no voy a permitir que haga lo que quiera. Tiene una vida maravillosa, y aún así se queja. ¡No entiendo qué más quiere! Ya quisieran muchas mujeres tener un marido como yo. Me tomo el último té del día, enciendo un cigarro y hago la llamada que llevo retrasando varias horas. Me da vergüenza tener que dar explicaciones ahora.

—Buenas noches —digo casi susurrando—. Siento llamarte a estas horas, pero quería agradecerte que me hayas avisado de lo que ha pasado hoy. Si no hubiera sido por ti, no me hubiera enterado, y vete a saber dónde estaría Suhaila ahora. —Respiro aliviado—. Y bueno... también quería pedirte disculpas porque hayas tenido que presenciar eso y preocuparte.

Me ruborizo.

—No tienes que agradecerme nada. Era mi obligación llamarte.

—No quiero complicarle la vida a nadie, pero no entiendo qué le sucede a Suhaila últimamente. No me gusta ni un pelo su actitud. Voy a tener que hacer algo —le adelanto—. Si tengo a mi lado una mujer que no hace lo que yo le digo, ¿para qué quiero tener una mujer? —le pregunto indirectamente—. Llevo unas horas pensando y creo que debería buscarme a otra que me quiera de verdad y me obedezca. Está claro que ella tampoco quiere estar conmigo. ¿Cómo lo ves tú? ¿Opinas como yo?

—No sé qué decirte. Es una situación muy delicada, pero desde luego no parece que quiera estar contigo, sinceramente.

—Hoy me ha vuelto a demostrar que no le importo. Necesito acabar con esta situación ya. Me está volviendo loco, y yo merezco ser feliz. Creo que ya me lo he ganado después de todo lo que he sufrido en los últimos años por la pérdida de mi padre. Tengo que quitarme a Suhaila de las manos. Ya no me beneficia tenerla en casa. ¿Me ayudarás a conseguirlo?

—Por supuesto.

Capítulo 31

SUHAILA

Salvador

26 de octubre de 2006

Me duele todo el cuerpo y el alma me va a estallar de pena. La paliza de hace unas semanas fue terrible. Quedé inconsciente durante varias horas y, según me ha contado Jamil, me recuperé levemente a los dos días. Para mi cuerpo y cabeza he vivido en un sueño profundo durante todo este tiempo. Soñaba que volaba, que viajaba a lugares que no conozco y que ni siquiera sé si existen, pero era feliz. En cambio, en otros tenía pesadillas con que vivía encerrada en una sala de torturas, donde Rayhan era mi amo y yo tan solo su esclava. Hacía conmigo verdaderas barbaridades que no quiero recordar. Ahora soy consciente de la realidad y no de los sueños, pero apenas consigo moverme. Lo mejor hubiera sido no despertarme nunca más y vivir en ese sueño perfecto para mí. Jamil viene todos los días a curarme. Cuando se enteró de lo sucedido no tardó en aparecer por la casa y se encargó de mí mientras Rayhan trabajaba. Qué fácil es todo con él. No hacen falta las palabras para entendernos. Cuando abrí los ojos por primera vez después de aquel traumatizante día no sabía dónde estaba, pero le vi aparecer con unos apósitos y supe con certeza que algo malo había pasado. Empecé a recordar las manos de Rayhan atándome el cuello con una cuerda, tapándome la boca con mi propio hiyab, metiéndome cosas por el ano... Le intenté explicar a Jamil todo lo sucedido, a punto de sufrir un ataque de pánico, pero me dijo que no hacía falta que le explicase nada, que ya sabía lo que había pasado. Sin hablar con Rayhan ni conmigo, él era testigo de lo que me había hecho. Sabía que no era la primera vez y estaba de nuevo ahí para volver a salvarme la vida.

—Te traigo un té para que entres en calor. Con el frío que hace hoy seguro que estás helada. Tómatelo, ya verás como te encuentras mejor dentro de un rato. —Me tiende su mano—. Gracias por dejar que te cuide.

—Gracias a ti por cuidarme. —Le miro con ojos cristalinos.

—Me voy a tener que marchar, Suhaila. Siento no poder estar más tiempo contigo, pero tengo que ir de nuevo al hospital. Me reclaman últimamente mucho por allí.

—¡Es normal que te reclamen, es tu trabajo Jamil! —Sonrío.

—Llevas toda la razón —dice riendo, y me provoca una carcajada. Su sentido del humor me hace sentir mejor—. Fuera de bromas. Necesito que te bebas tranquilamente el té y descanses todo lo que puedas. Vendré mañana como todos los días y veremos qué tal han evolucionado estas heridas. —Me toca en la zona pélvica.

Una ráfaga de calor me sube hasta la garganta y noto mi cara hirviendo, como si estuviera rodeada de fuego.

—Perdona, no pretendía molestarte —se disculpa—. Solo quería decirte que las heridas tienen mala pinta, pero si guardas reposo todo saldrá bien. —Recupera la compostura.

—No te preocupes. Me cuidaré. Mañana te veo, Jamil. Espero que pases un buen día en el hospital —me despido de él.

—Gracias, Suhaila. Hasta mañana.

Capítulo 32

SUHAILA

El verdadero amor

22 de diciembre de 2006

Voy mejorando progresivamente y me encuentro mucho mejor que este tiempo de atrás. Ya puedo levantarme y todo. ¡Cómo echaba de menos caminar y hacer las cosas por mí misma! Hay veces que no nos damos cuenta de lo válidos que somos estando sanos hasta que enfermamos y otra persona tiene que hacérnoslo todo. Después de una semana, ayer me volví a lavar. Me empezaba a sentir incómoda y la cabeza me picaba a rabiar. Jamil ha venido hace unos veinte minutos y me está curando las pocas heridas que me quedan. Apenas me duele el cuerpo y los moretones han ido desapareciendo lentamente con el paso de los días.

—Has mejorado muchísimo, Suhaila. Cuánto me alegro por ti. Eres una mujer muy fuerte.

—Muchísimas gracias por todo tu apoyo, tanto físico como moral. Para mí es muy importante que te preocupes por cómo estoy —le agradezco—. Por cierto, tengo algo que enseñarte. Ayer estuve recogiendo un poco la casa, que estaba bastante desastrosa. Después de tantos días enferma había muchas cosas desordenadas, y colocando una estantería me encontré esto. Me la regaló tu madre poco después de casarme. —Se la muestro.

Es una fotografía de Jamil y mía una tarde de verano en la puerta de la casa de su madre, cuando yo era muy pequeña y él acababa de empezar a trabajar como médico. En esa época mamá aún vivía y Hassan no había nacido. Jamil se sorprende cuando ve la foto.

—Ya Allah, ¡cuánto tiempo ha pasado desde entonces! Qué buenos recuerdos me trae. —Se le ilumina la cara—. ¡Qué guapa estabas y cómo has crecido! Ahora eres toda una mujer.

Sus palabras me halagan, pero lleva razón. Ahí tan solo era una niña.

—En esa foto parece que soy muy feliz. Creo que fue la mejor etapa de mi vida. Era una niña divertida que se pasaba todo el día jugando y sin preocuparse por nada. Pero todo eso cambió hace mucho tiempo. —Le miro lastimada.

—Te entiendo perfectamente. Es muy difícil vivir así, pero sé que eres una mujer fuerte y vas a lograr salir de esta situación. —Me toca el hombro mostrándome su incondicional comprensión.

—Yo no quería escaparme y hacer las cosas como las hice, pero no tenía otra opción. O intentaba marcharme a otro lugar y buscaba la oportunidad de empezar una nueva vida, o mi marido seguiría maltratándome —le cuento por primera vez cómo me siento, sin dejar atrás ni una pizca de verdad.

—Creo que fuiste muy valiente tomando esa decisión. Si hubiera estado en tu lugar no sé qué hubiera hecho. No es fácil marcharse sabiendo que te pueden pillar y que Rayhan no se iba a quedar quieto —responde.

—Es muy duro ver cómo una persona te humilla hasta hacerte sentir una verdadera basura. Yo no le quiero, no quiero estar con él. He intentado en muchas ocasiones ser una buena esposa, quererle tal y como él me quería a mí al principio, pero no puedo —me desahogo—. Nadie debería haberme obligado a casarme con él ni a quererle, porque nunca lo haré. Yo debería elegir con quién me caso y a quién quiero tener a mi lado, aunque es cierto que a veces no escoges de quién te enamoras —le explico—. Por un tiempo me autoconvencí a mí misma de que esta era la vida que me había tocado vivir y que no me quedaba otra opción que aprender a ser una buena esposa. En cambio, una de esas noches en las que cuesta conciliar el sueño, sentí una llamada de Allah y supe que no todo estaba perdido. Por eso me escapé. Me negaba a aceptar esta realidad, pero ahora me arrepiento porque he roto todo lo que había construido y tendré que quedarme entre estas cuatro paredes el resto de mi vida, recibiendo palizas constantes por parte de Rayhan —le confieso.

Me siento liberada al contarle lo que pienso. Es como si sacase una carga pesada que había dentro de mí. Nunca he hablado de esto con nadie, pero sé que en él puedo confiar.

—No te mereces todo lo que te está pasando. Eres una mujer

muy bella, tanto por dentro como por fuera. Ojalá pudiera yo tener una esposa tan increíble como tú. Rayhan no se da cuenta de lo afortunado que es. —Me quedo sin habla.

Sus palabras acentúan mi nerviosismo. Siento algo en el estómago cada vez que le escucho hablar, como si me impidiera expresarme con claridad y mirarle fijamente a los ojos.

—Todo esto lo hago por Zaida. Ella es lo que verdaderamente me preocupa. Me aterra pensar en que Rayhan le haga algo a mi hija. No sé cómo actuaría si eso pasara, pero seguramente querría matarlo. —No me oculto—. No quiero que mi hija vea todos los días cómo su padre le pega a su madre y que durante semanas no pueda cuidar de ella porque no puede moverse. Ahora es pequeña y no se da cuenta de muchas cosas, pero cada vez es más lista y los niños no son tontos. Dentro de unos meses será más consciente y no quiero crearle un trauma para toda su vida. No quiero que tenga las mismas imágenes en la cabeza que tengo yo de cuando era pequeña —le explico—. Te cuento esto porque necesitaba contárselo a alguien. Llevaba mucho tiempo con todo guardado en mi interior y sabía que algún día acabaría explotando. Perdóname.

—No te tienes que disculpar, Suhaila. Me vas a tener siempre que me necesites. Nos conocemos desde hace muchos años y para mí eres de la familia. Puedes confiar en mí. —Me tiende su mano.

La agarro con fuerzas y, casi involuntariamente, le abrazo. Esta sensación es nueva. Un cosquilleo entre las costillas se apodera de mí y no entiendo qué sucede. ¿Por qué le he abrazado? Lo estoy haciendo porque me apetece y no por obligación. Nuestros cuerpos se separan en apenas unos segundos, pero quiero más.

—¿Sigues estudiando inglés y español? —me pregunta cambiando de tema al ver el libro en la alfombra.

—¡Claro! He aprendido muchísimo en estos últimos años —reconozco—. Gracias por este grandísimo regalo. Es lo más valioso que tengo. Cuando Rayhan está en casa siempre está escondido porque no quiero que se entere de que estoy estudiando. Con Farid hacía lo mismo. Solo lo sabes tú. Saber más cosas me da esperanzas de que algún día seré una mujer importante en la vida y no tendré que depender de un hombre para vivir —le explico—. ¿Sabes? Nunca le he contado esto a nadie, pero me apetece desvelarte un secreto. ¿Me prometes que quedará entre nosotros?

—Te lo prometo —me mira atentamente—. Cuéntame.

—Si algún día consigo escapar y salir de Yemen, me gustaría viajar muy lejos de aquí. En el libro que me regalaste, además de poder aprender palabras y frases en varios idiomas, también hay fotografías, y te explican un poco de la cultura de cada país. Hace tiempo leí que España es un lugar increíble, con playas maravillosas y buen tiempo casi siempre. Me encantaría poder vivir allí una temporada —admito.

Jamil se queda embobado escuchándome mientras hablo. Nuestros ojos conectan pidiendo acercarse. El silencio reina en el salón. Me acaricia las manos. La suavidad de su piel traspasa la mía y cierro los ojos hallando una paz interior hasta ahora inexistente. Me gustaría entender por qué le veo y me pongo nerviosa. ¿Le pasará a él lo mismo? Estas nuevas sensaciones me tienen descolocada, pero me dejo llevar por mis sentimientos. Abro los ojos de nuevo y Jamil me sigue mirando. Un huracán me atrapa, me lanza contra el suelo y me devuelve a la vida en cuestión de segundos.

¿Qué está pasando? Nos abrazamos otra vez. No hay palabras, tan solo dos corazones latiendo cada vez más rápido comunicándose a través de nuestros pechos. El mundo en sus brazos ahora tiene sentido. El abrazo se termina y cada vez estamos más cerca. Nuestros ojos quieren besarse, pero ninguno se atreve. No apartamos la mirada. Diez segundos. Quince segundos. Veinte segundos. Pierdo la cuenta, pero me gustaría que este momento tan especial no acabara nunca. De repente, Jamil se acerca y su boca entra en contacto con la mía. Sin ser apenas consciente de lo que está ocurriendo, mis labios se mueven al tango de los suyos. Los deslizamos suavemente, de izquierda a derecha, de arriba a abajo, mientras la mano de Jamil se cuela entre mi cara y el hiyab. Mi lengua fluye tocando la suya. Sus labios quieren más de mí. Los míos más de él. Vuelvo a la cordura y me retiro. ¿Qué estoy haciendo? ¡Esto no puede ser! Estoy casada, joder. ¡Le estoy siendo infiel a mi marido! Estoy loca. Limpio de mi boca la saliva de Jamil y le miro avergonzada.

—Te prometo que te voy a sacar de aquí —me dice levantándose de la alfombra y abandonando el salón.

Capítulo 33

JAMIL

España

13 de febrero de 2007

Último día de curas. Han sido unos meses muy intensos, pero parece que el río vuelve a su cauce. Suhaila ya se encuentra bien, no hay nada por lo que preocuparse, y lo más importante de todo es que la veo feliz. Hacía mucho tiempo que la luz de sus ojos se había apagado y ya no brillaba como antes. Me alegro tanto por ella... Creo que también tiene mucho que ver con que Rayhan no esté en casa. Por lo visto, se ha tenido que marchar un par de semanas a Arabia Saudí debido a su trabajo, según me ha contado Suhaila. Su ausencia, desde luego, la transforma en otra persona totalmente diferente, y a mí me da vía libre. Sin él, hay vida en cada rincón. Entras al salón y se respira otro ambiente. Hasta huele distinto.

Suhaila es una persona muy activa, a la que le gusta estar haciendo cosas a cada momento del día. Lo suyo no es procrastinar y perder el tiempo; sin embargo, cuando Rayhan está en casa, se sienta en la alfombra sin hacer nada, tomando té por obligación y viendo pasar los días a través de las manecillas del reloj. Rabio de impotencia al pensar en todo lo que le está haciendo pasar ese hijo de puta. Qué injusto. No tiene que vivir así. Se merece volar, salir de Saná, explorar más allá. Quiero ayudarla, pero todo es tan complicado... Recojo los utensilios que he utilizado para la última cura y lo que me he dejado aquí durante estas semanas: vendas, esparadrapos, alcohol, agua oxigenada... y, mientras, ella sale al patio a tender la ropa que ha estado lavando antes de que yo llegara. Después de unos días con un poco de viento, hoy hace un sol espléndido. Por eso ha querido aprovechar para hacer la colada y que se seque pronto. Cuando termino, voy a buscarla y me quedo unos segundos mirando cómo tiende, a través del sol que irrumpe en la visión de mi pupila.

—¡Ay, no sabía que estabas ahí! —Se asusta cuando se da la vuelta—. ¿Ya te vas? —Asiento con la cabeza—. Aunque me digas que soy una pesada, me gustaría darte las gracias de nuevo por haber venido a cuidarme todos estos días. Sin ti no hubiera podido levantarme ni recuperarme tan rápido. A lo mejor incluso me habría muerto —me dice.

—Eres una exagerada, Suhaila. Acepto tus últimas gracias solo con una condición: que dejes de darme las gracias. —Río.

—Está bien, está bien. Dejaré de hacerlo. —Me abraza y me besa con delicadeza.

En cuanto se da cuenta de que estamos en una zona visible

separa sus labios de los míos. Se sonroja y me pide que vayamos a un lugar más íntimo. Comenzamos a besarnos cálidamente como si fuera nuestro primer beso. La chispa enciende nuestra vela interior, los pantalones me empiezan a apretar y ardo por dentro.

—Suhaila —interrumpo.

—Dime, Jamil.

Dudo si estoy haciendo lo correcto.

—¿Por qué no nos escapamos juntos a Europa? —le pregunto—. Dicen que allí se vive muy bien. Podemos ir a España, como tú querías.

Mi propuesta le hace pensar.

—No sé, Jamil. Tengo mucho miedo de que me vuelvan a pillar, y no te quiero meter a ti en esto. Lo que estamos haciendo ahora es una completa locura. ¿Lo sabes, verdad? Imagínate si ahora mismo viene Rayhan. Podría pasar de todo. Si nos escapamos juntos y nos pilla nos mataría a los dos. —Me acaricia—. No quiero que te pase nada malo.

—Te entiendo perfectamente, cariño. Sé que tienes miedo, yo también lo tengo, pero tampoco podemos seguir escondiéndonos... Llevamos un par de meses ya así. —Le devuelvo la caricia—. Piénsalo bien. Quizá es el momento de arriesgarse. Lo llevo pensando varios días y, si planeamos correctamente lo que vamos a hacer, puede salir bien. Pero sea como sea, lo que no puedes hacer es quedarte aquí. Ahora que te has recuperado deberías marcharte lejos y dejar a Rayhan atrás —le suplico—. Por favor, tienes que hacerme caso. Si quieres irte sola, lo respetaré. Si quieres que nos vayamos juntos estaré encantado, pero tienes que salir de Yemen sí o sí, o terminarás muerta en manos de tu marido.

A Suhaila le cambia la cara.

—Lo siento, no quería decir eso. Perdóname —me disculpo.

—No pasa nada. Llevas razón, pero no quiero irme sola. —Sus ojos están vidriosos—. Acompáñame —me pide.

—Te acompañaré hasta donde quieras. Allá donde vayamos yo buscaré un trabajo y con mi sueldo podremos vivir tranquilamente. Si tú deseas trabajar también, yo estaré feliz, porque tú lo estarás. Si quieres puedes estudiar, cuidar de la niña, salir y conocer la ciudad... lo que quieras. Conmigo no tienes que fingir ser quien no eres. Lo único que pretendo es sacarte de aquí y que por fin puedas ser feliz —le digo.

Se acurruca entre mis brazos buscando refugio. La consuelo en silencio acariciándole la nuca.

—Sé que tienes valor para hacerlo. Ya lo hiciste una vez. No tuviste suerte, pero esta vez saldrá bien, te lo prometo. Solo tienes que encontrar el momento para abandonar esta guarida que te ha encarcelado durante todos estos años. —Prefiere callar y encoger su cuerpo.

Las horas pasan muy deprisa con ella a mi lado. El cielo se oscurece poco a poco y un manto de niebla cubre las calles de Saná. Suhaila se ha quedado dormida. La miro y acaricio sus pómulos maquillados. Es preciosa. Nunca quise admitir que estaba enamorado, pero ahora es innegable. Desde hace ya unos años, no ha habido día en que no haya pensado en ella. Las palizas de su padre las observaba desde mi salón y los golpes a las puertas y los moretones del día siguiente me dolían como si me hubieran herido a mí. Recuerdo el día en que su madre falleció. Su mundo cambió para siempre. Más tarde, también se marchó su alma gemela: Hassan.

«Siento tanto por todo lo que has tenido que pasar, pequeña», le digo. «No puedo soportar verte así. Te quiero con todo mi corazón».

Capítulo 34

SUHAILA

Miedo

7 de julio de 2007

Los días transcurren entre la monotonía y el silencio. Rayhan sale todas las mañanas de casa a la misma hora y regresa cuando ya ha anochecido. Intento evitarle a toda costa, pero a veces lo encuentro entre las sombras, en la oscuridad del pasillo. Siento que le estoy traicionando. Estoy siendo una mala mujer, viéndome con otro hombre a sus espaldas y ocultándoselo con la mirada. No puedo permitirme ni el más mínimo error. Si descubre que estoy viéndome con Jamil, mientras él no está en casa, será su momento perfecto para acabar conmigo y ahora no puedo marcharme de este mundo. Mi hija me necesita y mi obligación es buscar un lugar

seguro para ella. Tengo que alejarla de su padre y su abuelo y lle-
varla donde nunca puedan encontrarla. Es la única manera de que
no le hagan daño. Están llamando a la puerta. El miedo me atrapa,
se apodera de mí y siento un nudo constante en la garganta que me
ahoga. Cada vez que Rayhan vuelve a casa me pongo muy nerviosa, pero tres golpes suaves me aseguran que es Jamil y no él. Es
el código que tenemos para saber que somos nosotros. Aunque ya
se hayan terminado las curas y yo esté totalmente recuperada, Jamil sigue viniendo todos los días para ver cómo me encuentro y,
ya de paso, darme un poco de amor. Cada vez estoy más a gusto a
su lado. Si paso unas horas sin verle, me muero porque llegue el
siguiente para poder besarle. Me siento como nunca antes y creo
que esto es estar enamorada, pero sigo teniendo mis dudas. No le
dejo ni siquiera cerrar la puerta y le asalto con una pregunta que
me lleva días rondando por la cabeza.

—¿Cómo lo vamos a hacer? —le pregunto.

—¿Cómo vamos a hacer el qué? —responde.

—¿Qué va a ser? La huida, Jamil, la huida —le aclaro impaciente. No entiendo cómo puede estar tan tranquilo. Sé que su seguridad para actuar no es la mía, pero yo estoy atacada de nervios.
¿Y si todo sale mal? No es tan extraño que suceda—. Yo no puedo
salir de Yemen sin mi marido y mucho menos sin su consentimiento.

—No te preocupes por eso. Justo el otro día se me ocurrió el
plan perfecto para que todo salga bien. Yo me haré pasar por tu
marido y podremos salir de aquí sin problemas. De hecho, venía a
contarte una buena noticia —me dice—. Tengo un amigo que trabaja en la policía y puede hacernos documentos falsos. Haremos

creer que somos marido y mujer y cuando se den cuenta del error ya estaremos muy lejos. No podrán hacernos nada.

Me parece un buen plan, pero... hay algo que no ha tenido en cuenta.

—Jamil, eso es muy arriesgado. Rayhan trabaja en la policía. Si por casualidad llega a ver esos documentos o conoce a quien los hace... —Estoy asustada—. No, no podemos hacerlo así...

—Suhaila, también había pensado en eso. De verdad, confía en mí. Mi amigo no conoce a Rayhan, te lo aseguro. Como comprenderás, él no hace esas cosas delante de todo el mundo. Tiene un despacho oculto en su casa para no llamar la atención. ¿Tú crees que esto se puede hacer así como así? Lleva mucho tiempo, créeme. Hay que tener mucho cuidado. —¿Cómo sabe todas estas cosas? Qué inteligente es.

Me quedo más tranquila al escuchar el plan que tiene Jamil. Además, yo carezco de documentación que me identifique. Mi padre nunca quiso que apareciera en el registro, y con Rayhan nunca he hablado de este tema. Si nadie me conoce ni sabe quién soy será más fácil hacerme pasar por otra persona. Jamil me nota preocupada. Acerca sus manos a mi cara y me besa delicadamente la mejilla.

—Me voy a encargar de que todo salga bien. Mañana mismo empezaré a tramitar la documentación y sacaré los billetes para poder volar a España lo antes posible. Tengo que informarme bien sobre a qué ciudad vamos a ir, si necesitamos visados y de qué puedo trabajar allí. Tú solo encárgate de no decir nada a nadie. Ni siquiera a mi madre. No podemos dejar cabos sueltos y que nos descubran antes de tiempo. El tema de papeleo déjamelo a mí, y empieza a ser consciente de que dentro de muy poco tiempo este ya no será tu hogar. —No me creo lo que vamos a hacer.

—Tengo mucho miedo, Jamil. Nunca antes he salido de Yemen y me aterra lo que pueda pasar cuando nos marchemos.

—Tienes que ser fuerte, mi amor. —Me tiembla todo el cuerpo—. La vida no te lo ha puesto nada fácil hasta ahora, pero todo va a cambiar en cuanto salgamos de Yemen. Tengo ganas de empezar una nueva etapa junto a ti lejos de aquí, sin nadie que nos juzgue y sin tantas prohibiciones. Estoy convencido de que esto va a marcar un antes y un después en nuestras vidas, pero para que todo salga bien tienes que hacerme caso y mostrar normalidad delante de todas las personas que conoces, sobre todo de tu marido.

De repente, caigo en la cuenta de los costes que supone viajar fuera de Saná.

—¿Y el dinero? Yo no tengo dinero para pagar todo esto. —Sigo dudosa del plan.

—Suhaila... —Se pone serio—. Te lo he dicho mil veces. No te preocupes por nada, ¿de acuerdo? Por favor, déjame hacer las cosas a mi manera. Está todo pensado. Llevo muchos años trabajando como médico y tengo dinero ahorrado. Con eso podemos permitirnos comprar los billetes de avión y pasar unos cuantos meses en España —me comenta.

Me sabe mal que lo pague él y gaste sus ahorros en esto, pero todo se me olvida cuando me besa. El roce con sus labios es diferente a los días anteriores. Ahora son más tiernos. Más calientes. Más verdaderos. Creo que me estoy empezando a enamorar profundamente de Jamil. ¿Por qué Farid eligió a Rayhan para ser mi marido y no a él? ¡Es él quien quiero que esté en mi vida! Los besos se terminan. Hasta mañana no habrá más. Jamil se tiene que marchar. Cierro las puertas de la casa y el silencio me acompaña. Todo esto es una imprudencia. Estoy aterrorizada, pero a la vez siento más adrenalina de la que nunca he experimentado. Supongo que este es el final y el principio de una nueva vida.

Capítulo 35
Todo a punto

25 de septiembre de 2007

Riiiiiiiiiing, riiiiiiiiiing. El teléfono suena tan alto que parece que se va a caer la casa, pero consigo llegar a tiempo para descolgar.

—¿Ha salido todo bien?

—Tengo todo listo. Está siendo más fácil de lo que me podía llegar a imaginar —le digo.

—Perfecto. Ahora solo necesitamos llevar a cabo el plan establecido. No te permito ni un solo error. ¿Me escuchas? Ni uno.

—No cometeré ningún error. Puedes confiar en mí. —Trago saliva.

—Ya sabes lo que tienes que hacer. No volveremos a hablar hasta que no se haya acabado todo. Llamarás cuando termines tu trabajo. Espero no tener que lamentar haberte elegido a ti. Y si en algún momento dudas en hacerlo, piensa en la falta que te hace el dinero.

Cuelga el teléfono dejándome con la respuesta en la boca.

Capítulo 36

JAMIL

Si yo te contara

19 de enero de 2008

—No puedo describir con palabras lo que me haces sentir. Desde siempre he creído que tenía una conexión especial contigo. Fantaseaba todos los días con el momento en que pudiera ser sincero y expresarte mi amor. Tuve que esperar mucho tiempo y verte casada, pero al fin te tengo entre mis brazos. Soy muy feliz de que tú sientas lo mismo por mí —le revelo a Suhaila, que baja la cabeza con una media sonrisa en la boca. A veces, es muy tímida y no se atreve a decir lo que piensa. La entiendo. Tiene miedo de que pueda hacerle daño, como todos los hombres que han estado en su vida anteriormente.

—Mira, ven. —La atraigo hacia a mí—. Voy a enseñarte algo que te va a gustar mucho. —Se sienta a mi lado.

Abro una carpeta que contiene todos los documentos que nos van a hacer falta para el viaje. Le tiendo los billetes de avión en la mano y su cara se ilumina por completo.

—¿Estos son los billet...? —Pero antes de que termine la pregunta, asiento con la cabeza.

Está muy entusiasmada. Los empieza a ojear e inmediatamente le doy el pasaporte con su foto y su nombre. Por primera vez en su vida está identificada. Todo esto es nuevo para ella y sus ojos están a punto de empaparse de lágrimas. Traga saliva, bebe agua y las intenta controlar.

—Tenemos las horas contadas en Yemen, mañana nos vamos —le anuncio.

—¿MAÑANA? —pregunta sorprendida.

—No hay vuelo directo hasta España, de modo que tendremos que volar a Rumanía, concretamente a Bucarest, y de ahí cogeremos otro avión que nos llevará hasta Madrid, que es la capital de España. ¡Y lo mejor de todo es que ya he conseguido la casa donde viviremos en Madrid y tengo los papeles que acreditan que somos marido y mujer!

—¿Al final lo has conseguido hacer? —No da crédito—. ¿Pero cómo te ha dado tiempo a buscar todo tan rápido? Pensaba que esto llevaría años... ¡Eres increíble! Gracias por preocuparte de todo. —Nunca se cansa de agradecer las cosas. Ay... tiene un corazón enorme—. He de reconocer que estoy muy nerviosa, ¡nunca he viajado a ningún país ni subido en avión! ¿Cómo será experimentar todas esas sensaciones juntas? Seguro que acabo vomitando o algo parecido. ¡Siempre me pasa cuando estoy demasiado nerviosa! —Se ríe.

No puedo evitar acercarme a ella y besarla apasionadamente. Hoy es un día muy especial. Mañana su vida va a cambiar para siempre, y lo único que quiero ahora mismo es estar a su lado. Primero llegan los besos en la boca, pero después me deslizo hasta llegar al cuello. El hiyab ya anda por los suelos y nos trasladamos a la habitación. Su piel de gallina, sus gemidos, el tacto de sus manos, su ropa interior... Me desnudo al mismo ritmo que ella. Nos miramos uno frente al otro y me niego a perderla de vista. La observo desnuda, de arriba a abajo, de abajo a arriba, siguiendo cada uno de sus movimientos. No puedo apartar mis ojos de ella. Siento tanto amor... Nos acercamos. Piel con piel, los besos empiezan a ser más cálidos. Las comisuras de sus labios me tienen completamente enamorado. El olor de su cuerpo me excita y mi miembro no puede estar más duro. La invito a tocarlo, mientras yo acaricio sus senos. La tumbo en el suelo y la miro durante unos segundos a los ojos. No hacen falta palabras. El silencio habla por sí solo. Hacemos el amor como nunca antes lo habíamos hecho.

—Te quiero —susurra Suhaila.

Me quedo en blanco. Es la primera vez que me lo dice. El corazón me aprieta y mi estómago se vuelve pequeño.

—Yo también te quiero, Suhaila. Muchísimo. —Nos fundimos en un abrazo que dura más de cinco minutos. Se acurruca sobre mi hombro y me siento feliz, pero el tiempo a su lado se agota—. Tengo que irme antes de que venga Rayhan.

Me visto y recojo cualquier prueba que indique que he estado aquí con ella.

—No estaremos separados mucho tiempo, mañana a primera hora nos volvemos a ver. Cuando se vaya tu marido vendré a por ti. Un coche nos estará esperando en la puerta y nos llevará al aeropuerto. Prepara, con mucho cuidado, todo lo que necesites llevarte. Recuerda que estamos a solo un paso de conseguirlo. Sé que puedes hacerlo. —La vuelvo a besar—. Hasta mañana, mi pequeña.

Me despido de Suhaila con el corazón en un puño y me dirijo a casa. El camino me invita a la reflexión. No paro de pensar en ella. En todo lo que está sufriendo, tiene que ser tan duro... A veces el amor nos lleva por caminos que nunca imaginamos que podríamos atravesar, aunque también hay momentos que hace que se te parta el corazón en mil pedazos. Miro a mi alrededor, con el atardecer idílico de fondo, y la luz de la casa de mi madre se enciende, iluminando la entrada. Es tarde, debe estar a punto de irse a dormir. Entro con cuidado de no hacer ruido y la encuentro en el pasillo, esperándome con el pelo suelto para darme su típico beso de buenas noches. Cargado de incertidumbre, la abrazo con tantas fuerzas que se queda más que sorprendida. No entiende que su hijo, que no es demasiado cariñoso con la familia, le esté dando ese abrazo tan profundo. Ay, mamá, si yo te contara...

Capítulo 37

SUHAILA

El fin

20 de enero de 2008

Me despierto muy temprano. Esta noche ha sido horrible. No he conseguido cerrar los ojos ni dos minutos. Solo quería que amaneciera cuanto antes y se acercase el momento de irnos. Estoy tan nerviosa que no sé ni cómo actuar delante de Rayhan. Hoy es el último día de mi vida que lo voy a ver y me pregunto cómo debo sentirme al respecto. He de admitir que me da incluso hasta un poco de pena. Al fin y al cabo él es el padre de Zaida, pero, aunque me pese, no puedo quedarme de brazos cruzados esperando ver qué ocurre cuando tenga un par de años más. No voy a permitir que sus recuerdos sean violaciones y maltratos. Ella aún no entiende nada, es una niña, por eso mi deber es protegerla y alejarla de él. Cuando sea mayor y pregunte por su padre, le contaré toda la verdad, pero ahora es momento de actuar. Más vale ser precavida que lamentarlo en el futuro. Mientras Rayhan y Zaida siguen dormidos, aprovecho para ultimar el equipaje. Ayer, antes de que Rayhan llegase a casa, preparé algunas cosas y las escondí en la cocina, detrás de la despensa donde guardamos la comida. Estaba segura de que ese sería un lugar donde nadie miraría, porque la única que siempre está allí soy yo. Hasta ahora no he sido verdaderamente consciente de que son mis últimas horas en esta ciudad. La que me ha visto crecer. En la que he perdido a mi madre y a mi hermano Hassan, en la que nunca llegué a tener relación con el resto de mis hermanos, en la que mi padre, del cuál no sé nada desde hace meses, me ha dado las mayores palizas de mi vida, en la que me he casado y he pasado a ser propiedad de otro hombre más... pero prefiero no pensar solo en lo malo, porque también me ha dado la mayor alegría: mi hija Zaida. Ya tiene cuatro años. Está grandísima. Para comérsela. Ella es la razón por la que sigo viva y no me he suicidado. Desde que nació, ha sido el motor de mi existencia, mi salvamento y el sendero hacia la libertad de ambas. Hay personas a las que les toca sufrir muchísimo hasta conseguir ser felices, pero creo que nuestro momento ha llegado. A partir de ahora nos merecemos disfrutar como no hemos podido hacerlo antes. Estos últimos años he estado tan preocupada por lo que me hacía Rayhan, que no he tenido tiempo de verla crecer. No he prestado atención cuando le han salido todos los dientes, ni a sus primeras palabras, ni siquiera cuando venía corriendo, reclamando un abrazo. No me siento orgullosa de ello, pero sí con fuerzas de cambiar y ofrecerle un nuevo rumbo. En España tendrá la educación que necesita, nuevos amigos y una casa donde poder desarrollarse feliz y sin las ataduras de un padre maltratador. En Saná dejo muchas cosas que, algún día, pasarán a formar parte de mi pasado, pero aquí también me he enamorado, y eso me lo llevo conmigo. Jamil, además de Zaida, es lo mejor que me ha pasado en la vida. Él es el hombre con el que quiero pasar el resto de mis días. Porque lo he elegido yo. Porque me ha hecho descubrir el amor. Porque le quiero.

Escucho que Rayhan se está levantando y rápidamente vuelvo a esconder el equipaje en la despensa. Salgo de la cocina con el desayuno en las manos, para que así lo tenga preparado nada más salir de la habitación. Como de costumbre, no me da los buenos días ni me mira a la cara. Para él es normal actuar como si yo no estuviera y con los días también se ha convertido en algo habitual para mí. Tengo que hacerle ver que mi rutina sigue igual que la de todas las mañanas y no se va a alterar en cuanto él se marche, así que me dispongo a prepararle el desayuno a la niña y recoger la habitación donde dormimos. ¡Mierda! Ayer se me olvidó completamente ir al cementerio. Entre los nervios que tenía y que aún no me creo que me voy, se me fue de la cabeza. Antes de ir al aeropuerto le diré a Jamil que si podemos pasar un momento por el cementerio. Necesito visitar a mi madre y a Hassan para despedirme de ellos y contarles la locura que voy a hacer. Aunque seguro que ya lo saben. Me cuidan desde donde quiera que estén. Sé que Jamil es un regalo de mamá, para que su nieta y yo seamos felices. Cómo me habría gustado que hubiera podido disfrutar de Zaida. Seguro que la habría cogido en brazos a todas horas cuando era un bebé... Qué rápido pasa el tiempo. Siempre he pensado que la vida es muy injusta, sobre todo con quien menos tiene que serlo, y que la muerte es la única certeza que tenemos mientras vivimos. No importa quién seas ni dónde te encuentres, si tienes dinero o no, si eres el más afortunado o el más desgraciado del mundo. Cuando menos te lo esperes, la muerte llegará a ti y cambiará la vida de todos los que dejas atrás. Solo espero que ahora estén en un lugar mejor y me pueda reunir con ellos cuando llegue mi momento.

Rayhan está a punto de marcharse. Le veo coger sus cosas desde el pasillo y me mira fijamente.

—¿Qué vas a hacer hoy? —Su pregunta me deja totalmente aturdida.

Es muy raro que me pregunte eso, porque últimamente nunca se preocupa por mí. Hace días que no hablamos. Si lo hemos hecho han sido dos o tres frases por pura necesidad y, desde luego, no para preguntarme nada sobre mi vida. Qué extraño todo. Precisamente hoy, cuando estoy a punto de marcharme, me pregunta que qué voy a hacer. No sé... ¿Sabrá algo? Es imposible. Es imposible. No. Esto solo lo sabemos Jamil y yo, y, obviamente, ninguno de nosotros le ha contado nada. «No te montes paranoias, Suhaila», me digo a mí misma, «todo está en tu cabeza». Me autoconvenzo. Llevo razón. No sabe nada. Estoy muy nerviosa ahora mismo y cualquier cosa me va a parecer rara, así que le respondo sin darle más vueltas al asunto.

—Iré al cementerio a ver a mi madre y a mi hermano. Llevo mucho tiempo sin ir y justo hoy hace once años de la muerte de mi madre —miento a medias. Es cierto que voy a ir al cementerio, pero hoy no es su aniversario.

No responde y avanza hasta el final del pasillo para besarme en la mejilla. No sé qué le ocurre, ¿por qué ahora me da un beso? No entiendo absolutamente nada. Me quedo inmóvil sin saber cómo reaccionar y Rayhan se marcha cerrando la puerta al salir. Parece que es él el que se va y no yo. Todo me resulta muy confuso, pero decido no darle importancia. Recuerdo mis propios pensamientos: «No te montes paranoias, Suhaila. Todo está en tu cabeza». Todo está en mi cabeza. Todo está en mi cabeza. Todo. Ahora tengo que darme prisa, meter las cosas que me faltan en la maleta y dejar todo preparado para cuando Jamil venga a buscarme. No tiene que tardar mucho.

El tiempo corre demasiado despacio. Solo han pasado diez minutos desde que Rayhan se fue y parece que llevo un día entero esperando a Jamil. El equipaje está listo, y Zaida ya está vestida y lleva su peluche en la mano.

—¿Dónde nos vamos, mamá? —Esto no lo tenía planeado. ¿Qué le respondo?

—Nos vamos de vacaciones, cariño, a un lugar como el que ves en los cuentos. Con muchos juguetes y niños con los que podrás jugar.

—¿Allí habrá una escuela para niñas como yo? —Sus palabras me atragantan.

—Por supuesto, mi amor. Allí podrás ir al colegio todos los días y aprenderás muchas cosas. Serás una niña muy, muy, muy lista. —Se me cae una lágrima—. Y cuando seas mayor podrás trabajar de lo que tú quieras. ¿Qué te gustaría ser?

—Quiero ser princesa —me cuenta ilusionada.

—¿Princesa? ¡Guauuuu!

—Sí, quiero ser princesa para salir en los cuentos y que todas las niñas quieran ser como yo. Tener mi mismo pelo, mis vestidos y mis zapatos. —Se me cae la baba de escucharla.

—Si tú quieres ser princesa, ¡serás princesa, mi vida! Estoy segura de que vas a ser la princesa más guapa del mundo y todos te van a querer muchísimo. ¡La princesa Zaida! ¿Qué te parece? Suena bien, ¿verdad? —Sonrío con ella.

La abrazo tan fuerte que me pide que pare porque no puede respirar. Qué exagerada soy a veces, pero es que la quiero tanto que no lo puedo evitar. Tres toques suaves en la puerta me avisan de que Jamil ya está aquí. Antes de salir le advierto a Zaida sobre varias cosas importantes para que todo salga bien.

—Zaida, cariño. Ha llegado el momento de irnos. —Abrocho los botones de su chaqueta.

—¿Y papá? ¿No viene? —la pregunta estrella.

—Papá tiene que quedarse por trabajo, pero seguro que saca un hueco para poder hablar con nosotras. Además, volveremos a Saná y él nos estará esperando aquí —miento—. No podemos estar toda la vida de vacaciones, ¿no crees? —Le hago reír—. Será solo una temporada y, si estamos bien, papá se vendrá a vivir con nosotras allí para que tú puedas ir al cole todos los días. ¿Te parece bien? —Asiente con la cabeza—. Pero me tienes que prometer una cosa. A partir de ahora te tienes que portar muy, muy bien. No puedes hablar con nadie, ¿de acuerdo? Si alguien te pregunta algo, no respondas. Yo les diré que no sabes hablar aún. ¿Hacemos un trato de chicas?

—¡Síii! —Pobrecita mía...

—Entonces ¿queda claro que hasta que no lleguemos a nuestro destino no hablarás con nadie?

Vuelve a confirmar con la cabeza.

—Eres una niña muy obediente. —Nos reímos a escondidas—. Venga, coge tus cosas, que nos vamos.

Zaida, con su peluche debajo del brazo, y yo, con la maleta en la mano, salimos por la puerta dejando atrás cuatro paredes con muchos recuerdos. No puedo evitar mirar el salón y acordarme de su nacimiento, o cuando comenzó a andar por este pasillo... ¡Basta! No puedo avanzar si los buenos momentos me arrastran al pasado. Ahora empieza una nueva vida. Tendremos que aprender a formar nuevos recuerdos lejos de aquí.

Capítulo 38

JAMIL

Por amor

20 de enero de 2008

Sentado en una roca mal puesta en el camino, espero a que Suhaila salga del cementerio. Le he dicho que podíamos ir, pero con la condición de que tardásemos poco tiempo. Primero, porque hay que llegar al aeropuerto lo antes posible y, segundo, no quiero que nadie nos vea y sospeche lo que vamos a hacer. Los primeros rayos de sol afloran entre los árboles y, al mirar hacia ellos, entorno los ojos. No puedo soportar tanta claridad, pero sí que los mantengo cerrados mientras disfruto del calor escondido entre tanta nube negra. El cementerio siempre me ha parecido el lugar perfecto para reflexionar. El silencio de los cuerpos enterrados, las tumbas solitarias y los pasillos desérticos me hacen pensar en si estoy realmente aprovechando la vida que tengo. Definitivamente, la respuesta es no. Me gustaría haber hecho tantas cosas... y tantas otras que nunca podré llegar a hacer. Llevarme a Suhaila de Saná es una locura. Una auténtica locura. ¿Qué estoy haciendo? JODER. Le pego una patada a un trozo de chapa que hay tirado por el suelo y el sonido retumba produciendo eco. Veo de lejos como se gira sobresaltada. Se despide de las tumbas y vuelve por el mismo camino que la ha llevado hasta allí.

—¿Qué ha pasado? ¿Estás bien? —me pregunta asustada y mirándome la pierna.

—Sí, sí, tranquila. Me he dado sin querer. No ha sido nada. ¿Ya has terminado? —Procuro disimular.

—Sí, ya he terminado. Podemos irnos cuando quieras —dice mirando a lo lejos, intentando ver en la distancia las tumbas por última vez.

La invito a subir de nuevo al coche y ponemos rumbo al aeropuerto. Mientras que llegamos, le explico en voz baja, para que nuestro chófer no se percate de nada, todo lo que tenemos que hacer una vez que estemos allí. Esto es nuevo para ella, así que una ligera explicación no le vendrá nada mal. Le cuento que tenemos que pasar un control para no subir ciertas cosas al avión y también para poder salir del país.

—Cuando enseñemos la documentación te pido por favor que no hagas ningún gesto extraño. Como ellos noten en algún momento que estamos mintiendo puede ser muy peligroso para ambos, incluso para Zaida. ¿De acuerdo? —Asiente—. Esto es una joya que no podemos perder de vista bajo ningún concepto. —Le muestro los pasaportes—. Los voy a guardar en mi equipaje para no perderlos. Estoy aquí contigo. Todo va a salir bien. —Acaricio su mano.

Tras un buen rato conduciendo llegamos al aeropuerto. ¡Madre mía, cuánto tráfico hay hoy por todos lados! Era imposible avanzar por la carretera, pero bueno, lo importante es que finalmente estamos aquí, en la puerta de nuestra terminal. Nos bajamos del coche y, mientras Suhaila coge a Zaida, yo me ocupo de sacar el equipaje y pagar al conductor. Está empezando a chispear, de modo que nos apresuramos a entrar. Una vez dentro, nos dirigimos a las pantallas que muestran la información de los vuelos. Parece que el mostrador para facturar las maletas no queda lejos.

—Gracias por sacarme de aquí. —Miro a Suhaila sorprendido—. No sabía lo mucho que necesitaba esto hasta que tú me abriste los ojos. Nunca voy a olvidar lo que has hecho por mí, pero tengo que ser sincera. Estoy muerta de miedo —reconoce—. No paro de pensar en Rayhan. Seguro que ya se ha dado cuenta que no estoy en casa. Probablemente alguien lo ha avisado y esté viniendo a por mí. Si se entera que estamos juntos nos matará a los dos y hará lo que quiera con Zaida. —Se empieza a desquiciar.

—Tranquilízate, por favor. Solo faltan unas horas para que salga el vuelo, y es normal que estés tan nerviosa, pero en cuanto crucemos esa puerta de allí —le señalo al fondo— todo habrá acabado. Él no podrá acceder ni ver que estamos dentro. Cuando pasas a esa parte es porque vas a viajar y tienes un billete. Si no lo tienes, no te permiten la entrada. Así que no tienes por qué preocuparte. Todo está bajo control —aseguro.

Pero ella sigue intranquila, mirando hacia todas partes y sin poder despegar el ojo de las puertas de la terminal.

—Mira, vamos a hacer una cosa. Vamos a facturar las maletas ahora mismo. Así podemos pasar ya el control y quedarnos a esperar en esa parte que te estoy diciendo. ¿Te parece bien? —Afirma con la cabeza—. Además, estoy seguro de que esta vez no se ha enterado de nada. Hazme caso. No va a venir.

Capítulo 39
SUHAILA
Adiós, Saná

20 de enero de 2008

El avión está a punto de despegar y Rayhan no ha venido, pero aún no se me quita la idea de la cabeza de que en cualquier momento puede aparecer por la puerta del avión y obligarme a bajar como hizo en el autobús. Me resulta extraño estar aquí, con mi hija y Jamil escapándome a otro continente. No sé qué estoy haciendo. ¿Realmente es lo que quiero o me estoy dejando llevar? Supongo que esto es lo que debo hacer. Miro por la ventana con lágrimas en los ojos, intentando que no salgan más de la cuenta. El avión no es como yo me pensaba que sería. ¡Es todo tan moderno! Hay mujeres que trabajan de azafatas y ¡no llevan hiyab! Parece que estoy viviendo en otro mundo distinto sin siquiera haber salido de Yemen. No me quiero imaginar cómo será España, ¿me sorprenderá tanto? Las puertas se cierran y una voz anuncia que el embarque ha terminado. ¡Rayhan no ha venido! Estoy a punto de gritar de la emoción, pero me contengo. Tengo que ser discreta, no vaya a ser que me conozca alguien. Los motores ya están en marcha. El avión comienza a moverse y acto seguido le cojo la mano a Jamil, que se sienta a mi lado. No me puedo creer que Rayhan no haya impedido que me marche. No me lo puedo creer... ¡voy a salir de Yemen! Ya Allah... llevo tantos años esperando este momento. El traqueteo cada vez es más notable y mis piernas empiezan a temblar. Me agarro al asiento con fuerza. ¿Qué está pasando? Jamil se ríe de mi cara de miedo, pero yo tengo un nudo en la garganta incapaz de desenredarse. Algo no funciona bien. Lo sé. Este tambaleo no es normal, pero antes de preguntarle qué es lo que está pasando, el avión toma impulso para volar y despega, obligándome a mantener la cabeza hacia atrás, pegada al respaldo. Me giro hacia un lado y sigue riéndose. No entiendo tantas risas. Yo lo estoy pasando muy mal.

—Suhaila. —Suelta una carcajada—. Esto es normal. Es el despegue. No nos vamos a morir ni nada por el estilo. —Me medio abraza sin poder dejar de reír—. Tranquilízate, ¿vale? O mejor, ¿por qué no os dormís un rato? —Señala a Zaida—. El vuelo es largo y aún quedan unas cuantas horas para llegar. Es mejor que descanséis, que después hay que esperar en el aeropuerto y volver a coger otro vuelo.

Creo que tiene razón. Esta noche no he dormido nada y llevo unos días bastante alterada con todo esto. Lo mejor será que me duerma e intente no pensar en Rayhan. Cuando el avión ya ha alcanzado la suficiente altura, las azafatas nos dicen que podemos desabrocharnos los cinturones e ir al baño si así lo deseamos. Pongo a Zaida sobre mi pecho y me acurruco en el reposacabezas, mirando por la ventana. Si estiramos un poco más los brazos, casi podemos tocar el cielo con las manos. Estamos muy alto ya. Apenas se ven los edificios ni las carreteras. Me sorprende ver las ciudades a vista de pájaro. ¡Parecen diminutas desde aquí arriba! Por mucho que intento mantenerme despierta para poder disfrutar de las vistas, los ojos se me cierran continuamente...

La gente se empieza a alborotar y Zaida se despierta. ¿Dónde estamos? Estoy desorientada. ¡Ah vale! ¡En el avión! Qué tonta soy...

—¿Cómo habéis dormido? —nos pregunta Jamil—. ¡Vamos a aterrizar!

¿Ya? Qué rápido se ha pasado el vuelo. Estaba tan cansada que no he podido evitar dormirme. «Entonces, ¿esto es Rumanía?», me pregunto mientras observo los edificios blanquecinos desde mi asiento, pero las vistas no duran más de dos segundos. El avión avanza y el cielo se vuelve blanco. Una capa espesa de nubes nos envuelven y no consigo ver nada a través del cristal. Nos tenemos que poner de nuevo los cinturones y sentar a Zaida en su asiento. Noto un cosquilleo en el estómago. No sé si es por el descenso o por los nervios de conocer cómo va a ser todo esto, pero tengo entre pánico e ilusión. Todo el mundo permanece en silencio hasta que el avión por fin toca el suelo y el aterrizaje nos echa el cuerpo hacia adelante.

—Ha aterrizado fatal. ¡Casi nos damos en la cabeza con los asientos de delante! —exclama Jamil.

Estamos sentados en las primeras filas, de modo que, nada más estacionar, recogemos rápido el equipaje que hemos dejado en los compartimentos de arriba y salimos del avión en apenas unos minutos. Han puesto unas escaleras para que podamos bajarnos e ir andando hasta la puerta del aeropuerto, que se encuentra casi al lado. Pero antes de avanzar, me quedo pasmada mirando al frente. No doy crédito a lo que ven mis ojos. ¿Nieve? ¿Es esto nieve? ¡Todo el suelo está cubierto y del cielo caen copos blancos! Miro a Jamil sorprendidísima, pero no soy la única. Zaida también se ha quedado perpleja. De repente, un señor me toca el hombro.

—Perdone, ¿nos deja salir? Llevamos un poco de prisa —me dice muy educadamente.

—Sí, claro, claro. Perdone —me disculpo ante él y toda su familia. Echo la vista atrás y veo la cola que hay esperando para poder desembarcar. Rápidamente, comienzo a bajar las escaleras con Zaida en brazos, con cuidado de no resbalar y caerme. Jamil ya está abajo esperándonos. La gente sale del avión sin detenerse a mirar el cielo. ¿Por qué no les sorprende ver algo tan alucinante?

—¡Jamil! ¡Está nevando! —exclamo. Sigo alucinando y no puedo dejar de observar el cielo. Me parece algo impresionante.

—¿Te gusta? Pues esta es una de las muchas sorpresas que te esperan. Venga, vamos dentro antes de que nos empapemos.

Sigo su camino, sin dejar de contemplar los copos que caen sobre las pequeñas montañas blancas que se han formado en el suelo. No me canso. Podría pasarme horas así. ¿Por qué en Saná nunca ha nevado? Qué injusto. Entramos en el aeropuerto y Jamil parece nervioso. No para de mirar el móvil y apenas me escucha cuando le hablo. Creo que está buscando algo. Supongo que será el control para dar los pasaportes como hemos hecho en Saná. Aquí será igual, ¿no? Ya Allah... tengo que dejar de hablar conmigo misma. Estoy tan acostumbrada a hacerlo que a veces me formulo preguntas de las que, lógicamente, no obtengo respuestas.

Dejamos atrás la zona de registro de pasaportes —estaba en lo cierto, no me equivocaba al pensar que acabaríamos pasando por aquí—, y vamos directos a por las maletas. Este aeropuerto es inmenso. ¡Acabamos de llegar y ya hemos andado una barbaridad! Menos mal que voy acompañada, si no me acabaría perdiendo. El equipaje de cientos de personas empieza a salir por la cinta. Primero aparece la mía, después la de Zaida y acto seguido la de Jamil. Riiiiiing, riiiiiing. Su teléfono suena a todo volumen, llamando la atención de los pasajeros. Lo intenta silenciar, pero enseguida descuelga y la gente aleja su mirada de nosotros.

—Ya estamos aquí —le contesta a alguien por el teléfono.

¿Quién le habrá llamado? Jamil no conoce a nadie de Rumanía.

—¿Quién era? —le pregunto, pero no responde.

No entiendo qué está sucediendo. Cuando me explicó la ruta que íbamos a hacer, no me habló de nadie que nos esperase aquí. Durante el vuelo tampoco me ha comentado nada, qué extraño. Apenas unos minutos después, aparecen dos hombres muy fuertes y altos. Me sacan al menos dos cabezas. Los miro de arriba a abajo, intentando descifrar quiénes son. Parecen policías. Saludan a Jamil en voz baja y los ojos de ambos se clavan en mí. Sin dirigir más de dos frases, nos piden que les acompañemos. Miro a Jamil aturdida.

Él me hace un gesto para que no diga nada y simplemente camine hacia adelante. ¿Qué habremos hecho? Que yo sepa no hemos hecho nada malo. No sé quiénes son estos hombres ni por qué tenemos que seguirles, pero confío en él y comienzo a andar detrás de ellos. Salimos del aeropuerto en dirección a un pequeño edificio que veo justo enfrente. Sigo sin entender nada. ¿Qué hacemos aquí fuera? Nuestro vuelo con destino a Madrid sale dentro de dos horas y media, y antes tenemos que volver a facturar las maletas y pasar el control. Si nos entretenemos, ¡no nos va a dar tiempo a llegar! Uno de los policías saca unas llaves del bolsillo y abre la puerta de entrada. Enciende la luz y, seguidamente, les acompañamos a través de un largo pasillo. Cruzamos varias puertas hasta que en la última se detienen y nos hacen pasar dentro. La habitación está dividida por una especie de cristalera que la separa en dos mediante una puerta. En una de las partes hay una mesa de oficina y en la otra una camilla, como si de un hospital se tratase. Jamil me quita a Zaida de las manos y, sin apenas darme cuenta, los dos hombres me cogen de un brazo cada uno. Todo sucede muy deprisa. Empiezo a patalear y a gritar. ¿Qué narices está pasando? ¿A dónde me llevan?

—¡SOLTADME DESGRACIADOS! ¿Quién os creéis que sois para cogerme así, malnacidos? —les grito desconsoladamente.

Por más fuerzas que hago, no consigo escaparme. Ellos tienen más fuerza que yo y es imposible soltarme de sus garras. Rompo a llorar.

—No sé qué hago aquí, no sé qué queréis de mí. ¡Os daré todo lo que me pidáis, pero, por favor, dejadme en paz! —suplico—. ¡JA-MIL, AYÚDAME! ¡ZAIDA, CARIÑO, VEN CONMIGO!

¡NO TE VAYAS! —grito al silencio—. ¡JAMIL! ¡DALES TODO EL DINERO QUE HEMOS TRAÍDO Y SÁCAME DE AQUÍ, POR FAVOR! —La situación me desespera.

Intentan tumbarme en la camilla, pero no permito que lo hagan. Tenso todo mi cuerpo y lo echo hacia atrás, aunque al final uno me coge de las piernas y otro de los brazos y consiguen lo que quieren. No paro de moverme, buscando la salida por cualquier parte. Solo necesito que Jamil vuelva a aparecer, me ayude y continuemos con nuestro viaje. ¡No merecemos que nadie nos lo estropee! Escucho su voz. ¡Le estoy escuchando! Levanto la cabeza de la camilla tan deprisa como puedo y lo veo a través de la puerta medio entornada. ¡ES JAMIL! ¡Y Zaida! Están juntos al otro lado del cristal.

—¡JAMIL, DALES TODO LO QUE TENEMOS Y SÁCAME DE AQUÍ! ¡ZAIDA, MI AMOR, NO LLORES, POR FAVOR! ¡Mamá ya va contigo!—pataleo, mientras escucho los llantos de mi pequeña cerca de mí.

Los dos policías hablan entre ellos, pero no consigo entenderles. Mis ojos aguados solo están pendientes de mi hija. Jamil se acerca a la cristalera con Zaida en brazos. Viene a salvarme. Gracias a Allah.

—Suhai...

Y entonces, se cierra la puerta.

Capítulo 40
DRAGOS
La cata

20 de enero de 2008

—Por favor, no me hagáis nada. Por favor os lo pido. ¡Dejadme salir de aquí! No he hecho nada para estar encerrada. Tengo que volver con mi hija y Jamil, ¡me están esperando fuera! Tenemos que subirnos a un avión... —nos suplica sin cesar.

—Cállate la boca. —La chica se queda sorprendida cuando mi compañero le responde en su idioma. Menos mal que sabemos árabe de cuando trabajamos en Dubai, porque nos facilita el trato con las mujeres que nos llegan desde esas zonas. Hasta ahora le hemos hablado en rumano, pero un traficante siempre tiene que saber hablar varios idiomas, ¡nunca sabes cuándo te van a hacer falta!

—No, no voy a callarme... —se rebela—. ¡JAMIL, POR FA-VOR! ¡SÁCAME DE AQUÍ! —Esta necesita un escarmiento. No voy a tolerar su actitud.

—Tú decides. O te lo hacemos a ti, o se lo hacemos a tu hija —le digo muy enfadado. Hay que ponerla firme, no nos puede torear.

—¡NO! ¡Ni se te ocurra tocar a mi hija! —No para de temblar y apenas puede coordinar el llanto y la respiración—. ¡POR... F... A... VOR, no le hagáis daño a Zaida!

—Venga, Dragos, ¡empieza tu primero, que te veo con ganas! —Vasile se ríe y le levanta la túnica. Hoy me apetece marcha y lo sabe. Son ya muchos años haciendo negocios juntos. Se la voy a meter hasta la garganta para que grite como una loca, pidiendo que la saque. ¡Buah! Qué cachondo me pone eso. Con una mano sigo sujetando sus piernas y con la otra me la saco. Mira que cara de asustada pone al vérmela; «Si te va a gustar, zorrita, ya verás», pienso sin poder evitar mostrar una sonrisa. Sin darle tiempo ni a pensar, la penetro con todas mis ganas y empiezo a moverme tan rápido como puedo. Llega un momento en el que sus gritos de puro dolor y mis movimientos van al mismo compás.

—¡Eso es! ¡GRITA! ¡GRITA MÁS, PUTA! ¡Me estás po-niendo cachondísimo! —No puedo parar de follármela—. ¡Qué cerdo me pones! —La tengo muy dura...

Menos mal que la habitación está insonorizada, si no sus gri-tos se estarían oyendo en todas las terminales. La zorra esta no para de moverse. ¡Al final se va a caer de la camilla! ¡Deberíamos haberla atado como hemos hecho en otras ocasiones!

—Venga, tío, ¡que yo también la quiero probar! Déjame un poco, ¿no? —me increpa Vasile.

—¡Calla, joder! No... no... me descon... centres, Vasile, ¡que estoy a pun... to de correr... me! AHHHHH. ¡O te ca.... llas y te esperas o me co... rro en tu cara!

Cierro los ojos por un instante. Ya casi, ya casi... La saco y me corro encima de la túnica de la mujer. Suspiro. Guau, qué locura, pero me ha dejado reventado, madre mía. Estoy ya mayor para hacer estas cosas. Bebo agua de una botella que hay en el suelo y recupero un poco la compostura.

—¡Venga, Vasile! Ahora dale tú.

Capítulo 41

JAMIL

Vergüenza

20 de enero de 2008

—Suhaila... —La miro a través del cristal—. Lo siento. Lo siento muchísimo, de verdad, perdóname. Solo he hecho lo que me han pedido. —Me doy asco a mí mismo. Soy la persona más cruel del planeta en estos momentos.

Soy incapaz de quedarme aquí viendo cómo esos hombres se aprovechan de ella. No puedo soportar que le hagan daño, aunque yo sea el único culpable de todo esto. «¿Qué estás haciendo, Jamil? ¿¡Qué haces, joder!?», algo me quema por dentro. Zaida no para de llorar y, finalmente, tengo que abandonar la sala. En el pasillo la intento consolar, pero solo pregunta por su madre. Esto se nos está yendo de las manos. No pensaba que fuera a ser tan complicado y doloroso.

—Mamá va a venir enseguida, pero tienes que tranquilizarte. —Limpio las lágrimas de su pequeña cara—. Si desde dentro te escuchan llorar, no la van a dejar salir. —Como por arte de magia, sus pucheros se detienen. Qué fácil es a veces convencer a los niños. Qué inocencia más pura.

Todo está en silencio. Ya no escucho a Suhaila ni a los hombres que estaban con ella. Estamos Zaida y yo solos, sentados en una sala de espera parecida a la de los hospitales. Juego con ella y su peluche hasta que la puerta donde se abre. La cojo en brazos y nos aproximamos directamente hasta allí.

—La hemos tenido que atar a la camilla y poner una inyección para que se relajara. Estaba demasiado tensa —me dice uno de los hombres, mientras el otro cierra la puerta que separa una habitación de otra.

Veo a Suhaila por la cristalera. Está despeinada, atada de pies y manos, con la túnica por mitad de los muslos. Me mira clamando ayuda. Tengo roto el corazón. En mil pedazos. Y lo peor de todo es que jamás voy a poder reconstruirlo. Después de esto nada será lo mismo.

—Danos toda la documentación que tengas y, en cuanto la comprobemos, te pagaremos —me dicen.

Saco de mi abrigo lo que me piden y se lo entrego. Pasaportes, fotografías, billetes de avión, ficha técnica con los datos personales de Suhaila... Ya estoy arrepintiéndome y esto solo acaba de empezar. En qué momento pensé que sería buena idea... Necesito salir de aquí cuanto antes. No puedo seguir en este edificio sabiendo lo que estoy haciendo. Los hombres miran detenidamente todos los papeles, haciendo hincapié en cada uno de los detalles. Ya Allah, ¡daos prisa en revisar los documentos!

Después de unos desesperados instantes...

—Perfecto. Está todo lo que necesitamos. —Se acerca a la mesa y saca de un cajón un fajo de billetes de todos los colores.

Nunca había visto tanto dinero junto. ¿Todo eso es para mí?

—Aquí tienes el dinero. Y para que veas que no somos mala gente, antes de marcharte te dejamos despedirte de tu mujercita.

—Se ríen a carcajada limpia.

El cabecilla de la operación se dirige a la otra parte de la habitación, desata a Suhaila, la coge de malas maneras y la trae arrastras hasta donde nos encontramos. Ella es consciente de todo. Ha visto cómo he permitido que se la lleven, cómo la he alejado de su hija y cómo después me han pagado una importante cantidad de dinero. Ni en mis peores sueños me hubiera imaginado esto. Prometí cuidar de ella, pero también tengo otras promesas que debo mantener.

—A ver, putita. —Señala uno de ellos a Suhaila—. Tú te vienes a Madrid con nosotros, pero ella —dice señalando a Zaida— se queda con tu maridito.

Suhaila se pone histérica. Le han tocado en el lado que más le duele. Grita, medio drogada por toda la mierda que le han metido en el cuerpo. Pega patadas al suelo. Llora desconsoladamente sin tener dónde aferrarse. Intenta soltarse de los brazos que la tienen atada. Maldice a estos dos hijos de puta. Yo estoy a punto de que me de un infarto. Esta presión en el pecho me está matando. Zaida berrea como no la he escuchado en la vida. Parece que estoy alucinando.

—¡Mi niñaaaaa, mi niñaaaaa! —No deja de llamar a su hija. Zaida patalea. Quiere ir con su madre—. ¡NO ME LA QUITÉIS! ¡Zaida mi amor, te amo! ¡Mi vida, no te vayas, por favor te lo pido! ¡Mamá necesita estar contigo! ¡Jamil, sálvame, por favor! —Se ahoga con sus propias palabras. Está agotada.

—Lo primero que tienes que hacer es tranquilizarte —le aconseja el desconocido, que cada vez aprieta más sus brazos para que no consiga escapar— y lo segundo, venirte a España. Si quieres volver a ver a tu hija con vida, lo harás sin rechistar, y si no lo haces... la mataremos ahora mismo. Delante de tus ojos —advierte el cabecilla, sacando una navaja del abrigo. Retrocedo un paso horrorizado. Esto es una auténtica pesadilla.

Suhaila se hunde por completo. Sus rodillas se vencen, pero las manos que la sujetan no permiten que toque el suelo.

—¡NO, POR FAVOR! ¡NOOOOO! ¡DEVOLVEDME A MI HIJA, POR FAVOR! ¡ZAIDAAAAA! ¡NOOOOO! —brama cuando ve que la encierran de nuevo en la habitación de la camilla.

No lo soporto más. Es imposible. Tengo el corazón en un puño. Me despido de los hombres y abandono esa sala de torturas para siempre. Zaida no para de hacer preguntas y no sé qué responderle. Me voy a volver loco.

—¡No me quiero ir contigo! ¡Quiero estar con mi mamá! ¿Por qué dejas que le peguen y llore? Si llora se pone fea y los dos queremos que esté guapa —me dice la pequeña, y lleva toda la razón. Soy una mierda de persona.

—Te explicaré todo cuando seas mayor, ¿vale? Pero ahora tenemos que irnos de aquí... —Parece no conformarse.

—Jamil, basta de bromas. Quiero ir con mamá. Quiero estar con ella. Estoy triste si no está a mi lado. La quiero mucho. ¿Tú la quieres? —Su pregunta se me clava en el alma.

Trago saliva antes de contestar, pero sigue siendo igual de difícil hacerlo. Soy un maldito cobarde.

—Por supuesto que la quiero. Más que a mi vida. —Por fin soy sincero, tras meses de engaños, pero vuelvo a caer en la mentira—. Tenemos que hacer esto por mamá. Si nosotros estamos bien, ella estará bien. Solo necesito que dejes de llorar, ¿de acuerdo? —No me hace caso.

Haciendo de padre que tiene que hacer ver cómo su hija llora porque no le ha comprado la bolsa de chucherías que quería, salimos de nuevo al exterior. La gente nos mira, pero disimulamos bien. Ya no nieva, aunque el suelo sigue mojado, haciéndonos resbalar. Esto es muy difícil. Solo pienso en ella. ¿Qué le estarán haciendo ahora? Ya Allah... no se me va de la cabeza... Hace dos minutos que no la veo y ya la echo de menos. Si estuviera aquí, seguiría alucinando con la nieve. Entramos de nuevo a la terminal e intento centrarme en cuál es el siguiente paso que debo dar: la llamada telefónica para informar de que todo ha ido bien. Tengo que buscar dónde están las cabinas. Recuerdo que antes he visto unas al lado de los baños, pero no sé qué camino elegir. No quiero perderme, ni malgastar el poco tiempo que tengo, así que opto por seguir a los pasajeros que van hacia la derecha. Creo que hemos venido por aquí. No estoy seguro. Miro por todos lados según avanzo, pero no veo nada. Parece que la niña ya está más tranquila.

Suspiro. Menos mal. Cuando consigo localizarlas tras andar más de un kilómetro, le pido a Zaida que se siente en un banco y me espere jugando a un juego que le han dado en el avión.

—¡No te muevas de aquí! ¿Me escuchas? —Asiente—. Voy a hacer una llamada ahí enfrente, donde están los teléfonos. ¿Los ves? —Se los señalo con la mano—. Vuelvo enseguida, ¡te estaré vigilando! —Mira al suelo con tristeza. Sé que no deja de pensar en su madre.

Me aproximo hasta las cabinas y marco el número que me dieron. Todo está saliendo tal y como estaba previsto, aunque no ha sido nada fácil llegar hasta aquí. Este punto era clave. Tenía totalmente prohibido llamarlos con mi teléfono. Desde una cabina sería mucho más difícil que nos pillaran. El número comunica. No puede ser. Voy a probar de nuevo. Con los nervios a lo mejor he marcado mal. Al segundo intento y al primer pitido me descuelgan. Me estaban esperando.

—Farid y yo estábamos preocupados. Has tardado más de lo que habíamos pensado. ¿Tienes a la niña? —me pregunta Rayhan.

—Sí... Tengo a la niña —le digo escuetamente.

—¿Y te han dado la pasta? —me pregunta de nuevo.

—S... S... Sí... —contesto con la voz entrecortada.

—Perfecto. Nosotros tenemos el dinero y ellos a Suhaila. Todos salimos ganando. —Me froto los ojos, queriendo despertar de la cruda realidad—. Ahora Yemen te espera. Iremos a buscarte al aeropuerto de Saná mañana cuando llegue el vuelo. En cuanto estés aquí, me devuelves a mi hija y te daré la mitad del dinero para el tratamiento de tu madre, como acordamos. —Rayhan cuelga sin darme oportunidad de responder.

Me quedo en blanco, paralizado. Me han vuelto a engañar. Me han utilizado. ¡Me han chantajeado! No puedo creer lo que le he hecho a Suhaila. ¿Tan importante es ayudar a mi madre? ¡Podría haberlo solucionado de otra manera, pero así no! ¡¡Así no!! ¡ESTA NO ES LA SOLUCIÓN! JODER. Me echo las manos a la cabeza y tiro de mi pelo varias veces, hasta arrancarme más de un mechón. Entro corriendo al baño. Me miro al espejo y no me reconozco. ¿Qué monstruo es este? Me vuelvo a mirar y te veo a ti, Suhaila. Siempre te veo a ti. Te veo llorar. Te veo sufrir. Te siento muy lejos de mí. No entraba en mis planes traerte hasta aquí, Suhaila, ni tampoco enamorarme de ti.

Capítulo 42
SUHAILA
Caminos separados

20 de enero de 2008

El corazón me va a estallar. Intento controlar las respiraciones por la boca, pero me ahogo. Me falta el aire. Estoy empapada en sudor y no puedo dejar de llorar. ¡Se han llevado a mi hija! No, no es posible. ¡Esto tiene que ser un sueño! No puede estar sucediendo de verdad. ¡Jamil nunca me traicionaría! ¿O sí? ¿Por qué está haciendo esto? Apenas puedo andar. Los hombres me insisten en que camine más rápido, que tenemos que subir al avión lo antes posible; sin embargo, mis piernas flaquean y soy incapaz de mantenerme en pie. Les pido pañuelos para quitarme los mocos y secarme las lágrimas. Se niegan y no me queda otra opción más que limpiarme con una parte del hiyab. Todo el mundo me mira con cara rara. ¡Pensarán que estoy loca! Querido Allah, ¡devuélveme a mi hija! Haré todo lo que me pidas, pero no dejes que le pase nada malo. ¡No puedo irme de aquí sin mi hija! ¡Me niego!

—¡QUIERO ESTAR CON ELLA! ¡NECESITO ABRA-ZARLA! ¡Devolvedme a mi hijaaaaa! Por favor..., soltadme... Dejad que me vaya —sigo gritando. Uno de ellos me pellizca en la espalda y me lanza una mirada asesina. El otro se me acerca al oído y me recuerda lo que le puede pasar a Zaida si no mantengo la boca cerrada.

No tengo otra alternativa que callarme y seguir pensando en mi pequeña. ¡Solo tiene cuatro años! ¡Me necesita!. «¿Dónde está mi niña, Allah? ¿Dónde?», le pregunto. ¡Tiene que cenar! ¡Ya es su hora! ¡Esto no puede estar pasando, Allah! ¡No puedo subirme al avión sin saber dónde está mi hija! ¡No puedo irme a España sin despedirme de ella! ¡Necesito verla!

Un empujón hacia las escaleras del avión me impide volver atrás. ¿Y si salgo corriendo? ¿Y si me mareo, caigo al suelo y cuando todos estén desprevenidos me levanto y me voy? Acto seguido pienso: ¡estoy loca! ¡Eso jamás funcionará! Esto está lleno de gente y si se me ocurre hacer alguna tontería estoy segura de que estos hombres cumplirán sus amenazas. No puedo hacer eso. El tiempo se agota y ya no hay vuelta atrás. Acabo de entrar en el avión y las azafatas me piden la documentación. Uno de ellos va delante de mí y él mismo se la proporciona. El otro se sitúa detrás. Supongo que no quieren que me escape. Miro hacia la puerta con lágrimas en los ojos, pero ya no consigo ver más allá de un barullo de cuerpos intentando entrar en el avión y encontrar su asiento. Tengo que avanzar hacia mi sitio y dejar pasar al resto. Lo hago resignada.

Sin ganas de andar. Sin ánimos para continuar. Aquí estoy de nuevo. Unas horas más tarde subida en un avión similar al que me trajo aquí, pero esta vez sin mi hija. ¿Quién me iba a decir a mí que mi vida iba a cambiar tanto en apenas unas horas? No quiero ir a España ni a ningún lado sin mi hija. Quiero quedarme aquí con ella. Es lo único que tengo en el mundo. ¡NO PUEDEN ARREBATARMELA! ¿Y Jamil? ¿Cómo puede haberme traicionado así? ¡ESTABA ENAMORADA DE ÉL! ¿Y él de mí? ¿Estaba él enamorado realmente de mí o todo era una mentira para traerme hasta aquí? ¿Cómo he podido ser tan estúpida? ¡JODER! ¡Todo esto ha sido por mi culpa! ¿Por qué confié en este plan? ¡Tenía que haberle dicho que no desde el principio! ¡Tenía que haber confiado en mis dudas! Al menos ahora estaría en Saná, viviendo a base de golpes, sí, pero con mi hija al lado. ¿Dónde se han llevado a Zaida? No puedo dejar de pensar en dónde estará. ¿Y cuánto tiempo voy a pasar en España? ¿Cuándo volveré a verla? ¿Dónde se va a quedar ella mientras tanto? ¿Con Rayhan? ¿Con Jamil? ¿Con quién va a estar mi niña? Las preguntas se amontonan unas encima de otras. No sé qué pensar. La cabeza me da vueltas. Necesito respuestas. Quiero preguntarles tantas cosas..., pero ya me han advertido que no se me ocurriera hablar en el avión. Si lo hago, sé lo que pasará. Tengo miedo. Mucho miedo.

Capítulo 43

SUHAILA

Destino indeseado

21 de enero de 2008

Me bajo del avión. A pesar de que parece bastante temprano, el sol penetra a través de mi pañuelo y siento calor en la cabeza. Este tiempo me recuerda a Yemen. Mi querida Saná, cuánto te extraño. Siento que llevo meses fuera de casa y ni siquiera ha pasado un día. He estado todo el vuelo mirando por la ventana, pensando dónde estará Zaida. No se me va de la cabeza la imagen de Jamil llevándosela. Espero que los días pasen rápido y pueda volver cuanto antes a mi país. A partir de ahora, mi único objetivo es hacer lo que me digan para poder marcharme pronto y estar de nuevo junto a mi niña, aunque lo cierto es que aún no sé qué hago aquí. Esto es Madrid, según ha informado el piloto del avión. Bueno, al menos me ha servido para algo haber estado estudiando estos años español. Comprendo todo lo que la gente habla, aunque ellos crean que no. He escuchado a una mujer decirle a su marido: «mira esa del pañuelo. Viene aquí a quitarnos el trabajo, qué sinvergüenza. Seguro que es una terrorista». Ojalá le hubiera podido decir: «no señora, no soy ninguna terrorista». Me habría encantado ver su cara. Siempre quise venir a España, pero no así. Jamás me hubiera imaginado que este sería mi camino. El plan era vivir aquí con Zaida y Jamil y formar una familia, lejos de Rayhan. Un momento... ¿sabrá él que estoy aquí? ¿Habrá visto a Zaida? No lo creo. ¿Cómo iba a saber él que me iba a pasar esto? Imposible. Es que sigo sin entender nada. ¿Para qué querrán que venga a España? ¿Cuánto tiempo van a tenerme aquí? ¿Y qué voy a tener que hacer? Si yo no sé hacer nada. Bueno, a lo mejor me han traído para limpiar, ¿pero es que aquí en España no hay mujeres que limpien? No sé..., es todo muy extraño.

Recojo mi equipaje de la cinta y compruebo que, efectivamente, estamos en Madrid. Puedo leer en un letrero: Aero... puerto... Madrid-Ba..., Madrid-Barajas, eso es. He conseguido leerlo bien. ¡Guau! Me quedo mirando a los distintos pasajeros que recogen sus maletas. Me sorprende ver lo diferentes que somos en Yemen. En Rumanía no noté tanto el cambio, claro que tampoco estaba pasando por mi mejor momento. Quizá no me fijé lo suficiente, pero aquí me llama más la atención la gente. Sobre todo las mujeres. Llevan el pelo suelto y lucen largas melenas, de colores castaños, rojizos y hasta dorados. Visten vestidos muy cortos, resaltando sus piernas, y las más atrevidas enseñan el pecho. ¡Qué descaro! ¡Si vieran esto las mujeres de mi país les parecería un insulto! Aunque, bueno, los hombres no iban a despegar los ojos de ellas. Sin embargo, aquí ni se inmutan. Cómo son las cosas... Cada uno viste como quiere, recoge su equipaje y no tiene que dar explicaciones a nadie. ¡Qué fuerte! Yo no podría vestir así... ¡demasiado arriesgado! Una mujer debe conservar su interior para la intimidad, no puede ir enseñándolo por ahí así como así, pero hay que ser respetuoso y aceptar las decisiones de otras personas. Hay muchas maneras correctas de vivir y vestir, y todas tienen que ser igual de válidas. No puedo criticar a esas mujeres por cómo visten, porque no me gustaría que ellas pensaran lo mismo de mi hiyab. Mi madre me enseñó que cada ser humano es diferente y nunca debemos juzgarlo. Agradezco todas sus enseñanzas. Aún las guardo con mucho cariño e intento aplicarlas siempre que puedo. Una palmadita en el hombro me avisa de que nos tenemos que marchar. ¿A dónde vamos ahora? Los hombres con los que he venido me sacan del aeropuerto con total normalidad. Como si nos conociéramos de toda la vida y viniéramos juntos a pasar aquí unas vacaciones. ¿Quiénes son realmente estos señores? Aparecen de nuevo las dudas que parecían haberse esfumado. Apenas tardamos unos minutos en salir y en la zona de «salidas», según pone en la puerta, nos está esperando una furgoneta de color negro, cuyos cristales también están pintados del mismo color. Todos nos subimos en ella, sin intercambiar ni tan siquiera una frase. Lo único que se escucha es una mujer hablando en un programa de la radio. El resto permanece en silencio. Nada más arrancar descubro que Madrid es muy diferente de Saná. No sé cómo será la ciudad, pero las carreteras ya son bastante opuestas. Están asfaltadas a la perfección, con decenas de señales y coches por todas partes, mientras que las de Saná tienen tierra, las indicaciones escasean y no hay tanto tráfico como aquí. A través del oscuro cristal puedo ver un paisaje que cambia constantemente. Un escenario cargado de automóviles y pitidos, una carretera con más de un carril, autobuses colapsando las salidas... Este es otro mundo distinto al mío. Cada vez voy viendo menos coches y, de repente, el bosque aparece ante mis ojos. Montones de árboles se cuelan en nuestro camino. No parece la misma ciudad abarrotada con la que me he encontrado nada más comenzar el trayecto. En apenas treinta minutos, el coche se detiene. Hemos llegado a nuestro destino, o eso dice una extraña voz que sale de un aparato que nunca antes había visto. Cuando me bajo del coche, uno de los hombres se queda dentro y el otro me acompaña para llevarme al interior de una casa. Desde fuera parece muy grande. Está situada en una parcela, similar a una finca, rodeada de matorrales. Él mismo abre la puerta, con una de las tantas llaves que lleva encima, y cuando accedo al interior todo lo que escucho es jaleo. Un jaleo tremendo, pero solo veo a una mujer sentada en un mostrador, sin nadie más a su alrededor. Enseguida se levanta y me da la bienvenida.

—Hola, linda. Mi nombre es Rosy, aunque me llaman Madame. Puedes dejarme las cosas por aquí. —Hace un amago hacia su izquierda—. Mientras tanto, ponte cómoda. Siéntate en este sofá. Enseguida llegarán para contarte tu trabajo e instalarte en tu habitación —me dice.

¿MI TRABAJO AQUÍ? ¿QUÉ? ¿Dónde estoy? ¿Qué lugar es este? ¿De qué voy a trabajar? Me limito a existir y no pronunciar una palabra. Me encuentro sola con mi maleta en los pies, sentada en una silla de una casa perdida entre la maleza, esperando a que me llamen para trabajar. ¿Qué es lo que está pasando? Esta tal Rosy recibe una llamada.

—¿Sí? —Descuelga. Escucha lo que le dicen a través del teléfono—. Está bien. La paso dentro —responde a la persona que está al otro lado de la línea.

No llevo ni dos minutos sentada, cuando Rosy coge unas llaves del cajón y me pide que la acompañe. Caminamos por un largo pasillo que se encuentra al lado de la recepción y, cuando llegamos casi al final, abre una de las puertas.

—¡Esta será tu habitación! Puedes quedarte con la cama que está libre —me dice.

Le hago un gesto de agradecimiento, pero no le digo nada. No quiero que sepa que hablo español.

La puerta se cierra y contemplo cada detalle del dormitorio. Sé que algo no va bien o al menos es el presentimiento que tengo. Ropa tirada por el suelo, unas cortinas que tapan totalmente la ventana, un armario más que descolocado y varias camas pegadas a los laterales de la habitación. Todas están deshechas, excepto la que creo que es para mí. ¿Pero cuánta gente duerme en esta habitación? Las paredes están pintadas de color rosa. La pintura está ligeramente desgastada y hay manchas de color blanco por todas partes. El olor es un tanto desagradable y la bombilla amarilla que hay medio descolgada en el techo no para de parpadear. No me gusta nada este lugar. Me da miedo. Cuando termino de examinar todo lo que mi vista logra alcanzar, vuelvo en mí. Me había quedado embobada y ni siquiera me he quitado el abrigo. ¿Qué hago aquí? ¡Por favor, que alguien me explique qué está pasando! ¡Me voy a volver loca! Cuando me giro para sentarme en mi cama, supongo, descubro que hay una pared completamente llena de espejos.

—¡Qué susto! —digo en voz baja. Creía que había alguien y simplemente era mi reflejo.

A través de él veo cómo de repente alguien entra, sin cuidado alguno. Son dos hombres. Muy, muy altos y con muchos músculos. Me giro para saludarles, pero no me dan la opción. Me tumban en la cama y comienzan a quitarme la ropa.

—¿Qué hacéis? ¡DEJADME EN PAZ! —Mierda, les he hablado en español. ¡NO, NO, NO!

—Mira, si habla español y todo... ¡pero bueno! Qué bien nos vas a venir, guapetona —me dice dulcemente el de los ojos azules.

No paro de moverme. No quiero que me quiten mi ropa, no quiero que me dejen desnuda. No quiero que invadan mi intimidad. Otra vez más no... ¡Menudos cerdos! ¡Todos los hombres son iguales!

—¡Estate quieta, hostias! —me ordena el mismo. Ya no parece tan cariñoso.

A pesar de todas las patadas que les doy, me acaban quitando la túnica. Cuando lo consiguen, me dejan de sujetar. Me levanto desesperada de la cama y solo llevo puestas las bragas. Nada en la parte de arriba, salvo el hiyab. Me tapo inmediatamente con las manos. Noto cómo mi cara está ardiendo. Seguramente estoy rojísima ahora mismo. ¡Qué vergüenza! Encima me miran y babosean. No sé qué hacer. Solo quiero esconderme. Es imposible. ¡No hay donde meterse! Tiro de la sábana para cubrirme con ella mientras siguen burlándose de mí. Estoy muy enfadada, pero no voy a llorar. No lo voy a hacer. Seguro que les gustaría verme así.

—Ya puedes ir quitándote el pañuelo ese que llevas en la cabeza. A nuestros clientes no les gustan los velos. ¡Eso para las novias! —Se ríen entre ellos—. ¿Entendido? —Les miro y niego con la cabeza.

—No —repito con la voz.

—¿Cómo has dicho? —No esperaba mi respuesta.

—He dicho que no me lo voy a quitar. —Me tiemblan las piernas. Estoy aterrorizada.

Se miran entre ellos con una media sonrisa torcida. Uno de ellos me da un bofetón que me tira al suelo y el otro me levanta la cabeza unos centímetros cogiéndome del pelo con una mano.

—Mira, guapa —se acerca hasta casi rozar mi cara con la suya—, tú ahora eres mía y vas a hacer lo que yo te diga. ¿¡ESTÁ CLARO!? —me grita tanto que me llena de saliva.

No me rindo y me niego a contestar su pregunta. ¡No me va a quitar el hiyab! ¡Es mi identidad! ¡Mi religión! No lo voy a permitir. Él no es nadie para decirme lo que tengo que hacer. Estoy cansada de ser siempre la esclava de todo el mundo.

—Está bien. Tú te lo has buscado. No lo has querido por las buenas, pues vamos a hacerlo por las malas —dice poniéndose en pie.

Me pega una patada en el estómago que me deja sin respiración. Me hago un ovillo en el suelo de puro dolor y antes de que pueda reaccionar se inclina y me arranca el hiyab a la fuerza. ¡NO! ¡NO! ¡NOOOOO! Las lágrimas luchan por salir.

—Así funcionan aquí las cosas, y tú las estás experimentando desde el primer día. No todas las chicas aprenden tan rápido —dice tirando al suelo el hiyab. Le escupe y después lo pisotea con rabia. Sus ojos azulados me miran con desprecio.

—Ahí tienes varios conjuntitos —me explica mientras señala el armario—. Tendrás que usarlos todos los días. Son tu uniforme de trabajo, así que no te andes con tonterías, que nos vamos conociendo. El horario es de cinco de la tarde a cinco de la mañana. El resto del día podrás dormir o hacer lo que quieras dentro de la casa. No se permite salir al exterior. —Hace una pausa—. Si valoras tu vida y la de tu hija, grábate a fuego en la cabeza lo que te acabo de decir. Bienvenida a tu nuevo hogar, cariño. —Se aproximan a la puerta—. Ah, y toma estas cuchillas. ¡Depílate, guarra!

¿Conjuntitos? ¿Horario de cinco de la tarde a cinco de la mañana? ¿No salir de la casa? ¿Cuchillas?

—¡Solo estoy aquí por mi hija! No he hecho nada malo. ¡Tienen que creerme! Dejadme salir, por favor. Debo regresar a Yemen —les pido desesperadamente aún tirada en el suelo.

—Si quieres ver a tu hija tendrás que trabajar aquí con nosotros, tal y como hacen el resto de mujeres. Los vuelos no son gratis desde tu país hasta España. Los hemos pagado nosotros por ti. Tampoco es gratis el transporte para llegar hasta esta casa ni los papeles para tu visado o el pasaporte falso. Nosotros te hemos prestado el dinero para que puedas venir a España, pero ahora tienes una deuda con nosotros, y tendrás que estar aquí hasta pagarla —me explica el de los ojos azules.

Se marchan dando un portazo en la habitación. Me han dejado sin nada. Me siento desnuda. No solo por fuera, sino por dentro. Ahora sí que rompo a llorar. ¿Qué he hecho para merecer este castigo? Me rindo. No puedo más. Estoy agotada. Me arrastro hasta el borde de la cama y, haciendo un enorme esfuerzo, consigo tumbarme encima. Me pongo a pensar en todo lo que he perdido en tan solo unos días: mi hija, Jamil, mi ciudad, mi hiyab, mi documentación, mi dignidad... ¿Qué es eso de que tengo una deuda con ellos? ¡Todo lo pagó Jamil! ¡Él me dijo que todo corría de su cuen..! Espera un momento... No puede ser... No puede ser... ¡No puede ser! No me lo puedo creer... ¿Cómo he podido ser tan crédula? ¡JAMIL ME HA VENDIDO!

Capítulo 44

EL BULLDOG

La mora

21 de enero de 2008

—¡Madre mía, cómo está la nueva! Qué cuerpazo. Qué tetazas. ¡Qué malo me he puesto, la madre que me parió! Encima mora, ¿puede haber algo más exótico que eso? Ha sido todo un acierto contactar con ese amigo tuyo para poder tener a este bellezón aquí, eh. Verás cuando la vean los clientes, ¡van a flipar! Prepárate para ganar pasta, tronco —le digo al Obi, frotándome las manos.

—¡Joder, la verdad es que está buenísima! Pero es demasiado remilgada. La tenemos que espabilar pronto porque sino... —Se echa una copa de bourbon.

Intento calmar su preocupación. Al Obispo le gusta tener todo bajo control, y por la cara que tiene no le ha gustado su actitud. Se ha puesto tan pesada que hemos tenido hasta que pegarle.

—Por eso no te preocupes —le digo—. Todas cuando llegan aquí y se encuentran con esto actúan así, ya lo sabes. Se le pasará en unos días. Estoy convencido. Sino, la adoctrinamos en un momento. —Le guiño un ojo.

—Eso sí, menudo matojo tiene. ¡Se le veía hasta con las bragas puestas! ¡Su puta madre! —Levanta las cejas y pega un trago al vaso—. Va a necesitar una motosierra para quitárselo.

Nos reímos al compás.

—¡Joder, ya te digo! Menuda guarra. ¿Tú has visto el tamaño de esos pelos, macho? Esta no se ha depilado en su puta vida. Yo creo que por eso se tapan tanto... —El Obi se parte el culo—. ¿No les da asco a los moros acostarse con ellas? Yo con esa mierda ahí abajo no la toco ni con la polla de otro. Aunque bueno, siempre se la puedo meter por el culo. Seguro que le gusta. —Suelto una carcajada.

—Yo soy más de meterla por delante, y cuanto más depaliditos estén mejor. Suavecitos como el culo de un bebé. —Vuelve a tomar otro sorbo.

Me ofrece un vaso y al final acabo echándome un copazo yo también. Mira que me había prometido no beber hoy, pero la ocasión lo merece. Hay que celebrarlo como Dios manda.

—¡Hombre, eso ya lo sé yo! Si no te conociera... ¡Menudo pervertido eres, cabrón! Por algo te llamamos El Obispo, ¡porque siempre te encargas de las vírgenes! —Se descojona de risa y me da la razón.

El Obi tiene una labia que no puede con ella. Por eso le contraté. Su poder de convicción supera al de todos los que trabajamos aquí. ¿Quién mejor que él para contactar con las chicas y hacer todos los trámites para que vengan? Es un crack el tío. Tuve suerte de conocerle en Ibiza aquel verano del 88.

—¡El que faltaba! —exclama el Obi—. ¿Qué coño haces tú hoy por aquí?

Acaba de llegar el Pirata.

—¿Qué pasa, tío? ¿Hoy no era tu día libre? Al final te voy a tener que poner una cama aquí, chaval. Siempre pidiéndome días de descanso y ahora que te los doy no los aprovechas... ¡Te voy a cortar el cuello! —bromeo.

—Buenas, gente. Pues tienes razón. —Se ríe—. Ya sé que hoy no tenía que venir, pero ayer me dejé aquí una mochila con unas cosas que me hacen falta para esta tarde y he tenido que pasar a recogerlas. Si es que estoy apollardao.

Bueno, no hay mal que por bien no venga. Le propongo quedarse un rato con nosotros.

—Ya que estás aquí, ¡tómate algo, coño! —Le pongo un vaso en la mano.

—Quita, quita. Te lo agradezco, de verdad, pero solo he pasado un momento y me tengo que ir ya, que tengo mucha bulla —me cuenta.

Pero el Obi sigue a lo suyo.

—Esta mañana ha venido la nueva. Es mora. ¡Tú no sabes cómo está, tío!

—¿Ya la habéis catado o qué, cabrones? —pregunta el Pirata—¡No os puedo dejar solos ni un día!

Negamos a la vez con la cabeza.

—En cuanto se depile, ¡cae! Que no veas cómo viene, parece eso el Amazonas —le digo—. Pero vamos, que de hoy no pasa... Antes de vender el producto, hay que comprobar la calidad, ¿no?

El Pirata se echa a reír. Le conocemos desde hace poco, pero parece un tío de puta madre. Aún así tengo que seguir investigándole, no vaya a ser que me la meta doblada. ¡No te puedes fiar al 100% nunca de nadie, y menos en este negocio! Al fin y al cabo, aquí cada uno busca su propio beneficio. Tengo que ir con cuidado. A la más mínima sospecha, lo echo a la calle.

—Me voy, chavales, ya me contaréis qué tal cuando la probéis. Mañana os veo —nos dice el Pirata mientras coge la mochila y se marcha.

Yo creo que ya le hemos dejado suficiente margen para que se apañe un poco.

—Bueno... —digo dándole el último trago a la copa—. Voy a ver qué tal se está adaptando a su nuevo "hogar". Ahora vuelvo. —El Obispo me echa una mirada asesina y no puedo evitar reírme mientras salgo por la puerta.

Capítulo 45
SUHAILA
Sí, señor

-

21 de enero de 2008

Aunque estoy sola en la habitación, prefiero irme al baño para que nadie me vea. Tengo que quitarme todos los pelos de las axilas, de las piernas y de mis partes íntimas con una especie de «cuchilla». Creo que me han dicho que se llama así. No sé muy bien cómo usarla, espero no cortarme. Ya Allah... Solo pienso en que tengo que hacer esto por mi hija, si no, no sé cómo podría sobrevivir aquí. Cojo la ropa que me han dado, que más que ropa parecen trapos. Lo estiro con las dos manos para verlo mejor. Es un conjunto rojo de encaje, que no debe taparme más que los pezones y la vagina. Me parece lo más provocador que he visto en mi vida. ¿Por qué tengo que vestirme con esto? Salgo al pasillo y está desértico. Entro rápidamente en el baño, que se encuentra justo enfrente de mi habitación. Me siento desnuda. Mi pelo siempre ha estado sujeto por un pañuelo y ahora roza mi espalda. Lo tengo larguísimo. ¡Casi me llega al culo! Me quito la sábana de encima, recojo mi cabello con una goma y cojo la cuchilla que me ha dado antes el señor maleducado de los ojos azules. Comienzo a pasarla por mis piernas. ¡Vaya! No parece tan difícil. La cosa va rápido. Enseguida paso a las axilas y, finalmente, la vagina. Sin duda, la parte más complicada llega ahora. Me tengo que quitar todos los pelos de aquí, y hay muchísimos. Creo que tardaré un buen rato.

—Ay... —Suspiro.

Cierro los ojos y me inclino hacia delante, apoyando los dos brazos sobre el lavabo.

—Mi niña, mi Zaida, en breves estaré contigo. Voy a hacer todo lo que me pidan y después me dejarán salir de aquí. Solo necesito pagar la deuda y volveré contigo —digo frente al espejo.

Vuelvo a suspirar. Esto va a ser muy duro. La culpa es solo mía por querer venir a España y no pensar en las consecuencias. Soy una egoísta. Hija mía, perdóname.

Cuando termino de depilarme son apenas las cuatro de la tarde. Solo queda una hora para que empiece mi turno, de modo que ya me quedo "vestida". Vuelvo a la habitación y me encuentro con dos chicas: una rubia con el pelo larguísimo y ojos verde agua, y la otra con el pelo corto y de piel negra. ¿Quiénes son estas chicas? ¿Mis compañeras de habitación? Están hablando entre ellas y cuando entro se hace el silencio. Las dos me miran extrañadas, como si no me esperasen. Van bastante ligeras de ropa, me atrevería a decir que aún más que yo. No sé cómo comportarme en este momento. ¿Qué hago? ¿Las saludo? ¿Me presento? ¿Hablarán español? ¡No sé qué hacer! Pero la rubia se me adelanta y toma la iniciativa.

—¡Hola! ¿Eres la nueva? —Asiento—. Bienvenida. Yo soy Esmeralda y ella Lizzeth. Dormimos en esta habitación también. Seremos compañeras a partir de hoy, pero ahora nos tenemos que marchar, que un cliente nos espera. ¡Nos vemos luego!

Ni siquiera me ha dado tiempo a decirles mi nombre. Me entristezco. Nada más dejar las cosas del baño sobre mi cama, aparece de nuevo el hombre de los ojos azules. ¿Qué quiere otra vez? En esta ocasión, no viene acompañado.

—Venía a recordarte que en poco más de media hora tienes que estar arriba, en el club. Sé puntual —Afirmo con la cabeza—. Por cierto, ¿te has depilado ya? —me pregunta.

—Sí, señor —contesto.

Mi respuesta cambia su mirada. Cierra la puerta de un portazo y se baja los pantalones. Me quedo boquiabierta, como si fuera la primera vez que veo a un hombre desnudo, pero lo cierto es que su miembro es enorme y no quiero pensar en lo que me va a hacer. Eso... me... va... a desgarrar por dentro. Me arrincono contra la pared, pero su brazo me recoge hasta llegar a él. Me gira el cuerpo, dándole la espalda, y me penetra. Esto es una maldita pesadilla de la que no voy a despertar nunca...

—AHHHHHHHHHHHHHHHHHHhhhhhhhh. —Me agacha la cabeza contra la almohada, intentando tapar mi boca.

Mi voz vuelve a ser silenciada.

Capítulo 46

MADAME

Las reglas del juego

21 de enero de 2008

Toc, toc, toc.

—¿Suhaila? —Se escuchan ruidos dentro.

No contesta nadie.

—¿Suhaila? ¿Estás ahí? —insisto de nuevo.

Un instante después el silencio se rompe.

—Sí, está aquí... Enseguida te atiende —responde una voz sofocada. Me suena mucho. Creo que es el Bulldog.

La puerta se abre en apenas unos segundos y ¡efectivamente! He acertado de lleno. El Bulldog sale de la habitación, metiéndose la camisa por dentro de los pantalones y limpiándose el sudor de la frente. Me puedo imaginar a qué ha venido. Miro a la cara a

Suhaila y su rostro se muestra triste y desolado. Ya tiene la ropa puesta para ponerse a trabajar. Prefiero ignorar lo que acaba de suceder e ir directamente al grano. Soy maestra en fingir que no pasa nada.

—Venía a hablar contigo. Hay algunos detalles que tengo que explicarte antes de que empieces tu primer día —le digo.

No responde, así que le sigo hablando.

—Verás, aquí las cosas funcionan de una manera concreta y es haciendo todo lo que te digan los jefes. No pruebes a retarles, porque pueden hacer verdaderas barbaridades. Créeme. Sé que tienes una hija... —Suhaila se acerca a mí y empieza a llorar—. Tienes que ser fuerte y valiente. Esto es un verdadero infierno, te lo aseguro, pero todo habrá merecido la pena cuando vuelvas a ver la cara de tu pequeña. —Le tiendo mi mano en la suya—. Aquí vas a ser una verdadera esclava. Todas las noches cuando te vayas a dormir tendrás ganas de no volver a despertarte, pero en ese momento tienes que pensar en tu hija y no rendirte. Yo también he pasado por donde tú estás ahora. Hace muchos, muchos años, cuando se abrió este local. Ahora ya estoy vieja y demacrada, y ¿quién va a querer a una cuarentona? Ellos te quieren a ti, carne fresca y en buen estado. El cliente es el que demanda, aunque a estos proxenetas de pacotilla tampoco se les da nada mal meterles el rabo a todas las que pasan por aquí. Nunca se te ocurra tratar mal a un cliente. Siempre tienen que verte predispuesta y con una sonrisa en la boca. Pidan lo que pidan. Ellos son los que pagan, que de hecho pagan bastante bien, pero tú nunca verás ese dinero. Lo que ganes diariamente lo tendrá el Bulldog controlado y te lo irá descontando de lo que les debes. Solo venía a darte unos cuantos consejos, y estos son los mejores que te puedo dar. Llegar aquí es una putada. Es muy duro no tener ni idea de dónde estás, ni qué tienes que hacer, ni por qué tienes que ser tú la que haga esto, pero tienes que aguantar —le digo.

Ella no se pronuncia ni una sola vez. Solo está atenta para ver qué más le cuento.

En el poco tiempo que le queda para empezar a trabajar, le cuento más cosas y le doy algún que otro consejo, aunque durante los últimos minutos no para de mirar el reloj que hay colgado en la habitación.

—Creo que debo irme ya, el Bulldog me ha dicho que a las cinco tenía que estar arriba en el club.

—Sí, así es —afirmo—. Venga, vete. No quiero que llegues tarde. Ya hablaremos más detenidamente en otro momento.

Se pone unos tacones de aguja de color negro que le vienen un poco grandes y se dirige hasta la puerta.

—Gracias por esta conversación y por los consejos —me agradece.

—Confía en mí. Muy pronto verás a tu hija.

Capítulo 47

SUHAILA

Una más

21 de enero de 2008

Acabo de despedirme de Madame. Tengo que darme prisa en subir al club. Al parecer, las habitaciones de todas las chicas que trabajan aquí se encuentran en la planta baja, como en una especie de sótano, compartiendo espacio con los baños. Solo he tenido tiempo de ver a mis dos compañeras, pero creo que hay más chicas, porque se oyen taconeos continuamente. ¿Cuántas habrá? Es la primera vez en mi vida que me pongo zapatos de tacón... —¿se llamaban así?— y no sé muy bien cómo andar con ellos. ¡Ni siquiera sabía que existían hasta hace un rato! Empiezo a caminar, pero no consigo mantenerme de pie, de modo que antes de llegar a las escaleras me caigo. Intento levantarme, con las manos apoyadas en el suelo, pero me resbalo y caigo de nuevo. A la tercera recupero la postura y al menos logro mantenerme recta. Me da miedo avanzar un paso más por si de nuevo vuelvo a perder el equilibrio. Estos zapatos son demasiado endebles e inestables. ¿Cómo pueden las mujeres usarlos? ¡Son súper incómodos! Las escaleras se me hacen eternas, menos mal que hay al lado una barandilla donde puedo agarrarme. De no ser por eso seguro que habría rodado.

—Guauuuu... —digo en voz muy baja.

Acabo de llegar a lo que ellos llaman «El Club» y esto es lo que menos esperaba encontrar. Esta zona es un espacio enorme, redondo y con cortinas cada dos metros. Predominan las luces rojas y moradas, y en el centro hay algunos sillones donde puedo ver a hombres y mujeres besándose. Algunos toman algo. Otros solo hablan. A mi derecha hay una barra donde una chica joven está sirviendo bebidas a los clientes. Se escucha una música muy rara, y además está demasiado alta. Parecen disfrutar, pero yo no sé qué hago en este lugar. Las mujeres enseñan el culo y los pechos. Tan solo llevan un círculo negro que les tapa el pezón. Son demasiado guapas, no puedo competir con ellas. Tengo la sensación de que todo el mundo me mira de arriba a abajo, sobre todo los hombres. Hay algunos que probablemente me triplican la edad. ¡Podrían ser mi padre! Respiro hondo y camino hacia delante, entrando de lleno en el enorme salón. Rodeada de hombres veo de nuevo a Madame, que no entiendo cómo ha podido llegar antes que yo. Bueno, es lógico. Soy una patosa andando con los tacones, ella seguro que ha subido sin problema. Pero, ¿cómo? No la he visto. Estaba sola cuando me he caído. ¿Habrá más escaleras? Seguramente. ¡Cuánto me queda por descubrir de este lugar! Tendré que investigar más.

—¡Suhaila! —Se acerca Madame hacia mí, dejando a varios hombres esperar—. ¡Tengo buenas noticias para ti! Estás siendo muy demandada. —No sé qué significa esa palabra—. Todos los hombres quieren acostarse contigo. Me acaban de decir que se ha corrido la voz de que eras nueva y tremendamente guapa y han venido expresamente a probarte. ¿Qué te parece? —Creo que me voy a desmayar.

¿Todos esos hombres que acabo de ver junto a Madame quieren... acostarse... conmigo? ¿¡QUÉ!? No sé si sentirme mal, fatal o peor que fatal. ¿Qué broma es esta? Sin embargo, saco la mejor de mis sonrisas, aunque creo que tengo más cara de asustada que otra cosa.

—No te preocupes, Suhaila. Es normal que estés impresionada... —Me apoya—. Pero el hecho de que todos quieran estar contigo es increíble. Eso significa que tendrás mucho trabajo todos los días, y así podrás conseguir dinero rápido y marcharte cuanto antes de este infierno. —Me sonríe—. Venga, vamos, que te espera tu primer cliente. —¿Mi primer cliente? Oh, Ya Allah, me quiero morir—. Lo más importante es que te muestres segura de ti misma y confíes en que lo vas a hacer genial. Si ellos ven algo extraño no querrán volver a quedar contigo.

Me aprieta la mano como muestra de fortaleza. «Lo tengo que hacer por mi hija. Lo tengo que hacer por mi hija. Lo tengo que hacer por mi hija», cierro los ojos para mentalizarme. Por ella y solo por ella. Por ti, mi niña. Mi preciosa Zaida. Haré todo lo que haga falta por ti. Lo mejor será no pensar en lo que estoy haciendo y seguir avanzando. Esa será mi clave para aguantar este martirio que no ha hecho más que comenzar.

En menos de una hora ya he aprendido qué son y para qué se utilizan los preservativos, que al parecer también se llaman «condones». He descubierto que existen juguetes sexuales. Hay clientes que piden usarlos y tengo que estar informada. Me sé de memoria las posturas sexuales más demandadas. «Qué bien he memorizado la palabra nueva que me ha enseñado Madame, ¿no?», pienso yo misma. Me siento orgullosa. Pero sin duda, estoy abrumada por la cantidad que hay. En mi país creo que desconocen la mayoría de estas técnicas. Qué diferentes somos... Nunca imaginé que en España existirían estos lugares. ¿El resto de países también tendrán estas casas para practicar sexo? Mejor no lo pienso... Después de la breve explicación de Madame ha llegado el momento de la verdad: mi primer cliente. Yo ya estoy preparada en una de las habitaciones que componen el salón principal, escondida tras la cortina y esperando sentada en una cama. Parece cómoda. Nunca he dormido en una de ellas. Esta será la primera noche que lo haga. En Yemen dormimos en el suelo encima de las alfombras. Me tendré que acostumbrar a esto también... El ligero movimiento de las cortinas hace que mantenga la mirada clavada a ellas. Y ahí está: mi famoso primer cliente. Es un hombre alto, delgado, con el pelo algo canoso... Debe tener unos cincuenta o sesenta años. No estoy segura. ¿Qué hago ahora? Me pongo de pie. No sé si debería saludar o esperar a que él lo haga. Por muchos consejos que te den sobre algo cuando llega la hora de la verdad nunca es tan fácil como parece. Finalmente, me atrevo a saludar.

—Déjate de recibimientos. Yo he venido aquí a follar, así que vamos al grano, que el tiempo cuenta y quiero aprovecharlo al máximo. —Me quedo de piedra. No esperaba esa respuesta. Parece que nunca se me va a olvidar quién fue mi primer cliente.

De acuerdo, si así lo quiere, así lo haremos. «Esto va a ser difícil, Suhaila. Esto va a ser muy difícil». Me armo de valor para comenzar mi jornada.

Me pide que le haga una felación y hago memoria para recordar a qué se refiere. No es fácil acordarse de términos nuevos para mí y más aún si me los dicen en otro idioma. El hombre se baja los pantalones y se sienta en la cama. A la misma vez me levanto y me arrodillo en el suelo. Miro su pene. El miedo me paraliza. ¡No sé cómo hacerlo! UFFFFF. «Vamos, Suhaila, ¡vamos! Estás tardando demasiado. ¡HAZLO YA!», mi voz interior me ayuda a dar el paso y sin pensarlo demasiado cojo con la mano derecha el pene del hombre. Acerco mi boca hacia su miembro. Se lo chupo deslizando mis labios y mi lengua al compás de arriba hacia abajo, como buenamente puedo. Me pide que aumente el ritmo y cada vez se lo hago más y más deprisa. Sus gemidos me ponen un poco nerviosa. Me coge del pelo y me empuja en dirección hacia la felación. Su último gemido se prolonga demasiado y noto su semen en mi boca. ¡No puede ser! ¡No puede ser! ¡Qué asco! El hombre se tumba hacia atrás, mientras el líquido se escapa de mi boca, aunque aún conservo gran parte dentro. ¿Qué hago con esto ahora? ¡No puedo escupirlo aquí...! Ya Allah... Tengo que.... No tengo más remedio que tragármelo. Aggggg. ¡Está malísimo! ¡Qué ganas me están entrando de vomitar!

—Ponte encima y ¡fóllame salvajemente! —¿Cómo es eso? ¿Qué es «follar salvajemente»? No lo entiendo.

—Vamos, ¡date prisa! —insiste.

Ya se ha puesto el preservativo. Me subo encima de él, tal y como me ha pedido, y su pene entra en mi vagina de forma brusca. ¡Me hace daño! ¿Por qué tengo que aguantar que me duela para que él disfrute? ¡Joder! No es justo... Pone sus manos en mi cintura, una a cada lado, y me mueve como a él se le antoja. Estoy realmente cansada, me falta hasta el aliento y me escuece muchísimo ahí abajo. Llevo más de diez minutos encima, y al cabo de dos más se corre dentro de mí y me aparta hacia un lado. Creo que ha quedado satisfecho y que he realizado mi trabajo correctamente. No ha sido la mejor experiencia de mi vida, pero al menos no me ha faltado el respeto. ¿Qué más puedo pedir?

Son más de las cinco de la mañana. He superado las doce horas trabajando. No puedo con mi cuerpo. Llevo un par de días sin dormir, tan solo lo que pude en el avión. Creo que necesito descansar. Solo tengo ganas de meterme en la cama y llorar. Me siento destrozada. Necesito ver a mi hija. Necesito que alguien me ayude a salir de aquí. Hoy ha sido uno de los peores días de mi vida. Jamás se me olvidará. He tenido que practicar sexo con más de nueve hombres. He perdido la cuenta hace unas horas. No puedo continuar aquí. Esta situación tiene que acabar cuanto antes.

Capítulo 48
SUHAILA
Destino soñado

22 de enero de 2008

Todo está casi listo, mi pequeña Zaida. Acabo de salir de la tienda de juguetes que hay en el mercado central de la ciudad, porque he venido a comprarte una de tus muñecas favoritas. El otro día llamé por teléfono para asegurarme de que la tenían y cuando he llegado estaba ahí: ¡reservada para ti! También he comprado una bolsa de papel de color azul, tu favorito, para meter dentro la muñeca y que tengas un precioso regalo. Sé que no es tu cumpleaños, pero me apetecía regalarte esa pepona que tanto deseas tener. Cuando llegue a casa aún no te habrás despertado, de modo que la colocaré en el suelo de tu habitación, justo al lado de tu cabeza, para que cuando abras los ojos sea lo primero que veas. ¡Vas a alucinar! Es más bonita de lo que te imaginas. Creo que vas a disfrutar mucho jugando con ella...

—¡SUHAILA, SUHAILA, SUHAILA! —Una voz me llama desde lejos.

Me doy la vuelta, pero no veo a nadie. Las calles están vacías. Esto es muy extraño en Saná. A estas horas todo el mundo sale al mercado a comprar los productos frescos del día. Por más que miro a mi alrededor, no logro ver a nadie, pero la misma voz me sigue llamando. Parece la de una mujer.

—¡SUHAILA, SUHAILA, SUHAILA! —me vuelven a llamar.

Sigo andando por la calle. Ya solo quedan dos manzanas para llegar a casa, mi amor. Enseguida estoy contigo. Aligero el paso, pero alguien me toca el hombro por detrás. No me da tiempo a girarme...

De repente, abro los ojos. Sobresaltada y sin apenas aliento. La cara de Madame se encuentra a escasos centímetros de mi cama. ¡Estoy en Madrid! Ya Allah, ¡qué susto! Pensaba que alguien me estaba persiguiendo y todo ha sido un maldito sueño, en el que ni siquiera he conseguido ver a mi niña. Parecía tan real...

—¡SUHAILA! —Madame me vuelve a llamar, esta vez acompañado de una palmadita en la cara. Me he quedado completamente absorta en mis pensamientos.

—Sí, dime, dime, dime —le respondo alterada.

—¡Te has quedado dormida! Son ya las cinco y ni siquiera te has preparado. ¿A ti te parece normal esta actitud? ¡Tienes que ser más responsable! Claro, que esto nos pasa por contratar a niñas como tú... Mira que se lo tengo dicho a los jefes...

—Madame, por favor. Tengo que hablar contigo antes de ir a trabajar. Ayer lo pasé muy mal. No quiero seguir trabajando en esto. Haré otra cosa, lo que me pidáis, pero esto no va conmigo. Por favor. Yo necesito volver con mi hija, ponerme mi hiyab y recuperar la vida que tenía antes de venir aquí —le empiezo a contar, pero me interrumpe para hablar ella.

—Lo siento, ya sabes cuáles son las normas. Hasta que no pagues lo que debes, no podrás irte de aquí —contesta tajante.

—Por favor, Madame, te lo suplico. ¡Ayúdame! —le insisto de nuevo, cogiéndole la mano. La retira inmediatamente.

—Mira, bonita, ya te he dicho lo que hay. No puedes no ir a trabajar porque te apetece quedarte durmiendo. Así que... ¡hoy no cobrarás! Así aprenderás pronto cómo funcionamos aquí. Hay cosas en la vida que no nos gustan, pero las tenemos que hacer. No tengo porqué aguantar más gilipolleces tuyas. ¿Entendido? Así que, o te preparas y haces todo lo que tienes que hacer con una sonrisa y sin abrir el pico, o voy ahora mismo a hablar con el Bulldog a ver qué hace con tu hija —me dice.

Me quedo de piedra. No sé qué decir. Creía que Madame era la única en la que podía confiar aquí dentro, pero ya veo que no, que está del lado de los proxenetas. Abandona la habitación y rápidamente me levanto de la cama para empezar a prepararme. Sigo dándole vueltas a la conversación que acabamos de tener. Esto es surrealista. No entiendo nada. Cada día me sorprenden más cosas en este lugar. Ayer parecía una persona muy amable, que estaba dispuesta a ayudarme y se preocupaba por mí, y, sin embargo, hoy creo que es otra distinta. La vida es demasiado extraña como para intentar comprenderla. Cuando menos te lo esperas, te da una patada y te tira al suelo, aunque a mí no hace más que empujarme y nunca me recoge.

Hoy ha sido mi segundo día de trabajo. Estoy agotada. He tenido clientes de todo tipo. Uno de ellos me ha pedido que le metiera el dedo por el culo mientras le chupaba el pene. Otro que le pegara... Eso me ha sorprendido muchísimo, porque yo no quería hacerle daño. Sé lo que duele que te peguen y no quería tratar mal al cliente. Al principio, pensaba que me estaba poniendo a prueba para ver si lo hacía, pero luego me ha explicado que a él le gusta que se lo hagan así, de modo que he empezado a pegarle guantazos en la cara y en el culo como si mi vida dependiera de ello. Al menos me ha servido para desahogarme. Me he imaginado a mi padre y a Rayhan en esa posición y... ¡qué a gusto! No hay mal que por bien no venga. Pero, sin duda, qué gente más rara... No entiendo cómo les puede gustar que les abofeteen y dejen su cuerpo lleno de señales. La cifra de clientes hoy ha subido a catorce en doce horas. Creo que nunca terminaré de acostumbrarme a esta nueva vida.

Capítulo 49

Desesperanza

3 de agosto de 2005

—El tratamiento para vuestro hijo es carísimo. Estamos ante una enfermedad bastante rara, de la que aún no se han realizado muchos estudios, de modo que los pocos que han investigado cobran una verdadera fortuna por la medicación. Pensad que esto le pasa a 1 de cada...

La interrumpo.

—¿De cuánto dinero estamos hablando? —pregunto.

—Necesitaréis solo para él unos seis mil euros al mes —nos dice la doctora.

Esta era la peor noticia que podíamos recibir. El mundo se nos cae encima cuando escuchamos esa exorbitada cantidad. ¿Pero de dónde vamos a pagarlo? Yo gano unos dos mil euros al mes, pero

Ana solo mil. Entre los dos juntamos la mitad de lo que se necesita para la cura y tenemos que pagar la hipoteca de la casa, los dos coches, la luz, el agua, el gas, la comida... Podríamos irnos a vivir a casa de mis padres, pero igualmente no tendríamos ni para empezar. Es imposible. Inviable. Otra opción es cambiar de trabajos... pero ¿dónde vamos a encontrar mejores de los que ya tenemos? Esto no nos puede estar pasando a nosotros...

—¡No podemos pagar ese dinero, y menos mensualmente! —le dice mi mujer atacada.

La conozco desde hace muchos años y sé que se está poniendo demasiado nerviosa. Entra en pánico cuando no sabe qué hacer y todo parece desmoronarse.

—Tranquilízate, Ana, por favor. Seguro que hay una solución, ¿verdad, doctora? —intento calmarla.

Nos mira sin muchas esperanzas.

—Siento deciros que no hay otra solución. Sé que es un tratamiento caro, y soy perfectamente consciente de que no todo el mundo puede permitírselo, pero tengo que seros totalmente sincera y contaros las cosas tal cual son. No puedo mentiros en esto ni daros falsas ilusiones. La mejor oportunidad que tiene vuestro hijo es con este fármaco, pero las farmacéuticas se aprovechan de estas enfermedades e inflan los precios. Es muy injusto que no haya ningún tipo de ayudas para familias como la vuestra.

Sentimos un tremendo golpe de realidad, que hasta ahora había estado condicionado por la incertidumbre de lo que pasaría en esta consulta. Ana me mira con lágrimas en los ojos y las mías también empiezan a caer. Nuestro hijo se muere en nuestras narices y no podemos hacer nada para evitarlo.

Capítulo 50
EL OBISPO
La noche

16 de febrero de 2008

Hoy es un día para celebrar. ¡Ya hay veinte mujeres trabajando aquí! Nos hemos venido todos los hombres a uno de los salones que tenemos en la casa para tomarnos unas copas y charlar. Quién nos lo iba a decir al Bulldog y a mí cuando decidimos meternos de lleno en esto. Cuántas cosas han pasado desde entonces. Era 1988. Estaba harto de trabajar de transportista en Chamartín y decidí buscarme la vida en Ibiza. Necesitaba hablar con la gente, conectar con ellos y alejarme del caos madrileño en el que estaba atrapado desde hacía años. Había descubierto que el trabajo de conductor, definitivamente, no era para mí, pero sin estudios tampoco podía optar a muchos más puestos. Cogí un vuelo con los ahorros que tenía guardados en ese momento y me marché. Tras varios días en hostales, porque era lo más barato que existía por aquel entonces, y de patearme completamente la ciudad echando currículums por todos lados, me llamaron para trabajar de camarero en un garito que había en primera línea de playa. La idea al principio no me terminaba de llamar la atención. Yo era más nocturno y, en cambio, en este trabajo tenía que currar durante el día. Empecé pensando que estaría tan solo unos meses y al final acabé echando allí tres años. Me empezó a gustar el ritmo caribeño que se palpaba en nuestra Escalinata. Allí conocí a gente increíble, algunos de ellos mis mejores amigos en la actualidad. Fueron años de desenfreno, de locura, de disfrutar al máximo, de beber hasta que el cuerpo aguantaba y de ligar. ¡No veas cómo ligaba! Era el terror de las nenas. ¡Qué grandes momentos! Recuerdo una noche de agosto, de esas en las que el cuerpo me pedía enrollarme con un buen pibonazo, que salí de fiesta por toda la zona costera. Había tanta gente que veraneaba allí que en cualquier momento podría encontrar alguna tía con la que acostarme. Iba sin prisa, pero sin pausa. Una copita. Un chupito. Otra copa. Y así pasaban las horas, hasta encontrar el punto de alcohol perfecto para lanzarme a la rubia que me miraba desde el otro lado de la barra, pero entonces apareció el Bulldog y me aplastó todos los planes que tenía para esa noche. ¡Siempre se lo echaré en cara! Esa rubia tampoco lo perdona... Era la primera vez que veía a aquel tipo por allí, aunque por sus pintas se notaba que no era de Ibiza, sino que más bien parecía un italiano adinerado. Se presentó como Diego, su verdadero nombre. El mote del Bulldog no llegó hasta años más tarde, cuando ya estábamos en el club. Me iba buscando porque le habían hablado de mí.

Siempre había querido montar una empresa y ser mi propio jefe, y él me dió la oportunidad justo a tiempo. Esa noche pasé de no saber quién era ese hombre rapado y con cara seria, a ser su socio. Me contó la idea del nuevo negocio que quería abrir en Madrid y flipé en colores: un puti. Me habló de cantidades muy altas. Muy, muy altas. Tanto que no pude rechazarlo. A día de hoy pienso que fue la mejor decisión de mi vida. Si volviera atrás repetiría mis pasos una y otra vez, sin dejarme nada en el tintero. Ahora vivo a cuerpo de rey. Tengo a las tías que quiero, un buen carro para fardar con ellas, ropa elegante, una buena casita... No cambiaría esto por nada del mundo. Antes muerto.

—Tío, ¿a qué no sabes qué? Me acabo de acordar de LA NOCHE en Ibiza —le digo con énfasis al Bulldog.

—Buah, chaval, ¡qué tiempos aquellos! Eras un canijo eh, aunque ahora no sigues siendo mucho más alto. —Se ríen el Bulldog y el Pirata.

Lleva razón. No puedo hacer otra cosa más que reírme y aceptar mi ascendencia de gnomo. A estas alturas, y nunca mejor dicho, ya nunca voy a sobrepasar el metro sesenta. Me echo una copa y les sirvo otras dos a ellos. Aunque somos pocos, la mesa está llena de botellas. Nos gusta beber bastante, así que mínimo una botella y media por cabeza cae esta noche. Pongo música para animar el ambiente y saco la droga de la caja metálica que tenemos en el armario principal.

—¿Quién se anima? —les digo.

Hay de todo: anfetas, maría, coca, tripis... La llamamos «La caja mágica», porque tiene todo lo que necesitamos en el momento adecuado. Empiezo con un porrito, pero la cosa se anima pronto y nos pasamos rápidamente al cristal. Esta la tenemos reservada para celebraciones. Somos conscientes de que no podemos consumirla todos los días; aún así nos encanta. El cocktail de drogas nos empieza a hacer efecto y el alcohol se nos sube a la cabeza.

—¿Sabéis lo único que me falta? —digo.

—¡FOLLAAAAAAR! —exclama el Bulldog. Es el que más desatado está.

—Cómo me conoces...

La música está tan alta que apenas nos escuchamos entre nosotros.

—Vamos a la habitación de las chicas. —Se levanta el Bulldog.

—¡Venga! No hay huevos...

El pirata nos mira pensando que estamos locos. Él solo se ha fumado un par de porros. Es el que mejor se encuentra.

—¡Claro que los tengo, maricón!

—¿A cuál vamos? A la de Claudia, la de Marisol... ¿cómo se llamaban las demás? Será que no tenemos para elegir. —Me río.

—Vamos a la de Lizzeth, Esmeralda y Suhaila —dice el Bulldog.

Nos miramos entre los tres sabiendo que todos queremos tirarnos a la misma tía. Es que es la que más buena está de todo el club. Creo que son sus ojos. Nos tienen hipnotizados. Sin pensárnoslo dos veces, dejamos las copas a medias, el cristal esparcido por la mesa y salimos del salón. ¡Qué empiece la fiesta!

Capítulo 51

SUHAILA

La confesión

16 de febrero de 2008

Estábamos durmiendo cuando los proxenetas, inesperadamente, han entrado a nuestra habitación y nos han despertado a las tres. Sabíamos perfectamente que venían buscando sexo. Primero han encendido la luz y luego se han repartido, entre riñas, cuál se quedaba con cada una, mientras nosotras nos mirábamos muertas de miedo. Al Obispo le ha tocado conmigo, al Pirata con Esmeralda y, finalmente, al Bulldog con Lizzeth. Aunque cada vez sepa más cómo funciona este mundo, no puedo negar sentirme destrozada después de cada penetración. Ya han terminado su trabajo. Se les ve muy felices. Más que nosotras. Se ponen los pantalones, consumidos por el exceso de alcohol, y se marchan haciendo eses. Me quedo mirando la puerta, triste bajo las sábanas.

—Acostúmbrate a esto y más. No sabes dónde te has metido. —Las palabras de Esmeralda se me clavan en el alma—. Te aconsejo que espabiles pronto, porque tu calvario no ha hecho más que comenzar. Me voy a dormir.

Se arropa con las sábanas hasta la cabeza, tapándose de la luz que aún sigue encendida. Lizzeth me mira con cara de pena. Desde mi llegada solo hemos tenido la oportunidad de intercambiar unas cuantas frases en un par de conversaciones, pero tengo la impresión de que es una buena chica. Sin embargo, Esmeralda no me da buena espina.

—Tranquila, Suhaila. Es muy difícil estar aquí dentro, pero siempre que lo necesites puedes contar conmigo. —Se acerca hasta mi cama, ofreciéndome su ayuda.

—Muchas gracias, de verdad. Yo no creo que pueda ayudarte mucho, pero lo mismo te digo. —Saco una media sonrisa desgastada por las circunstancias.

—¿Desde dónde vienes? —me pregunta.

Es la primera vez que hablo con alguien sobre mi nacionalidad. Hasta ahora había sido desconocida, ignorada, una más del prostíbulo. Al final, más o menos guapas, con mejor o peor cuerpo, todas servimos para lo mismo aquí dentro. ¿Le digo la verdad? Ya no estoy segura de en quién puedo confiar, pero supongo que no hay nada malo en decir que soy árabe.

—Soy de Yemen —afirmo—, de la ciudad de Saná... —respondo cabizbaja e insegura.

—¡Vaya! Eso está muy lejos, ¿no? Más allá de China por lo menos. —Creo que no tiene mucha idea de geografía.

—No, no. —Me río—. Está algo más cerca, ya te enseñaré dónde. —No es que yo sea experta, pero algo sé—. ¿Y tú de dónde eres? —Por su color negro de piel diría que es de África, pero no quiero parecer demasiado atrevida, así que mejor espero a que ella me cuente.

—Soy africana. Vengo de Senegal.

—¡Ahá! —Estaba en lo cierto. Me hago la interesante, pero la verdad es que ese país sí que no sé dónde está—. ¿Y cómo llegaste hasta el club? —Tomo ahora yo la iniciativa.

—Mis padres... Me vendieron y... bueno, aquí estoy. —Me quedo en silencio. Quiero saber más—. Éramos nueve hermanos. No nos podían criar a todos, porque éramos bastante pobres. A los dos mayores los dieron en adopción y a mí, que era la tercera que había nacido, me vendieron. Un hombre del pueblo les ofreció la oportunidad de traerme a España, a una familia millonaria para que me cuidaran, la cual ofrecía supuestamente una fortuna por mí, pero cuando llegué aquí... nada de lo que habían acordado era real. —Se queda pensando—. Llevo más de tres años siendo la putita de cientos de hombres y mi deuda nunca termina. No sé cuándo voy a poder salir de aquí y ser libre.

¿TRES AÑOS? Ya Allah... Espero no tener que pasar tanto tiempo aquí. Su testimonio me enloquece. Qué duro... Pienso en la historia de Lizzeth, en la mía y en la de decenas de mujeres más que están en nuestra misma situación. Cada una llega de una manera, pero el destino siempre es el mismo. Me duele solo de pensarlo. ¿Por qué nosotras? Ninguna mujer tendría que pasar por esto. ¡Seguro que es ilegal!

—Deberíamos irnos a la cama. —Asiento con la cabeza—. Tenemos que descansar, si no mañana no nos vamos a poder levantar. Me alegra haber hablado contigo. Buenas noches, Suhaila. Descansa. —Creo que recordar su pasado le ha vuelto a partir el corazón.

Capítulo 52
LIZZETH
Mi único objetivo

5 de abril de 2010

Son las cuatro de la mañana. Ya va quedando menos para que llegue el último cliente y poder descansar. Hoy ha sido un día completamente agotador. Mucho más ajetreado que de costumbre. Parece que se han puesto todos de acuerdo para venir esta noche. Recojo los condones que ha dejado por el suelo el anterior y coloco las sábanas de la cama para poder recibir al siguiente. Creo que debería retocarme un poco. El eyeliner se me ha corrido y tengo una cara horrorosa. Repaso nuevamente la línea negra de los ojos para estar perfecta, aplico un poco de gloss a mis labios y, de paso, me echo más colorete. Ahora ya estoy mucho mejor.

—Lizzeth, ven un momento. Tenemos que hablar. —El Bull-dog me está llamando desde el otro lado de la puerta. Qué pesado es.

—Ahora mismo no puedo ir. Estoy esperando al último cliente. ¡Está a punto de llegar! —le digo, pero parece importarle poco.

Nuevamente me pide que vaya, pero sé perfectamente lo que quiere, y ahora mismo no tengo ganas. Estoy cansada de que me utilice siempre a su antojo, así que sigo maquillándome y le ignoro.

—¡He dicho que vengas! —Se enfada muchísimo—. Hoy tu último cliente voy a ser yo.

¡Lo sabía! Sabía que me buscaba para llevarme a su habitación. ¡ES QUE LO SABÍA! Fuck! Me jode tener que ceder una vez más e irme con él. Si lo sé no me vuelvo a maquillar... ¡Qué rabia me da haberme puesto guapa para ser su puta! Cada día le soporto menos y, si pudiera, le estamparía la cara contra la pared. No será por falta de ganas. Llevamos varios meses quedando todas las noches. ¡No se le escapa ni una! Normalmente, nos vemos cuando termino de tra-bajar, pero hoy no ha aguantado hasta las cinco. Debe estar dema-siado desesperado. ¡Qué hijo de puta! De todas las chicas que esta-mos en el club me ha tocado a mí ser la favorita del Bulldog. Me-nuda suerte... Le gustan las negras y claro... Lizzeth es «una negra muy negra», como dice él. Al principio aguantaba por mi hija, pero cada día esta situación se está volviendo más insostenible. Lo único que me mantiene con esperanza es que si me porto bien con él, quizá pronto me deje verla. Aunque sea solo por unas pocas horas.

Él ya está desnudo y la puerta bien cerrada con llave por si a algún despistado se le ocurre entrar. Como cada noche, me desvisto en apenas unos segundos y me pongo a cuatro patas. Su postura preferida. Siempre miro a la pared, suplicando que se termine cuanto antes este momento. Me sé de memoria todos los puntos del gotelé, los desconchones y las grietas provocadas por el paso del tiempo. ¡Qué asco me produce pensar que tengo su pene dentro! Primero me la mete por la vagina y en el segundo asalto pasa directamente al culo. Me dice guarradas, me agarra del pelo, me pega, me lame la espalda... Le escucho gemir, gritar y decirme lo puta que soy. Las gotas de su sudor caen sobre mi espalda y se mueven de un lado para el otro al ritmo de la penetración. Cuando vivía en mi aldea en la sabana africana y corría de un lado para otro jugando con un neumático que me había encontrado en medio de la calzada, jamás pensé que en un futuro no muy lejano estaría tendida en la cama de un español con el culo en carne viva.

Llego a mi habitación sin apenas poder moverme. El Bulldog me ha hecho sangrar. Creo que tengo hasta heridas. No utiliza lubricante porque él dice que no lo necesita, pero mi culo sufre las consecuencias. Al abrir la puerta me encuentro a Suhaila y, aunque me duele el cuerpo a más no poder, me pongo recta y camino hacia ella como si me encontrase perfectamente. No puede saber nada de todo esto. Si el Bulldog se entera de que se lo he contado a alguien... Mi niña...

—¡Hola! ¿Ya has acabado por hoy, no? ¿Qué tal se ha dado? —No me da opción a que pregunte primero.

—Sí, por fin —respondo—. La verdad es que el día se me ha hecho larguísimo, no te voy a mentir. Estaba deseando llegar al cuarto. —Hago varias muecas con la cara. Me duele muchísimo la zona del vientre. Estoy segura de que va a pensar que me pasa algo.

—A mí me ha pasado igual, menos mal que ya estamos en la habitación y podemos descansar hasta por lo menos el mediodía, que ya sabes que luego empiezan a hacer ruido y no hay quien logre volver a dormirse. —Sonríe forzadamente—. Oye, ¿estás bien? Te noto muy apagada.

¡MIERDA! ¡Lo sabía! ¡Lo sabía! Es que cuando me pasa algo se me nota todo en la cara... ¡joder! ¿Y ahora qué le digo? Tengo que pensar rápido, si no creerá que le estoy mintiendo, y no puedo permitirme que deje de confiar en mí.

—Sí, sí... Estoy bien. —Dile algo más. Algo más, Lizzeth. Algo más. Algo más—. Bueno, en verdad... no estoy muy bien. ¿Puedo contarte un secreto? —No estoy muy segura de si debería hacerlo.

—Claro, por supuesto Lizzeth. Estoy aquí para ti, como tú lo estás para mí.

—Tengo una hija. —Me cuesta respirar. Es la primera persona que lo sabe, exceptuando el Bulldog. Trago saliva varias veces antes de continuar—. Se llama Jaineba. Cuando llegué aquí estaba embarazada. Nadie lo sabía ni siquiera yo. Estaba de cuatro meses, pero como no tenía barriga jamás me lo hubiera imaginado. Hasta que eso empezó a crecer y, claro, el Bulldog llamó a un médico para que me examinara. Confirmado: estaba embarazada. Estuve en una habitación recluida, sin ver a nadie las veinticuatro horas, hasta que di a luz al bebé. Solo me llevaban la comida una vez al día. Aquello parecía una auténtica cárcel. Así viví durante varios meses, aunque para mí parecieron años. Cuando Jaineba nació me la arrebataron de las manos mientras aún me encontraba débil e indefensa. Solo pude verla unos segundos antes de que el Bulldog se la llevara para siempre. Desde ese día, nunca más la he vuelto a ver.

Se me ponen los pelos de punta solo de recordarlo. Se lo he contado. He tenido el valor de contárselo a alguien después de tantos años callada y maltratada por quien me robó a mi hija. Me siento liberada y a la vez aterrorizada por si lo que acabo de hacer se vuelve en mi contra. Espero que Suhaila no se lo cuente a nadie. Creo que es una buena amiga. Desde que llegó me ha demostrado más que las que llevan aquí años conmigo. En un momento u otro tenía que contárselo. Lo necesitaba, pero creo que le ha afectado más de la cuenta.

—¿Por qué estás llorando? —le pregunto asombrada.

—Yo también tengo una hija. Se llama Zaida.

Me alivia escuchar esas palabras. Ahora sé a ciencia cierta que nadie sabrá de la existencia de Jaineba. Sabe guardar un secreto.

—Llevo dos años o así sin verla. O eso creo, porque el tiempo aquí dentro pasa demasiado lento y no sé realmente cuántos meses hace que llegué a este lugar. Debe estar súper grande. Me encantaría ver aunque fuera una fotografía suya. No hay día que no piense en ella. He soñado tantas veces que nos veíamos... Parecía tan real. Hay momentos que no diferencio la realidad de los sueños, y creo que es lo único que me sigue manteniendo viva. La esperanza de poder encontrarme cada noche con mi hija. —La escucho atentamente.

—No podría entenderte mejor... No sabes la de veces que he ideado un plan para salir de aquí, pero nunca consigo llevarlo hasta el final.

—Yo también pienso en ello cada día, pero tampoco me atrevo. Tengo demasiado miedo. El pasado me demostró que lo mío no es huir, aunque a veces pienso que no sé si realmente es difícil salir de aquí o es lo que los proxenetas nos han intentado hacer creer.

—¿Y no has pensado en suicidarte? —le pregunto—. Yo nunca tengo ganas de vivir y cuando me levanto con ganas se me acaban gastando porque en el fondo de mi corazón sé que nunca volveré a ver a Jaineba. Ni siquiera sé si sigue conservando ese nombre. No tengo pruebas de que soy su madre, ¡ni siquiera sé cómo es su rostro actualmente! Nunca la encontraría. El único que tiene contacto con ella es el Bulldog, y jamás me contará nada.

—Deberíamos intentar hacer algo —propone Suhaila—. Algo que no implique demasiados riesgos para nosotras ni para nuestras hijas, pero que podamos conseguir. No podemos aguantar más esta situación. ¡Tenemos que pensar, Lizzeth! Tenemos que salir de aquí. Tenemos que salir juntas de aquí, ¿de acuerdo? Juntas. Y si no lo conseguimos, la primera que salga luchará por la otra. No nos dejaremos solas. Pase lo que pase. ¿Vale?

Nos fundimos en un largo abrazo. Ahora nuestro único objetivo es salir de aquí. Por nosotras y por volver a ver a nuestras hijas.

Capítulo 53

SUHAILA

Guatemala

9 de junio de 2010

¿Hoy es miércoles? Ya no sé situarme. Me cuesta avanzar. He perdido completamente la noción del tiempo. Cuando llegué aquí me prometí llevar la cuenta y, aunque al principio pareciera fácil, al cabo de varios meses todo empezó a complicarse. Los días se me mezclaban, no sabía si los había contado o no. Algunos parecían que tenían cincuenta horas y otros tan solo veinticuatro. Al pasar por la recepción me fijo en la pared, como si mi cabeza fuera buscando una respuesta, y consigo ver un calendario en el fondo del mostrador. Es junio. Junio de 2010. Eso significa que... llevo aquí dentro... ¡casi dos años y medio! ¡Qué barbaridad! Cuánto tiempo. Mi hija ya tiene más de seis años. ¡Qué mayor! Lo que daría por volver a ver a mi princesa. Todos los días me pregunto dónde estará. Si al menos pudiera saber que está bien, me quedaría más tranquila. Cuando nos volvamos a encontrar y sea mayor me gustaría poder contarle por todo lo que estoy teniendo que pasar en el club. Estoy segura de que ella me entenderá y no me considerará una puta. Han sucedido tantas cosas en este tiempo que tendría historias que contar durante mil vidas. He conocido a clientes de todo tipo: empoderados que me ataban al cabecero de la cama, babosos a los que he tenido que mear encima para que disfrutaran del placer de oler mi orina, empresarios cuya fantasía era que les masturbase con los pies..., pero no siempre son malas experiencias. A veces vienen hombres que buscan que les pegue, y he de reconocer que es bastante satisfactorio ser por una vez la que da y no la que recibe. También vienen algunos que solo quieren compañía y charlar un rato. Esos son los que más me gustan, porque persiguen un beneficio como todos, pero sin hacer daño a nadie. Lo único que anhelan es no sentirse solos. Les entiendo. Desafortunadamente, yo también lo he sufrido en mis propias carnes y sé que la soledad es muy mala compañera. No se la deseo a nadie. Te puede llegar a hundir tanto que incluso estando rodeada de gente tienes la sensación de estar aislada del mundo, pero pronto todo esto quedará atrás. Lizzeth y yo estamos pensando en la manera de escapar de esta jaula. Cualquier opción nos sirve. Solo queremos ser libres de una vez por todas y encontrar a nuestras hijas. Este lugar nos acabará volviendo locas —o lo que es peor, matando— si no salimos pronto de aquí. Llevamos semanas trazando un plan, pero aún no nos sentimos preparadas para hacerlo. ¿Y si sale mal? Tenemos que estar 100% seguras de que puede funcionar. Nos falta atar algunos cabos sueltos y todo saldrá según lo hemos imaginado. Podemos hacerlo. Confío en nosotras. Somos unas mujeres fuertes. En estos últimos meses he creado una conexión especial con Lizzeth. Es la hermana que nunca he tenido. La amiga que siempre he deseado. Siento un extraño vínculo cuando hablo con ella, como si la conociera de toda la vida y quisiera tenerla a mi lado eternamente. Hemos hecho tantos planes juntas para cuando salgamos de aquí..., pero, sin duda, el que más ilusión me hace es que, cuando nos reencontremos con nuestras niñas, viviremos todas juntas. Nada me haría más feliz...

Hoy me toca hacer un trío con un chico joven que frecuenta mucho el club y una compañera que se llama Lulú. A él le he visto un par de veces en la barra tomándose una copa mientras charlaba con ella. Creo que se llevan muy bien. La verdad es que yo no he tenido el placer de conocerla. Somos muchas chicas aquí dentro y cada vez llegan más. Es imposible relacionarse con todas. Además, tampoco tenemos tiempo de conocernos. Cada una hace su trabajo y luego se va a dormir. Y así día tras día. Con las únicas que podemos realmente mantener más contacto es con nuestras compañeras de habitación. Sin embargo, sé quién es Lulú por los rumores de que intentó escapar hace unas cuantas semanas, pero la pillaron en mitad del campo y la trajeron de vuelta. O eso es lo que me ha contado Lizzeth. Yo no me había enterado de nada hasta que ella me dio la noticia. También he oído alguna vez que todos los tíos dicen que es buenísima en la cama. Pues no sé qué pretende encontrar en mí el chavalito joven, pero yo no voy a estar a su nivel ni de lejos... Bah. No me importa lo que piense. A estas alturas solo quiero su dinero y que se marche. Desde que lo tuve que hacer con tres chicos a la vez, ya no me asustan los grupos. Quién me iba a decir a mí que acabaría chupándosela a varios al mismo tiempo. Madre de mi vida, ¡me siento tan guarra cuando pienso en ello...! En fin. Me voy pitando a la habitación donde hemos quedado para hacer el trío.

Cuando abro la puerta ya me están esperando. Bueno, no está mal el trabajo de hoy. Una chica guapa y un chico guapo. Ambos jóvenes. Hasta me apetece y todo. «Pero, ¿y este pensamiento, Suhaila? No es propio de ti», me pregunto. ¿Me estaré volviendo una puta de verdad? No. Jamás. Mi trabajo no me define como mujer. Simplemente prefiero trabajar con ellos, que son jóvenes y guapos, que con un viejo verde y feo. Eso es todo. La cara del chico es de completa felicidad, tanto que, sin habernos desnudado, él ya está empalmado. Lulú se desviste primero y acto seguido soy yo quien se quita la ropa. Es algo a lo que no termino de acostumbrarme aún, por mucho tiempo que lleve aquí. Me da pudor verme desnuda. Para mí es faltarle el respeto a Allah y ser impura. Cuando estamos a punto de empezar tocan dos veces la puerta. ¿Quién será? ¡Está totalmente prohibido molestar cuando estamos con un cliente! Como se entere el Bulldog...

—Siento las molestias. —Si antes lo miento...—. Lulú... Tu padre ha muerto. Nos lo acaban de comunicar. —¡NO ME JODAS!

Esto no puede estar pasando. ¡Se ha muerto el padre de Lulú! No me lo puedo creer. La miro a los ojos, que están empapados en lágrimas, sin saber muy bien cómo actuar. Cae de rodillas y lo único que repite sin cesar es que ha sido por su culpa. El cliente no da crédito a lo que está viviendo. ¡Bienvenido a esta casa de desgraciadas! Esto solo es la punta del iceberg de todo lo que pasa aquí dentro, hijo mío. Se viste lo más rápido que puede. Yo también lo hago. Esta situación es demasiado incómoda, cuanto ni más para estar completamente desnuda. La tensión se palpa en el silencio del ambiente. A Lulú le falta el aire y se echa las manos a la cabeza sin creer lo que acaba de suceder.

—Por favor, acompáñame. Hoy no hace falta que trabajes.

—El Bulldog se la lleva en brazos. Está completamente destrozada.

Me pone triste verla así. Sé lo que es pasar por eso, y a partir de ahora su vida nunca será igual. Recuerdo cuando vivían mamá y Hassan. Fue la etapa más feliz de mi vida, pero creo que todo pasa por algo, y si se fueron fue porque no podían ver que iba a acabar aquí. Es mejor que no hayan tenido que pasar por el sufrimiento de no saber dónde estoy ni qué están haciendo conmigo.

—Mejor vengo otro día —me dice el chico recogiendo sus cosas.

Sí, creo que no es el mejor momento para hacer nada. Al menos es consciente. Otra persona seguro que me habría pedido que le follara yo. Me quedo sentada en la cama, pensando qué hacer y viendo cómo el cliente abandona la habitación. ¿Y ahora qué? ¿No trabajo hoy? Salgo del club y, por el pasillo de las habitaciones de las chicas, me encuentro a Lizzeth. Viene corriendo sofocada. ¿Qué ocurre?

—¡Te estaba buscando! —exclama—. ¡Han sido ellos!

—¿Que han sido quiénes? —No entiendo nada—. ¿Qué quieres decirme, Lizzeth? —le pregunto.

—¡Los proxenetas! ¡Han sido ellos! ¡Han sido ellos quienes han matado al padre de Lulú! —me cuenta en voz baja, pero enfatizando cada palabra. Está desquiciada. Los ojos se le van a salir de las órbitas.

—¿Qué dices, Lizzeth? ¿Quién te ha contado eso? —le vuelvo a preguntar. No puede ser verdad... No serían capaz de hacer algo así, ¿no?

—Contrataron a un sicario en Guatemala, que es donde vivía el padre de Lulú, para que se lo cargara... —¿Qué? Me tapo la boca con la mano. ¡Esto es muy fuerte!—. ¿Te acuerdas cuando te conté que Lulú había intentado escaparse, pero que la pillaron por los alrededores? ¡Pues no se lo han pensado dos veces y le han dado un escarmiento!

¡NO ME LO PUEDO CREER! Estoy alucinando... ¿Cómo pueden ser tan hijos de puta? Estos tíos no están bien de la cabeza. ¡Están completamente locos! Tenemos que salir de aquí... ¡YA!

—¡Suhaila! Reacciona, tía... —Da dos palmadas delante de mi cara.

—Sí, sí, perdón... Es que estoy en shock.

—Suhaila... —Me mira.

—Dime.

—Vamos a tener que pasar toda la vida encerradas aquí dentro, hasta que nos fallen las fuerzas y muramos... —Se le escapa una lágrima.

—¿Por qué piensas eso, Lizzeth? No digas tonterías. Nosotras no tenemos nada que ver con todo esto.

—¿Ah no? ¿No te has dado cuenta todavía o qué? ¡SI NOS PILLAN MATARÁN A NUESTRAS HIJAS! Estos tíos no se andan con rodeos. Saben perfectamente de dónde venimos y a dónde tienen que acudir si nos escapamos de aquí. Conocen a toda nuestra familia, tienen fotografías de ellos y la información que necesitan para matar a quien les plazca. No podemos escaparnos, Suhaila... ¡No podemos!

Capítulo 54
La última bala

18 de septiembre de 2010

Hoy es un día decisivo. Una fecha marcada en el calendario que nos viene atormentando desde hace varios meses. Ana y yo tenemos la última cita con la médico de nuestro hijo, para decirnos si ha habido avances o el tratamiento finalmente no ha funcionado. Dentro de cinco minutos vamos a entrar a la consulta. Los nervios nos atenazan el estómago y suben hacia la garganta. No hemos hablado en toda la mañana, y eso que casi siempre solemos despertarnos bastante parlanchines. No sabemos qué esperar. Se nos ha pasado todo lo bueno y lo malo por la cabeza. Han sido cinco años de sufrimiento, de médicos, de consultas mensuales..., pero hoy, dieciocho de septiembre, es la última. Para bien o para mal, es la última. Cabe la posibilidad de que nuestro hijo vuelva a ser libre y nunca más esté anclado a cientos de cables y camas de hospital. Podrá ser un niño que juegue como el resto, sin preocuparse de cuándo debe estar de vuelta en la habitación porque le toca tomarse la siguiente pastilla. La enfermera nos llama. Entramos en la sala entumecidos y la doctora se levanta para saludarnos. Tiende la mano a cada uno y nos invita a coger asiento.

—Lo siento mucho —nos dice apretando los labios.

No es posible... No es real... ¡Debería haber funcionado! Era el tratamiento más caro, se supone que no iba a fallar. Esta vez no... Ana se hunde. Esto no puede estar pasando. Nuestro hijo, por el que tanto hemos luchado, se va apagando poco a poco. Se nos va...

—Los últimos análisis no han salido como esperábamos. Estamos ante una situación crítica. Ya sabíamos lo que podía pasar. Hemos gastado todas las balas que teníamos con el tratamiento y ahora mismo la única opción es un trasplante de riñón. A menos que queráis que se quede conectado a las máquinas hasta que...

La voz de mi mujer la interrumpe.

—¡Yo se lo daré! Yo le daré el riñón a mi hijo —dice despavorida—. Dígame ahora mismo dónde tengo que ir y sáquemelo. ¡Opéreme ahora mismo! Mi hijo no puede morir, por favor. Si es madre lo comprenderá, por favor se lo pido.

—Sé que es una situación complicada para vosotros y comprendo que debe ser muy difícil ver a vuestro hijo así, pero no todo es tan fácil. Hay cosas que no dependen solamente de mí. Si quieres donar uno de tus riñones para tu hijo —se dirige a Ana—, en primer lugar es indispensable que veamos si eres donante compatible, repasando previamente tu historial médico, y ver si has tenido enfermedades, has sido operada o tienes algún problema que te impida vivir con un solo riñón. También tendríamos que revisar factores de riesgo cardiovascular, posibles diabetes, hipertensión y otros factores. Todo esto lleva un tiempo, no se hace de la noche a la mañana. Además, en caso de personas fumadoras como tú se pueden hacer pruebas adicionales, lo que podría retrasar aún más el trasplante —nos explica la doctora.

Ana no deja de llorar. Éramos conscientes de que esto podía salir mal, pero confiábamos en que los resultados serían positivos. Teníamos fe. ¿Por qué es todo tan complicado? Primero, nos volvimos locos para conseguir el dinero y ahora que nos sobra... no podemos salvar a nuestro hijo. ¡JODER! El karma me la está devolviendo, pero bien.

—Aunque esto sea una mala noticia, hay una parte esperanzadora. Al haber decidido ser la donante de Bryan, y si todas las pruebas fueran bien, estarías regalando tiempo de vida a tu hijo. —La doctora mira a Ana—. Las listas de espera de trasplantes están hasta arriba en estos momentos. Mucha gente espera años y años hasta que encuentra a una persona que pueda donarle el órgano que necesita, ya sea porque no es compatible con los que hay disponibles, o porque nunca le llega su turno, pero vuestro caso es el mejor que puede haber. Vais a donárselo directamente. ¡No habrá listas de espera! Eso es maravilloso, de verdad. —A Ana se le ilumina la mirada. Vuelve a tener ilusión y una pizca de esperanza—. Me alegro de que hayáis decidido ser los donantes. Espero de todo corazón que haya suerte.

Ana me mira y sonríe. Si ella no lo hubiera hecho, lo habría hecho yo. Lo primordial ahora es Bryan. Necesita nuestro riñón para sobrevivir. La abrazo como si fuera la última vez que la fuera a ver. Es lo único que me importa. Mi familia. Por ver sus sonrisas lo daría todo. Absolutamente todo. Creo que se lo he demostrado en estos últimos años. La doctora hace hueco en su agenda para darle cita a Ana lo antes posible. Hay que empezar con las pruebas ya. Estoy muy emocionado. Hemos conseguido otra oportunidad, pero...

—Doctora, una última cosa. ¿Y si la operación sale mal? —pregunto angustiado.

La sala se vuelve a quedar en silencio. Ni siquiera se escucha trastear a las enfermeras que hay en la habitación de al lado.

—No habrá más opciones. Esta es la última...

Capítulo 55
LIZZETH
Habiba

4 de diciembre de 2010

Estoy harta de tener que aguantar al Bulldog. Harta de sus amenazas, de sus gritos, de sus maltratos, de tener que decir siempre que sí a todo... Esto se ha acabado desde hoy, como que me llamo Lizzeth. Tenga lo que tenga que pasar. ¡No puedo vivir así! Necesito salir del pozo en el que me ha metido este cabrón. Llevo consintiéndole sus caprichos más de un año. Y una cosa es a los clientes, porque es mi trabajo y no me queda más remedio, pero él lo que está haciendo es aprovecharse de la situación. Seré esclava, pero no tonta. En cuanto se baje los pantalones, le voy a dejar las cosas claras.

—No voy a acostarme más contigo —le digo, convencida de lo que estoy haciendo—. Me he cansado de ser tu muñeca de plástico. Si quieres tenerme, págame como los demás.

Como una cerilla, prende nada más rozarla con mi fuego. Claro, siempre tan sumisa que no se esperaba este comportamiento por mi parte.

—¿Cómo dices? Tú eres una puta y estás aquí para hacer lo que yo te diga. Si quiero que me la chupes, me la chupas. Si quiero meterte el rabo por el culo, te lo meto. Si quiero que te tragues mi corrida, te la tragas y punto. ¿¡Me has entendido!? —Se pone agresivo. Más de la cuenta—. Quítate la ropa y ponme las tetas en la cara, ¡YA!

No me lo pienso dos veces. Mis piernas se mueven involuntariamente y comienzo a correr por el pasillo. Gano algo de tiempo mientras él se abrocha el pantalón. Bajo rápidamente las escaleras. Creo que nunca he corrido tanto. Tengo que esconderme lo antes posible. ¿Dónde voy? Vaya donde vaya seguro que me encuentra. ¿Al baño? No. Mala idea. Me metería la cabeza en el retrete hasta ahogarme. Ahora mismo está cargado de rabia. Puede hacer cualquier cosa. Le conozco lo suficiente para saber que es capaz. El tiempo se agota. Estoy cerca de mi habitación. Voy hasta allí. Miro hacia atrás asustada, pero no viene nadie. Uf. Menos mal que no me ha alcanzado. Cierro la puerta con sutileza para que no se escuche y sepa donde me he metido. ¡Qué alivio! Al menos estoy a salvo por unos minutos más. Pensaba que me iba a dar una paliza, aunque aún no es tarde.

—¿Lizzeth? —Joder, ¡que susto! Es Suhaila.

—SHHHHH. Calla. Escóndete debajo de la cama. ¡Corre! No hagas ruido —le digo casi susurrando.

Nos escondemos cada una debajo de la nuestra y apagamos la luz. ¡Mierda! Están abriendo la puerta. Mierda, mierda, mierda. ¡Es el Bulldog! Nos va a matar..., y Suhaila no tiene la culpa de nada. ¡Joder! ¿Qué tipo de amiga soy? Enciende la luz y da una ojeada rápida. Se escuchan sus pasos hacia el armario y cómo abre las puertas, pero no encuentra nada. «Que no mire debajo de las camas, por favor. Por favor. Por favor», cruzo los dedos hasta casi partírmelos.

—¡JODER! Maldita hija de puta —se le escucha maldecir—. ¡Se va a enterar cuando la pille! ¡ME CAGO EN DIOS! —¡PUM! Creo que le ha pegado un puñetazo a la pared.

La sombra de sus zapatillas avanza hasta la puerta, se apaga la luz y se escucha un portazo. La habitación se queda nuevamente en silencio. ¿Se ha ido ya? No estoy segura. Esperaremos un poco más, no vaya a ser que sea una de sus trampas. No escucho su profunda respiración, así que al cabo de cinco minutos, sin poder evitarlo, rompo a llorar. Suhaila sale de su escondite y viene al mío. Con la habitación aún silenciosa, me abraza, sin pedirme explicaciones. Apenas tenemos espacio. Nos rozamos contra los muelles del colchón, pero se convierte en el abrazo más verdadero que me han dado nunca.

—Suhaila, siento no habértelo contado antes... Yo quería, pero... —Me interrumpe.

—Lizzeth. Sé perfectamente lo que ha pasado. No tienes que contármelo. Siempre llegabas muy tarde a la habitación; intuía que algo te sucedía. Tú creías que yo estaba dormida y te preocupabas por no hacer ruido, pero siempre esperaba a que llegases. Quería asegurarme de que estabas bien.

Aprieto su mano con fuerza.

—Todo esto lo he hecho por mi hija, pero no puedo más. ¡No puedo más! —Se me empapan los ojos de nuevo.

—Lo sé, Lizzeth, lo sé. Yo hubiera hecho lo mismo que tú... Sabemos mejor que nadie lo que es querer a una persona y no poder estar con ella.

Me abraza con delicadeza y noto su respiración a escasos centímetros de mi cara. Se acerca pausadamente y, entonces, se inclina hacia delante, posando sus labios sobre los míos.

Capítulo 56

SUHAILA

¡Malditos tacones!

13 de enero de 2011

Empieza una nueva jornada de trabajo. La rutina de este sitio nunca va a cambiar: dormir, follar, comer y volver a dormir. Eso el día que nos da tiempo a comer. Hay veces que directamente estamos a todas horas trabajando. Sin descansos. He adelgazado mucho desde que llegué. A veces, no me reconozco cuando me miro al espejo. Solo veo un cadáver andante. Con el tiempo han desaparecido mis hermosas curvas, las que tanto me caracterizaban, y aún así, algunos hombres se atreven a decirme que estoy gorda. ¿Pero qué les pasa en la cabeza? No saben valorar lo que es un buen cuerpo, ¡menudos imbéciles! Una de las cosas que más echo de menos de cuando vivía en Saná es rezar. La práctica del rezo era mi día a día y desde que estoy aquí no he vuelto a poder hacerlo —el Bulldog me lo tiene totalmente prohibido—. Añoro ponerme en contacto con Allah, con mi madre y mi hermano Hassan, con todos los que ya no están, pero siguen cerca... Era mi refugio. Buscaba las fuerzas necesarias para continuar luchando, resetearme y volver a vivir. Curaba mis heridas con cada oración e intentaba olvidar el daño que me habían hecho. Sin embargo, ahora toda la rabia y el dolor que siento a diario se acumulan en mis poros y no tengo manera de expulsarlos hacia afuera. Me vuelvo a mirar en el espejo, pero sigo sin dar crédito a lo que veo. Jamás me hubiera imaginado vestida así y mucho menos para mostrarle mi cuerpo a un montón de desconocidos. Es increíble cómo mi mente ha cambiado tanto en tan solo... ¿Cuánto tiempo llevo aquí? Ya ni lo sé. Si hago memoria no recuerdo muchas cosas de Yemen. Las calles por las que siempre he paseado, ahora están difusas; algunas caras de mis vecinos casi se me han olvidado... Seguro que todos han cambiado mucho desde la última vez que estuve allí. ¿Cómo estará Zaida? ¿Seguirá viviendo en Saná? ¿Estará con Jamil? ¿Y Rayhan? ¿Y Farid? ¿Qué será de todos ellos? Madre mía... ¿y Delila? Los recuerdos me hacen volver a la infancia, pero algunos detalles ya están borrados de mi cabeza para siempre. Otros aún perduran y perdurarán eternamente. Una nunca olvida a toda la gente que la ha traicionado. Mi pasado me atormenta desde hace muchos años. No puedo dormir por las noches. Sufro ataques de ansiedad continuamente, sobre todo cuando algo sale mal con los clientes, aunque intento controlar este desorden mental tomando un puñado de pastillas al día. Hoy me encuentro nerviosa, como muchas otras veces, pero ahora siento que algo malo va a pasar. Tengo el cuerpo agarrotado y un nudo en la garganta que apenas me deja respirar. Me pongo los tacones de aguja, los mismos que me revientan los pies cada vez que los uso, y subo las escaleras hacia el club. Cuando voy por el décimo escalón, me detengo. Observo a alguien hablando con Madame en la recepción. Parece que hay algún tipo de problema. Asomo la cabeza para ver qué está ocurriendo y veo a dos policías en el hall. Me escondo tras la pared rápidamente. ¡No pueden verme! El Bulldog me ha dejado claro en más de una ocasión lo que tengo que hacer si se daba el caso.

—Si eres una patosa y te pillan, tienes que decirles que estás aquí por voluntad propia, que necesitas el dinero y debes hacerlo por tus hijos —me dijo cuando llegué al club.

Aún así, me lo repetía cada mes por si acaso se me olvidaba. Lo único que le importaba era meterme esa idea en la cabeza, hasta convencerme de que era lo mejor para mí.

—Como no lo hagas, las consecuencias llevarán a la tumba a tus seres más queridos. —Nunca olvidaré sus palabras. Las llevo tatuadas en la mente.

La policía sigue en el hall, pero no consigo descifrar qué le están diciendo a Madame. Me asomo un poco más, a ver si logro escucharles, pero el tacón me falla en uno de los escalones y me caigo al suelo.

¡PLOM! ¡PLOM!

¡MIERDA! ¿Cómo tengo tan mala suerte? He hecho tanto ruido que es imposible que no se hayan enterado de que les estaba vigilando. Me levanto lo más rápido que puedo e intento, a hurtadillas, subir al club, pero alguien se encarga de no ponérmelo tan fácil.

—Perdone, señorita, ¿necesita ayuda? —Giro mi cabeza. Es uno de los policías. ¡JODER! ¿Qué narices hago ahora? ¡No sé mentir! ¡Me van a pillar y el Bulldog me va a matar...!

—No, no. Tranquilo, estoy bien. Muchas gracias. Perdona, me están esperando. Tengo que irme a trabajar —le digo lo más rápido que puedo. Tengo que llegar al club cuanto antes.

Doy dos pasos y el policía me vuelve a interrumpir. ¿Qué más quiere de mí? Me pongo nerviosa. Se acerca hasta mi oreja.

—¿Te obligan a estar aquí? —me dice con una voz muy flojita casi imposible de escuchar.

La pregunta me deja descolocada. Trago saliva. ¿Qué le digo? Si le cuento toda la verdad quizá me saquen de aquí, pero no puedo arriesgarme tanto porque no sé qué pasaría después. ¿Y si no me pueden ayudar hasta que no pasen un par de días y tengo que seguir trabajando aquí? ¿Y si son policías falsos? A lo mejor los ha contratado el Bulldog para ponerme a prueba... Ya Allah. Pero, ¿y si son de verdad y vienen buscando a chicas que hayan sido vendidas para poder salvarlas de este infierno? No sé qué hacer... ¿y Lizzeth? No me puedo ir sin ella. ¡Joder! ¿Por qué es todo tan difícil? Miro a Madame, que está al lado del otro policía, y disimuladamente me hace un gesto diciendo que me va a cortar el cuello. Estoy muerta de miedo.

—No, estoy aquí porque necesito el dinero. —Intento autoconvencerme de mi mentira y me pongo más nerviosa de lo que ya estoy. Bueno, no le he mentido del todo. Es verdad que necesito el dinero para pagar la deuda que debo, pero... ¡no hay quien me crea! ¡Va a saber que le estoy mintiendo! —Me tengo que marchar, hasta luego. —Salgo pitando, con cuidado de no caerme de nuevo. ¡Malditos tacones! Vosotros sois los culpables de todo esto.

Me giro hacia atrás, con el miedo de que los policías me hayan seguido y vean el club. No me sigue nadie. Uf, menos mal. Todo ha quedado en un pequeño susto. Miro a mi alrededor como si fuera el primer día que llegué: las cortinas, los adornos, los colores, la barra del bar, las mujeres enseñando las tetas... Claro que estoy obligada. ¡CLARO QUE SÍ! Me pregunto qué hubiera pasado si le hubiera dicho la verdad. ¿Se habría terminado todo? ¿Estaría ahora arrepentida por haber tomado esa decisión? ¿Irían a buscar a mi hija para matarla por haber confesado? Nunca sabré qué hubiera sido lo mejor. Lo único que tengo claro es que tengo enfrente a un cliente que me espera.

Capítulo 57
LIZZETH
La carta

1 de febrero de 2011

—Madame, ¿me has llamado? —le pregunto.

—Sí, Lizzeth. He ido antes a tu habitación, pero no estabas —responde abstraída—. Tengo una carta para ti. Ha llegado esta mañana. —Coloca un sobre en mi mano.

¿Una carta? ¿Es que ahora llega correspondencia al club? Desde que me trajeron aquí jamás he tenido contacto con el exterior, y mucho menos he recibido una carta. ¿Quién me la enviará? Si nadie sabe que estoy aquí... No entiendo nada. No obstante, recojo el sobre y le agradezco a Madame haberme avisado. Vuelvo a mi habitación para abrirla. No sé qué contiene y quiero hacerlo tranquila y en soledad. Sigo extrañada, pero a la vez ilusionada. ¿Y si es mi hija? ¿Qué posibilidades hay? Buf. Muy pocas... No creo que ella sepa que yo soy su madre y que estoy aquí dentro. Miro de nuevo el sobre marrón, aún cerrado, con miedo de saber lo que hay en su interior. No contiene ninguna información, simplemente mi nombre en el centro. ¿Qué será? No puedo esperar más para abrirlo. La curiosidad me va a matar. Despego la solapa de la parte de atrás y encuentro un papel. Lo saco y descubro que está doblado en dos. Dentro hay un mensaje.

«Mis palabras nunca son en vano. Espero que ahora sigas mis órdenes.»

Leo otra vez la única frase que hay escrita.

«Mis palabras nunca son en vano. Espero que ahora sigas mis órdenes.»

¿Qué es esto? La releo, una y otra vez, una y otra vez, una y otra vez..., pero no entiendo qué significa, ni por qué va dirigida a mí. ¿Quién me manda esto? Creo que se han equivocado. Lo mejor será que la guarde en un cajón y me olvide de ella. Cuando vuelva de trabajar se la enseñaré a Suhaila para ver si ella tiene idea de dónde puede venir, aunque desde que me dió el beso está un poco rara conmigo. ¿Se sentirá avergonzada? ¿Pensará que ya no quiero ser su amiga o su...? ¿Y si quiere algo más conmigo? Debería hablar con ella, estoy muy confundida, y seguramente ella también lo esté. Tengo que irme ya, tendría que haber subido hace diez minutos, y aquí sigo. Al levantarme de la cama se cae el sobre, dejando asomar un papel más. Lo cojo con delicadeza y descubro lo que la frase quería decir.

Capítulo 58

SUHAILA

Tocada y hundida

1 de febrero de 2011

Mis primeros clientes del día han cancelado la cita que teníamos. Se trataba, según me han informado, de un hombre y una mujer que eran pareja y querían que me acostara con la mujer mientras el hombre miraba. Uf, de la que me he librado. Estas cosas no son plato de buen gusto. Me siento muy incómoda cuando me observan desde fuera. Si no me queda más remedio, lo haré, pero mientras que se pueda evitar, mejor. Aún así, seguro que el Obispo ya se está encargando de ponerme con alguien. Es el rey de la persuasión. Estoy convencida de que le ha hablado de mí a algún hombre de la barra, diciéndole que no le voy a defraudar y que tiene que acostarse conmigo para tener el mejor polvo de su vida. Vamos, lo conozco como si lo hubiera parido. Así que antes de que lo haga tengo que ir urgentemente al servicio. Con las prisas se me ha olvidado pasar cuando subía al club, y no puedo aguantarme más. Bajo las escaleras principales y entro al baño que hay enfrente de las habitaciones. Al abrir la puerta, me asusto creyendo que alguien me observa, pero no soy más que yo misma, reflejada en el espejo que hay al lado de los lavabos. Veo una cara distinta a la que estaba en el mismo lugar hace un par de semanas. Estoy totalmente demacrada. No tengo brillo en la mirada y el color de mis ojos ya no parece verde azulado. ¿Cuándo saldré de aquí? La deuda cada vez aumenta más. Nunca se termina. A veces pienso que estaré encerrada hasta el final de mis días. Estoy tan agotada que, en ocasiones, me cuesta mantener el ritmo y seguir de pie. Las citas con los clientes se me resisten, me cuestan mucho más que al principio. Me echo un poco de agua por la cara y la nuca para refrescarme, pero el sonido de las gotas no ayuda a mi vejiga. Entro rápidamente en uno de los retretes. ¡Que alivio! Ya no aguantaba más. Mientras orino, escucho un ruido. Parece que alguien está llorando. Me limpio y tiro de la cadena. Sigo el sonido del llanto, hasta el final del pasillo, pero no veo a nadie. Creo que hay alguien escondido detrás de la puerta. Sea quien sea, llora desconsoladamente. Giro el pomo para abrirla y... ¡ES LIZZETH! Pero, ¿qué hace aquí? La encuentro tirada en el suelo, como si no le quedasen fuerzas. ¿Por qué está llorando?

—¡Lizzeth! —Le sujeto la cara entre mis manos—. ¡Lizzeth! ¿Qué ha pasado? ¡Cuéntame qué te ocurre! —Tiene el rostro totalmente cubierto de lágrimas y mocos. Nunca he visto a nadie llorar así.

Sus manos están contraídas y sostienen un sobre. Se lo intento quitar, pero enseguida reduzco la fuerza. Ya no me hace falta. Ha resbalado. Me tapo la boca con las dos manos y una lágrima cae por mi cara. No puedo creer lo que estoy viendo. Miro de nuevo la fotografía que hay en el suelo y es imposible dejar de llorar. Es una niña totalmente cubierta de sangre. Jaineba está muerta.

Capítulo 59

SUHAILA

Adiós, amor mío

1 de febrero de 2011

La cabeza me va a estallar. ¡Han matado a la hija de Lizzeth! ¡El Bulldog y su pandilla la han matado! Es muy fuerte. Estoy en shock. No soy consciente de lo que acaba de pasar. Esto es terrible. No se puede aguantar más esta situación. ¡Van a acabar con nosotras! Estoy rabiosa, enfadada, triste... Sobre todo porque he tenido que dejar sola a Lizzeth en el baño, llorando por la pérdida de su hija, por tener que volver al trabajo. Ahora mismo se debe sentir más sola que nunca y yo tendría que estar a su lado apoyándola, no follando con un cliente. Cómo sabía que el Obispo tenía otros planes para mí... Qué desgraciado. No me deja ni un respiro. No puedo pensar en otra cosa que no sea en ella. No me quiero imaginar cómo estaría yo si hubieran matado a mi hija. ¿Y si también la matan a ella? ¿Me llegará a mí también una carta mañana con esa fotografía? ¡No! ¡No! ¡No! Nadie va a matar a Zaida, ¡nadie! No lo voy a permitir. Si la matasen me volvería completamente loca y pagaría con la misma moneda a quién lo hubiera hecho. Lo tengo clarísimo. Ella es mi vida y sin su existencia nada tiene sentido.

—Oye, ¿me estás escuchando? —me pregunta el cliente—. Parece que no estás atenta a lo que estamos haciendo. Voy a tener que poner una queja. Baja y chúpamela ahora mismo.

«¡Claro que no caballero, claro que no le estoy escuchando ni estoy atenta a tu maldito rabo! ¡Acaban de asesinar a la hija de mi mejor amiga y no sé si van a matar a la mía también!» Me encantaría decirle todo esto a la cara y largarme con Lizzeth, pero tengo que acatar las normas. Qué cansada estoy de callarme siempre, ¡coño!

—Perdone, señor, no volverá a ocurrir. —Deslizo mi boca por su abdomen y acerco la lengua a su pene. Está erecto. Comienzo a chupárselo y me lo meto hasta el fondo de la garganta, provocando una ligera arcada. Afortunadamente, no sale nada. Podría haberle vomitado encima. Meneo las manos en todas las direcciones posibles, cada vez con más intensidad. Solo pienso en terminar cuanto antes para ver de nuevo a Lizzeth. No veo nada más allá de los pelos rizados que tengo frente a mis ojos. Tengo que pensar. ¿Qué puedo hacer para salvar a Zaida? ¡Necesito volver a saber de ella y asegurarme que estará bien! No puedo ponerla en peligro. El cliente se mueve unos milímetros a la izquierda sacando su pene de mi boca y, sin previo aviso, se corre en mi cara. Era justo lo que necesitaba en estos momentos. El día no puede ir a peor...

Por culpa de este gilipollas, ahora me toca limpiar la corrida que me ha acabado cayendo por la minifalda. El próximo cliente no puede verme con la ropa manchada y la cara hecha un asco. Subo a la habitación, cojo un nuevo modelito y voy de nuevo al baño. Aprovecho la ocasión para ver a Lizzeth y poder hablar con ella. ¿Seguirá allí? Cuando entro no puedo evitar gritar.

—¡AAAAAAAAAAAHHHHHHHHHHHHHHHH!

—Ya Allah, Ya Allah. Esto no es real. Esto no es real.

La ropa se me cae de las manos. Me quedo inmóvil, paralizada, contemplando este escenario tan aterrador. Lizzeth está colgada de una cuerda que le oprime el cuello. ¡Joder! Tengo que darme prisa. Tengo que soltarla, pero en cuanto le toco la cara comprendo que ya es demasiado tarde. Está helada y no respira.

Capítulo 60

EL BULLDOG

Adiós, amor mío

1 de febrero de 2011

¡Esto es un completo desastre! Tengo la oficina llena de papeles que no sirven absolutamente para nada. Debería dejar que un día de estos entrase la de la limpieza e hiciera un poco de criba, porque al final me voy a tener que salir yo para que quepan tantas cosas. A pesar del desorden, estoy contento. Esta mañana he recibido varias llamadas para confirmar la llegada de tres nuevas chicas. Vendrán el próximo martes. Todas son sudamericanas. Una de ellas viene de Panamá. Es la primera que traemos desde allí. Ahora ya sabemos que es fiable el tráfico y las negociaciones con ese país. Poco a poco vamos ampliando el negocio. Las otras dos chicas son de Colombia y Venezuela. De esta última nos han advertido que es muy joven y que la cuidemos. ¡Claro que la cuidaremos, hombre! ¡Aquí todas nuestras chicas están más que cuidadas! ¡Qué idiotas son, joder! La gente con la que tengo que trabajar es muy incompetente, de verdad. Me echo una copita de licor de hierbas para aliviar la tensión y enciendo un puro para acompañarla. El negocio está creciendo a una velocidad que no esperábamos. Quizá este sea el momento de ampliar el club. Cada día llegan más y más chicas para trabajar. Tenemos que buscar la manera de sacarlas a todas de aquí y llevarlas a una nueva casa, pero para ello necesitamos tiempo y recursos. ¡Y precisamente ahora no vamos sobrados de ninguno de los dos! Hemos invertido mucho dinero en estas tres sudacas, y no hemos encontrado una nueva finca que se adapte a nuestras necesidades. Aunque bueno, siempre cabe la posibilidad de llevarnos algunas a Valencia. En el otro club que tenemos hay mucho más espacio que en este. Incluso hay un terreno en el que a las malas podemos construir otro edificio anexo. Tengo que hablar con Jota, él es el que lleva todo el tema de ese club. Le pego una calada al puro, y el humo que desprende nubla por completo la habitación. No sé cómo lo vamos a hacer, pero hay que encontrar otro lugar más grande. Esto está subiendo como la espuma. Jamás imaginé que ganaríamos tanto dinero con las putas. ¡Nos estamos haciendo de oro! Guau, qué pasada. No puedo evitar sonreír. Todo está saliendo de puta madre, no puede ir mejor. Mañana hablaré con los chicos de todas las opcio... La puerta se abre de repente. Me doy la vuelta y es Suhaila.

—¿Qué coño haces tú aquí? —le pregunto cabreado—. Jamás vuelvas a entrar en mi despacho, y mucho menos sin llamar a la puerta.

—P... o... r... f... a... v... o ... r... —Está sofocada—. Por... favor...
—repite—. Tie... nes... que... ver... es... to...

¿Qué quiere que vea? ¡Esta tía está mal de la cabeza!

—Tienes... que... venir... al baño, por... favor —insiste de nuevo—. Es Lizzeth...

¿Lizzeth? ¿Qué ha pasado con Lizzeth? Salgo corriendo hacia los baños y al llegar encuentro algo que no esperaba. El cuerpo de Lizzeth está colgado de una soga que tiene atada al cuello. No es posible. ¡Lizzeth se ha ahorcado! No. No. No... Esto no puede estar ocurriendo. Se me había pasado por la cabeza la posibilidad de que lo hiciera, pero no pensé que sería tan rápido. ¡Tenía otros planes para ella! La he visto hace unas cuantas horas saliendo de su habitación y ¡ahora está muerta! ¿Y qué vamos a hacer con el cadáver? Las cosas empiezan a complicarse. Observo su cuerpo sin vida suspendido en el aire. Bajo mi mirada hasta sus piernas viendo como se mecen ligeramente debido a la corriente que entra por la ventana. Me fijo en el suelo. El sobre abierto, junto con la carta y la fotografía, complementan la escena. Suhaila me mira, con los dedos entre los labios y sin poder dejar de llorar. Me agacho y recojo la foto de Jaineba. Lo único que quería era que Lizzeth fuera solo para mí y me quisiera tanto como la quería yo a ella.

Capítulo 61

SUHAILA

Y decidí hablar

1 de febrero de 2011

La casa se revoluciona por momentos. El Bulldog ha intentado que nadie se enterase, pero cuando han llegado el Obispo y el Pirata muchas trabajadoras han visto desde el pasillo lo que estaba sucediendo. Hay chicas por todos los sitios, cotorreando sobre la muerte de su compañera. Algunas parecen afectadas, en cambio otras solo buscan el cotilleo y tener de lo que hablar durante las próximas semanas. Aún no me creo que Lizzeth esté muerta. Con ella se han ido los planes que teníamos de escaparnos juntas de este lugar y la esperanza de recuperar algún día a nuestras hijas. Qué triste es haber acabado así, atada al techo que tanto la ha aplastado durante los últimos años. Su inesperado suicidio me ha dejado destrozada. Jamás imaginé que sería capaz de hacer algo así, pero después de lo de su niña..., ¿quién querría vivir? Cuando no hay motivos para seguir adelante, lo más fácil es buscar la muerte. No la culpo. Yo también lo haría. La admiro. Ha sido una mujer valiente hasta el final. Me hubiera gustado poder despedirme de ella, decirle lo mucho que la quiero y agradecerle todo lo que ha hecho por mí aquí dentro. Si pudiéramos volver a hablar le diría que me enamoré de ella por ser la persona que más ha cuidado de mí en la vida. Ahora comprendo que los sentimientos hay que expresarlos en su debido momento, no cuando ya es demasiado tarde. Lo que no se dice, nunca llega a existir. Siempre supe que la quería, pero en más de una ocasión dudé de si era lo correcto. Querer a una persona de mi mismo sexo en mi país se castiga con la muerte. Estando aquí me he acostado con muchas mujeres, incluso lo he disfrutado en un par de ocasiones, pero nunca ha habido sentimientos de por medio. Durante toda la vida me han enseñado que debía enamorarme de un hombre y estar a su disposición, pero Lizzeth me ayudó a comprender que eso no es lo que quiero. La miro tendida en el suelo y no puedo evitar recordar todos los buenos momentos que hemos vivido. Nos cuidábamos tanto... «¿Por qué te has marchado tan pronto?», le pregunto allá donde esté. Me da miedo verla así. Tiene la cara amoratada y se va desfigurando por momentos. Los proxenetas están muy nerviosos. Nunca antes los había visto tan alterados. Creo que no saben qué hacer con el cadáver.

—Hay que despejar esto, ¡YA! —exclama el Bulldog bastante enfadado.

—¡Vamos chicas, cada una a su habitación! ¡Que nadie salga hasta que os avisemos! —El Obispo da la orden—. Quedan suspendidas las citas con los clientes durante la tarde.

No quiero irme, pero el Bulldog me saca del baño a empujones, cerrándome la puerta en las narices. Vuelvo a mi habitación resignada y algo llama mi atención al mirar al fondo del pasillo. La puerta del despacho del Bulldog está abierta. ¡No la ha cerrado cuando nos hemos ido! No puede ser. Compruebo que no venga nadie detrás de mí y entro, cerrando muy despacio. Ya Allah. ¡Estoy dentro... del despacho... del Bulldog! ¡Esta sala siempre está vigilada! Me pongo nerviosa. Debo aprovechar este momento. Tengo que intentar salir de aquí. ¡Tengo que hacerlo por mí y por ella, aunque ya no esté! Era el amor de mi vida y acaba de morir por culpa de estos hijos de puta. No voy a permitir que haya más muertes. Cualquiera de nosotras podría ser la siguiente. Sin dudarlo un segundo, empiezo a buscar un teléfono para poder llamar a la policía. Me armo de valor. Indago por las estanterías, la mesa, los cajones..., y encuentro uno en una esquina de la habitación. No sé muy bien cómo funciona esto, pero no puede ser muy complicado. Estoy aterrada. Como pase alguien ahora mismo... Marco el 112. Lizzeth me dijo muchas veces que si pasaba cualquier cosa tenía que marcar este número. El sonido de la llamada me alivia. Suspiro. El corazón me va a mil por hora. Me tiemblan las manos. Mi mirada está anclada a la puerta. Se escuchan ruidos por el pasillo y no sé si viene alguien o son solo las chicas yéndose a sus habitaciones. Han sonado tres pitidos y aún no me lo coge nadie. ¡Por favor, cogédmelo! Por fa...

—Emergencias, ¿en qué puedo ayudarle? —responde una mujer al otro lado de la línea.

No me lo puedo creer. ¡Me lo han cogido!

—¡Hola! ¡HOLA! —Estoy atacada de nervios—. Tenéis que venir..., tenéis que venir a salvarnos. Nos tienen... secuestradas. —Me falta el aire.

—Por favor, señora, tranquilícese. Dígame dónde se encuentra. —La noto preocupada.

—No... no lo sé... Llegamos hace... muchos años aquí... Solo recuerdo que la casa estaba en mitad de un bosque... —le explico—. ¡Me quedo sin tiempo, por favor, vengan a buscarnos!

—Tranquila, vamos ahora mismo para allá. Hemos localizado la llamada y sabemos dónde se encuentra la...

Se me cae el teléfono de las manos. El Bulldog ha entrado a su despacho y aquí estoy yo, muerta de miedo. Viene directo hacia mí y desata toda su ira. Sus planes no están saliendo como él esperaba. Los míos tampoco. Esto se le acaba de ir de las manos. Me empieza a dar puñetazos en la cabeza, en la espalda, en el abdomen... Me enrosco sobre mí misma, pero no es suficiente. Los puñetazos continúan, el dolor se acentúa.

—¡CONMIGO NO SE JUEGA, HIJA DE LA GRAN PUTA! —Me grita. Está increíblemente furioso—. ¡PUTA MORA DE MIERDAAAAA!

Solo lloro. Soy incapaz de hablar. Estoy hiperventilando. Noto el dolor en mis costillas.

—¡TE LO ADVERTÍ CUANDO ENTRASTE AQUÍ! ¡TE LO DEJÉ MUY CLARO, PUTA ASQUEROSA!

Recibo en la cara el mayor puñetazo de mi vida y caigo directa al suelo.

—¿Qué está pasando aquí? —Entra el Obispo en el despacho. El que faltaba...

—¡ESTA FURCIA HA LLAMADO A LA POLICÍA! —le dice el Bulldog y sus golpes me dan un respiro.

Me toco la boca. Está llena de sangre y me chorrea sin cesar. Al palpar mis labios, me doy cuenta de que me ha roto varios dientes de arriba. ¡MALDITO HIJO DE PUTA! Veo borroso, pero me levanto como puedo. Si quiere pelea, vamos a pelear. Los dos juntos.

—¿¡QUE QUÉ!? Diego, escúchame, ¡vámonos cagando leches de aquí, hermano! —El Bulldog no reacciona—. ¡Nos tenemos que pirar ya, hostias!

—¡YA LO SÉ, COJONES! —exclama volviendo en sí—. Ya sabes lo que tienes que hacer. Hemos planeado muchas veces este momento, ¡DATE PRISA! —El Obispo sale corriendo al instante—. ¡Busca a todas las chicas y súbelas a las furgonetas! ¡Nos vamos a Valencia ahora mismo! —le grita desde lejos.

Nos volvemos a quedar a solas. Su mirada penetrante me intimida. Apenas me tengo en pie. Retrocedo como puedo hasta apoyarme en la pared. De repente, se lleva la mano a la espalda y saca una pistola. Me apunta.

—Nos vamos todos, menos tú.

Dispara.

Capítulo 62
EL PIRATA
La salida

1 de febrero de 2011

¿Por qué tarda tanto el Bulldog? Se escucha un disparo dentro de la casa. El Obispo y yo nos miramos sabiendo que las cosas no están saliendo bien.

—¡TODAS A LAS FURGONETAS! ¡VAMOS! —Empuja hacia el interior a las chicas que ya han salido al patio. No entienden qué está pasando—. Dejad todo en la casa. Ya vendremos a por vuestras cosas. ¡Ahora nos tenemos que ir! —El Obispo está muy nervioso, aunque he de reconocer que yo también. Esto no tendría que estar pasando—. ¡A las furgonetas, hostias!

—Tranquilízate, tío... Ellas no tienen la culpa de todo esto. —Intento calmarle.

El cotorreo del ambiente le cabrea aún más.

—¡Silencio! —grita—. Si no os calláis ahora mismo os pego un tiro en la puta cara. —Saca una pistola. Las chicas están muy asustadas. No se merecen esto. Me mira con ojos de loco. Creo que se ha metido algo, porque no es normal su comportamiento—. ¡OYE TÚ! —Se refiere a mí—. ¡Corre a por los pasaportes! Tráete todos los documentos que nos incriminen. ¡Todo lo que veas por ahí, traételo! Y si ves al Bulldog dile que salga de una puta vez, ¡que nos tenemos que ir, coño! ¡No sé dónde pollas se ha metido! —Me mira esperando una respuesta—. ¿¡ERES SORDO O QUÉ TE PASA!? No tenemos todo el día. ¡En cinco minutos te quiero aquí!

Salgo disparado del patio, corriendo como si se tratase de una maratón y el premio fuera salir ileso de esta jaula llena de leones. Subo las largas escaleras hasta el despacho del Bulldog y lo veo allí, pero no está solo. ¿Quién...? ¿Qué es eso? OH, DIOS MÍO.

—Esto... Nos tenemos que ir. —Simulo no haber visto nada—. El Obispo ya está subido en una de las furgonetas y todas las chicas a las órdenes de los demás hombres. —No sé qué decir. Es un momento muy incómodo, sobre todo cuando miro la pistola que sostiene en la mano—. Venía a buscar la caja de los pasaportes y el resto de papeles de las chicas.

—¡Justo lo estaba cogiendo! Vámonos de aquí, ya he revisado todo. —Recoge la caja—. ¡Tira pa'lante y deja de mirar lo que no te incumbe! —Y así hago. Ando delante de él, dejando detrás el cuerpo de Suhaila, tendido en el suelo.

Por más pasos que doy, no logro sacar la imagen de mi cabeza. ¿Por qué le habrá disparado? ¡No puedo dejarla ahí! Todavía respiraba...

—La policía está a punto de llegar. Voy a llamar a Jota. —El Bulldog me pone la caja en las manos—. Tengo que avisarle de que vamos para allá.

Sus palabras se disipan en el aire. Estoy ausente. ¡No puedo volver al despacho! ¡Joder! Tengo que darme prisa y salir cuanto antes de aquí. Pienso en mi hijo Bryan, la única razón por la que me metí en esto. Si la policía nos pilla, será el fin. Iremos todos a la cárcel. No puedo permitirme no volver a verle. Necesito al menos despedirme de él. Le queda poco tiempo y jamás me perdonaría no darle el último adiós... Llegamos al final del pasillo y miro hacia atrás, pensando en Suhaila. Lo siento, Suhaila. Lo siento muchísimo. Me mantengo callado hasta que llegamos al patio, donde nos esperan todos preparados. El Bulldog y yo nos subimos inmediatamente en la furgoneta del Obispo.

—¡Pensaba que os habíais caído por la taza del váter! ¡Creía que nunca ibais a venir! —exclama.

—¡Arranca de una vez! —le contesto.

Nos colocamos los cinturones. El GPS ya está puesto. Próximo destino: Valencia ciudad. El Obispo da la orden al resto de conductores. Vamos a iniciar la marcha. Estoy realmente nervioso. El silencio se rompe con el rugido de los motores y el sendero queda cubierto de polvo. Observo desde el retrovisor la casa en la que tantas cosas han pasado. La furgoneta sigue avanzando y el Obispo pulsa el mando para salir.

—¡PUTA MORA DE LOS COJONES! —Grita el Bulldog, mientras las puertas correderas se terminan de abrir.

Intenta cerrarlas, pero no responden. Cuatro patrullas de policía rodean completamente la salida de la finca. Este es el fin. Nos bajamos de las furgonetas, a punta de pistola y con las manos en la nuca. Caigo de rodillas, rendido al suelo. Ninguna persona cuerda habría aceptado este trabajo, pero por intentar salvar tu vida lo volvería hacer mil veces más. Perdóname, hijo mío.

Capítulo 63

SUHAILA

Una menos

1 de febrero de 2011

¡Me ha disparado! ¡No puede ser! ¡No puede ser! Presiono rápidamente la herida para evitar que la sangre escape y poder salir a buscar ayuda, pero es imposible. Las piernas me empiezan a temblar, hasta que fallan por completo y me desplomo. Se me nubla la mirada. Apenas puedo contener la respiración. Me ahogo. ¡Me ahogo! De repente siento muchísimo frío, como si estuviera metida en un congelador. Estoy helada. Igual que lo estaba Lizzeth. Creo que me voy a morir. El dolor se intensifica. Tengo miedo.

—¡A... YU... DA, POR... FAVOR! ¡A... yuda! —Ya no me quedan fuerzas ni siquiera para hablar.

Es inútil continuar. Se han ido todos, nadie me va a escuchar. No puede ser. ¡NO, NO PUEDE SER, JODER! Esto no puede acabar así... ¡Mi final no puede ser este! ¡No puedo morir sin antes ver a mi hija por última vez! Entreabro los ojos y la sangre sigue saliendo, formando un río hacia la puerta. Me refugio encogida sobre las baldosas, buscando cobijo en mis recuerdos. Me estoy asfixiando. No puedo aguantar mucho más. ¿Será esto lo que sintió mamá en sus últimos minutos de vida? ¿Será lo que sintió Hassan? ¿Será esto la muerte? No puedo creerlo. ¿De verdad me estoy muriendo? Después de haber estado esclavizada toda la vida por mi padre, mi marido, Jamil, el único hombre al que he amado de verdad y he entregado mi corazón, y cientos de hombres más... ¿esto es lo que merezco? ¿Este es mi final? ¿Y mi ansiada libertad? ¿Dónde está? ¿¡DÓNDE!? Jamás la voy a conocer. Jamás. No me queda tiempo. Quiero mover mi cuerpo, pero no soy capaz. Necesito que alguien me ayude.

—¡A... y... u... d...! —Toso. Me mareo. No puedo respirar.

Lo único bueno que me ha dado la vida has sido tú, Zaida. Tú has sido la que me ha mantenido firme, día tras día, acto tras acto, noche tras noche. Has sido tú. Solo tú. Sin tu sonrisa no estaría aquí. Habría acabado como Lizzeth, mi gran amor, colgada del techo del baño. No hubiera podido soportar esta vida; sin embargo, tú has sido mi flotador. Cierro los ojos para volver a los sueños, el único lugar donde me es posible reencontrarme contigo cada noche. Todos los días he soñado que ibas al colegio y eras la más inteligente de la clase, que te convertías en la princesa a la que todos los niños quieren... He palpado con mis manos cómo te hacía la mejor comida tantas veces que me he convertido en una chef profesional, cómo jugábamos juntas hasta que nos dolían las costillas de tanto reír... Todos los días fantaseaba con que algún día podría darte el último beso en la frente antes de irte a dormir... Todo era real. Absolutamente todo. Por eso, por ti, mi princesa, he aguantado esto, con la esperanza de salir de aquí y poder buscarte hasta encontrarte. Y tanto... ¿Tanto para qué? ¿Para qué he luchado toda mi vida? Si al final han ganado ellos..., los mismos que me han quitado la posibilidad de seguir viéndote crecer. Lo único que he querido siempre ha sido estar contigo, y ni eso me han dejado hacer. No pedía mucho más. Solo a ti. Aunque todo lo que he hecho no me haya llevado a tu lado y tengas que pasar el resto de la vida sin mí, vuela. Vuela tan alto como quieras. No dejes que nadie te corte las alas. Tus pasos abrirán camino a las futuras generaciones. Tú puedes ser el cambio, el mayor cambio del mundo. Y..., por favor, mi niña, perdóname. Te prometo ser mejor madre cuando nos volvamos a encontrar. Me voy. No sé si a Yanna o a cualquier otro lugar, pero vaya donde vaya, siempre estaré esperándote.

Epílogo
9 años después

El sol se cuela por las rendijas de la única ventana que tiene mi habitación. Está amaneciendo. Ante mis ojos visualizo la combinación perfecta de colores morados, que después pasan a rosa y, finalmente, casi de forma instantánea, el cielo se tiñe de naranja. Todas las mañanas me quedo pasmado mirando al infinito, pensando en las personas que están más allá de la línea del horizonte. No sé qué día es, pero presiento que el fin se acerca. Mis huesos me impiden el movimiento, y lo único que me mantiene con vida son los cables que tengo enchufados a este trasto de aquí al lado. La enfermedad no avisa, no distingue, no elige... El cáncer llega cuando menos te lo esperas, y esta vez me ha tocado a mí. Hace cinco meses me dieron tres de vida, pero, a pesar de las grandes esperanzas, ahora siento que me apago. ¿Y si hoy es el último día que veo el sol? Mis ojos recorren las paredes de la habitación del hospital que me ha acompañado durante esta trayectoria, y la veo a ella. Durmiendo, sentada en ese incómodo sillón que le tiene destrozado el cuello, pero siempre igual de sonriente. Me recuerda a su madre. Los mismos ojos celestes, las mismas expresiones y hasta los mismos dientes. Se parecen demasiado. Podrían ser hermanas. La enfermera llama a la puerta. Ahí llega un día más el desayuno, pero hoy no tengo demasiada hambre. El sonido de las bandejas despierta a Zaida, que se levanta velozmente del sillón, restregándose los ojos, dispuesta a recogerla y ponérmela en la mesa.

—¡Muchas gracias por el desayuno! —Agradece a la enfermera. Tan atenta como siempre—. ¿Qué tal te encuentras hoy, papá? —me pregunta.

—Mejor que nunca —miento. No quiero que se preocupe más por mí. Bastante ha hecho ya—. ¿Tú qué tal estás, cariño?

—La verdad es que he pasado una noche horrorosa. A ver si te dan ya el alta y podemos dormir tranquilos en nuestro pisito, que nos lo merecemos, ¿no crees? —Me temo que no volveré a salir de esta habitación, querida hija mía.

—Deberías irte esta noche a dormir a casa. —Le insisto—. Aquí todas son iguales. Así descansas y mañana vienes cargada de energía —sugiero, a sabiendas de que no me hará caso.

—¡Mira que eres cabezón, eh! No voy a dejarte aquí solo, que ya sabes lo que pasa... —No sé de qué me habla.

—¿Qué se supone que tengo que saber? ¿A qué te refieres? —le pregunto.

—Hombre... ¡Los dos sabemos que le haces tilín a Svetlana!

—¿Quién es Svetlana?

—¿No me digas que no sabes quién es? ¡Venga ya! —Niego con la cabeza—. ¡La rubia delgadita cincuentona que viene todas las mañanas y te dice: «Buenos días, señor Jamil, le vamos a pinchar en el culo»! —Se ríe y me hace reír—. Está clarísimo que lo que quiere es verte desnudo y ¡tenerte para ella solitaaaa! —Se parte de la risa. Está en plena edad del pavo y a mí me va a volver loco, pero me encanta cuando sonríe tanto. Me hace muy feliz verla así.

—¡Estás paranoica! ¡Qué cosas tienes! Eso no es verdad. —Lo cierto es que sí lo es, esa rumana quiere algo conmigo, pero yo ya no estoy para amoríos.

Zaida me coloca la bandeja entre el pecho y la cara y comienza a darme el desayuno. Dos galletas después no puedo comer más. Estoy totalmente lleno. Me da una arcada. Empiezo a toser y, repentinamente, vomito todo lo que acabo de ingerir. Suerte que tenía un babero puesto y no me he manchado demasiado. Zaida lo retira con cuidado, pero enseguida se asusta cuando ve que me cuesta respirar más de lo normal. Me pone rápidamente la mascarilla del oxígeno, pero la máquina empieza a pitar e inmediatamente aparecen unas enfermeras en la habitación. Todo pasa demasiado rápido. Los ojos me destellan y me vienen a la mente momentos de mi niñez, cuando jugaba en Saná con mis vecinos. Veo a Suhaila, vestida de novia. La boda. Rayhan. Mi querida madre haciéndonos un té cada dos horas. Cómo le gustaba su olor. Decía que le hacía sentir como en casa. Nunca me he podido perdonar haberte abandonado en Saná, cuando aún estabas enferma y necesitabas mi cuidado. Aunque no funcionase el tratamiento que tanto dinero me costó conseguir, me gustaría haber estado contigo hasta el final. Hasta el último latido de tu corazón, pero espero que llegaras a entender por qué decidí quedarme aquí. Noto presión en el pecho. Farid, qué grandísimo hijo de puta. Suhaila... Te vuelvo a ver en mis recuerdos. Subida en el avión, sosteniendo en brazos a Zaida. Ya no es tan pequeña, pero sigue siendo la misma niña encantadora que correteaba por los pasillos del aeropuerto. Me gustaría que la volvieras a ver. Ella apenas se acuerda de ti, pero sigues formando parte de algunos de sus recuerdos. Dicen que uno sabe cuándo llega su momento, y creo que el mío está a punto de llegar, pero antes tengo que hacer algo muy importante. Reúno las pocas fuerzas que me quedan, cojo la mano de Zaida, la atraigo hacia mí y le cuento la historia que siempre he tenido miedo de contar.

—Zaida... —Me cuesta respirar—. Tienes que saber toda la verdad. Yo no soy tu verdadero padre.

NOTAS DE AUTORA

Si pensabas que la protagonista de este libro iba a sobrevivir, no vives en el mundo real. La esperanza que albergabas a lo largo de las páginas de que la historia diera un cambio drástico y nuestra querida Suhaila salvara su vida es lo único que mantiene vivas a millones de mujeres hasta el final de sus días, aunque lo cierto es que en muy pocos casos logran conseguir su ansiada libertad. Suhaila es una más en el mundo de las muchas que sufren diariamente tanto la explotación y el matrimonio infantil en las sociedades machistas, como el tráfico sexual, el maltrato y la sumisión de la mujer. Afortunadamente, esta es una historia ficticia, pero no nos hace falta más que mirar a algunos países para saber que esto ocurre incluso a plena luz del día. Suhaila podría llamarse Fatima, Aaminah, Dúnya, Karima, Maryam, Nadia, Daniela, Alexandra, Mihaela... Qué más da, si a ojos del mundo es una más, un número sumado al registro. Es duro tener que decir esto, pero es la realidad.

Vemos cifras, no personas. Por eso la idea principal de este libro era ahondar en lo humano y mostrar la realidad, principalmente, de los casamientos prematuros y la trata de personas, pero lo que yo no sabía es que una vez que empiezas a crear no eres capaz de parar. Aparecen más y más problemas sobre los que quieres hablar, sobre los que investigar, reivindicar y reflexionar, por eso he decidido hacer hincapié en muchos otros temas que nos deberían preocupar más de lo que nos preocupan, porque en estos casos nunca es suficiente. «Una más» significa mucho más —valga la redundancia— de lo que puedes imaginar e intuir en cada escena, diálogo o capítulo. De hecho, si volvieses a leer algunas páginas te darías cuenta del doble sentido de las palabras, de por qué cada personaje es cómo es, del verdadero significado de la historia; sin embargo, hay partes que voy a seguir dejando a tu imaginación, porque la magia de un libro es, al fin y al cabo, que cada uno lo interpreta a su manera. No obstante, me gustaría incidir en varios puntos que para mí son claves desde el principio. El primero es el matrimonio infantil, uno de los grandes problemas que afronta el mundo dado que en 2020 afectó a más de 140 millones de niñas. Según datos del Fondo de las Naciones Unidas para la Infancia (UNICEF), lo han sufrido 765 millones de niños y niñas en todo el mundo. Si esta tendencia no se frena, se prevé que para 2030 se hayan casado 150 millones de niñas más antes de cumplir dieciocho años. Es evidente que estos son datos aproximados, porque nunca se puede saber con exactitud hasta dónde escalar estas cifras, pero lo que está claro es que como anunció no hace mucho tiempo la directora del Fondo de Población de las Naciones Unidas (UNFPA), Natalia

Kanem, cada dos segundos una niña es obligada a contraer matrimonio forzosamente, y esta cifra es algo que no se olvida. Los niveles de matrimonio infantil se han incrementado notablemente en los últimos años, disparándose especialmente en países menos desarrollados. El 14% de las niñas de países en vías de desarrollo se casa antes de cumplir los quince años, mientras que una de cada tres lo hace antes de cumplir los dieciocho. Este problema perjudica en primer lugar y mayor medida a Níger (con un 76% de práctica total), seguido de República Centroafricana (68 %), Chad (68 %), Mali (55 %), Burkina Faso (52 %), Guinea (52 %), Sudán del Sur (52%), Bangladesh (52%), Mozambique (48%) e India (47%). Como decía antes, esto es un problema global que afecta a todos los países, no solo a los de este ranking. En algunos de ellos el matrimonio infantil es ilegal, pero igualmente se sigue permitiendo. Lo podemos ver, por ejemplo, en Pakistán o Indonesia, con un 34 y 38%, respectivamente; en países como Arabia Saudí, donde dejan que las niñas se puedan casar a partir de los diez años; o en Yemen, cuya práctica no está legislada y, por tanto, no cuenta con una edad mínima para contraer matrimonio. Si cruzamos el Atlántico, apreciamos que América Latina y el Caribe se sitúan con un 29%, pero no olvidemos que hay países europeos donde también se permite; aparecen en la lista pese a ser considerados países del primer mundo. Sin ir más lejos, la edad mínima para casarse en España, con el consentimiento paterno, es de catorce años. Esto demuestra, una vez más, un problema cultural y de tradiciones en el que hay que trabajar desde ya, para romper ese ciclo, permitir una infancia feliz y un futuro más justo. Y te estarás preguntando, ¿qué se puede hacer para cambiar todo esto? La respuesta es fácil y difícil a la vez, porque la única solución la tiene la educación. El matrimonio infantil no se puede combatir si no interviene la cultura. Si las niñas en lugar de casarse y tener hijos tuvieran la oportunidad de ir al colegio, todo sería muy distinto. Ya lo decía Nelson Mandela: "la educación es el arma más poderosa para cambiar el mundo", y no se equivocaba. La educación es capaz de transformar las mentes y producir un avance en la sociedad. Si a estas nuevas generaciones se les educara en valores, como en países más desarrollados, se les explicara la gran problemática que suponen los casamientos tempranos y recibieran una buena educación sexual y matrimonial, crecerían más cultos y atentos al mundo exterior, no solo el que existe en sus pueblos, valles o tribus. Los jóvenes de hoy en día serán los padres del mañana. Si ellos educan a sus hijos de una manera distinta a la que les han educado, romperán el bucle, y el mundo, poco a poco, irá modificándose. Las mujeres no tendrán hijos a una temprana edad y, en definitiva, nadie obligará a sus hijas a casarse. Evidentemente, esto no pasa de la noche a la mañana. Todo es un proceso, pero cuanto más tarde en arrancar, más probabilidades hay de que estas prácticas vayan en aumento. En Yemen, la escolarización está reservada para los hombres, pues a las mujeres no se las considera lo suficientemente capacitadas para estudiar. Cuando empecé a documentarme para la creación de este relato leí muchos —muchísimos— libros y me gustaría destacar en especial dos de ellos. Me llamo Noyud, tengo diez años y estoy divorciada me rompió el alma y a la vez me dió las fuerzas necesarias para embarcarme en esta historia. En él, explica lo siguiente: «Cuando mis hermanos salían para ir a la escuela tenían que recorrer casi dos horas a pie hasta llegar a su destino. El colegio estaba situado en la población más importante del valle. Mi padre, que era un hombre muy protector, consideraba que las niñas éramos demasiado frágiles para aventurarnos por esos caminos casi desérticos, donde el peligro acechaba detrás de cada cactus. De hecho, mi madre no sabía ni leer ni escribir y ninguno de los dos veía necesario que eso fuera imprescindible para sus hijas. En Yemen una de cada dos mujeres es analfabeta, así que, crecí en la escuela de la naturaleza, mirando a Omma —mamá en árabe— atender la casa». La filántropa estadounidense Melinda Gates, en su libro No hay vuelta atrás, también reserva un espacio para hablar de este gran problema y nos cuenta que «cuanto más joven es la niña y menos estudios tiene, menor es la dote que la familia paga. En esos casos, el mercado deja claro que cuanto más desvalida esté la niña, más atractiva resulta para la familia que la recibe. No quieren una cría con voz, actitudes o ideas. Quieren una criada obediente e indefensa. Las niñas que son obligadas a casarse pierden a su familia, sus amigos, su escuela y toda opción de progresar. Incluso a los once años se espera que asuman las tareas domésticas y poco más tarde las funciones de maternidad. Todas estas cargas, junto con el embarazo y el parto, tienen consecuencias nefastas para la joven novia. Las familias casan a sus hijas por acuerdos o dinero, para así tener una boca menos que alimentar y más recursos para poder ayudar a todos los demás miembros de la familia. Cada año que la niña no se casa hay más opciones de que sufra agresiones sexuales y luego sea considerada sucia o inadecuada para el matrimonio, así que a menudo los padres casan antes a las niñas pensando en el honor de la familia». El fomento del matrimonio temprano nos lleva a otro gran problema: el maltrato por parte de un esposo que, en ocasiones, puede hasta cuadruplicar la edad de la niña casada. La misma noche en que se casan deben consumar el matrimonio, es decir, una niña de nueve, diez, once o doce años es obligada a perder la virginidad con un hombre que ni conoce. Cada día miles de mujeres renuncian a sus sueños porque temen por su seguridad, porque temen morir y dejar solos a sus hijos, porque temen las palizas y los moretones que vienen después. Según la Organización Mundial de la Salud (OMS), una de cada tres mujeres ha sufrido golpes, coacción o sufrido abusos sexuales alguna vez a lo largo de su vida. Estas cifras, al igual que otras que veremos a continuación, nos paralizan. No sabemos qué pensar. La violencia de género es una de las más comunes en el mundo. No hace falta mirar muy lejos para ver cientos de casos diariamente: una mujer en Latinoamérica, la modelo más famosa del mundo o incluso nuestra vecina del quinto. Cuando menos nos lo esperamos, ¡ZAS!, otra noticia más que nos deja la sangre helada. Aunque resulte raro de asimilar, en Yemen —como en otros muchos países— la ley establece que la mujer debe obedecer al marido, vivir en el lugar que él decida y no salir de casa sin su consentimiento. Si él decide que pasará toda su vida encerrada, la mujer no tiene elección, cumplirá lo que su marido le ordena. Con un poco de suerte podrá salir al mercado, pero si cuando llegue a su casa a su marido no le gusta el calabacín que acaba de comprar, le pegará hasta que le duelan los brazos. Sin ninguna otra explicación posible. Muchas mujeres nacen así, ven cómo les pegan a sus madres, sienten en sus propias carnes las palizas de sus padres y, posteriormente, de sus maridos. Para ellas es algo normal aceptar este tipo de relaciones. ¿No creéis que ha llegado el momento de decir ¡BASTA!?

Otro tema que quiero tratar es el del tráfico sexual, que, aunque no se relaciona directamente con lo anterior, si lo piensas, el destino de las mujeres es el mismo, la única diferencia radica en si la explota un solo hombre o todos los clientes de un burdel. Hace unos años vi un documental sobre la trata de personas de National Geographic y escuché a una víctima decir unas palabras que se me clavaron en el alma: «la prostitución nunca será un oficio como otro cualquiera porque nadie te respeta» y así, en ese mismo documental, Rocío Nieto, fundadora y presidenta de Asociación para la Prevención, Reinserción y Atención a la Mujer Prostituida (APRAMP) añadía que «la prostitución no es el oficio más antiguo del mundo, porque no es trabajo ni es nada. El trabajo más antiguo es la esclavitud, la demanda, el cliente que demanda. Si hay prostitución es porque hay demanda». En 2018, la Organización Internacional del Trabajo (OIT) afirmaba que veintidós millones de personas eran víctimas de la trata en todo el planeta, de las cuales menos del 10% fueron identificadas. Basándonos en datos ofrecidos por Radio Televisión Española (RTVE), un tercio de las víctimas de trata son menores y en torno al 70% corresponden a mujeres y niñas, frente a un 30% de hombres y niños. Según el último estudio realizado por Naciones Unidas, el 39% de los varones españoles ha pagado en alguna ocasión por mantener relaciones sexuales. España se sitúa así en el primer país de Europa y el tercero del mundo con más demanda de prostitución, seguido de Suiza, con un 19%, Austria (15%), Países Bajos (14%) y Suecia (13%). Si hablamos a nivel mundial, a España solo le adelantan Puerto Rico, con un 61% y Tailandia, con un 71%. Un dato realmente impactante es que España cuenta con más de 1500 prostíbulos; sin embargo, hay que tener en cuenta que dentro de estas cifras no se han contabilizado los pisos de prostitución, al que pocas personas tienen acceso y de los que no se sabe prácticamente nada. Otras cifras igualmente escandalosas son los cinco millones de euros que mueve diariamente este negocio. A pesar de ello, en 2017 solo se abrieron 103 causas judiciales por este motivo, según la Fiscalía General del Estado. A veces, aún teniendo indicios más que suficientes, casi un 48% de las investigaciones acaban siendo archivadas. Este es uno de los delitos más frecuentes del mundo, conocido por ser de los que mayor cantidad de dinero genera, unos 32.000 millones de dólares al año.

Cuando muchos clientes conocen las situaciones en las que viven las mujeres con las que mantienen relaciones sexuales piensan: «¿cómo van a estar obligadas si sonríen?». Caballero, tengo la respuesta para usted: ¡no tienen otra opción! O sonríen al cliente o cuando terminen su trabajo el proxeneta se encargará de darles un buen merecido. Los clientes no son conscientes de que eso es solo un disfraz que se ponen para aparentar, una treta para que no les peguen por detrás. Esta práctica es una violación de los derechos humanos. La mujer, como desde hace muchos años, sigue siendo una mercancía con la que comerciar, un producto, un objeto cuya vida no tiene valor, una subasta para los más ricos. Mabel

Lozano explica en su libro El Proxeneta, el cual os recomiendo encarecidamente, que «al convertirlas en objetos, las deshumanizas y así la carga emocional no hace daño al traficante». Estos mismos son los que eligen a mujeres vulnerables, sin estudios, con necesidades y escasa información sobre el mundo real, para violarlas, torturarlas, privarlas de alimentos, humillarlas, drogarlas..., porque no tienen poder de decisión, ni elección, ni otra escapatoria. Son presas fáciles. De hecho, son sus propios países las que las venden, sus parejas, sus amigos, incluso sus familias. Rusia, Ucrania, Rumanía, Lituania, Ecuador, Brasil, Uruguay, Nigeria, Ghana, Sierra Leona y Guinea son algunos de los países que se sitúan en el top del ranking de tráfico sexual. Las mandan a España para que tengan mayores oportunidades y facilidades para arreglar sus papeles, las engañan diciéndoles que tienen un trabajo para ellas, pero la realidad es que cuando llegan se dan cuenta de que las han vendido y que ya no hay vuelta atrás. Hay una deuda que tienen que pagar, y se tienen que prostituir para ello, pero el dinero nunca acaba en sus manos, ni la deuda se termina. Algo que descubrí en el proceso de documentación de esta novela y que me dejó muy impactada es que, en la actualidad, se puede comprar a una esclava por una cantidad de entre 200 y 1000 dólares en Asia, 2000 y 8000 en Europa y obtener una rentabilidad de más de 1000% al año. Como ves, los gastos de adquisición son muy bajos, casi insignificantes, en comparación con el dinero que luego ganan por ellas. La manera más eficaz de aumentar beneficios es reducir los costes. Cuanto más barato es el sexo, más gente lo comprará. Lo que significa que ellas cada vez tienen que trabajar con más hombres para que los proxenetas ganen más dinero. Estas mujeres están desprotegidas en todo momento desde que llegan a España, y cuando buscan ayuda están perdidas. Acudir a la policía, a veces, no es una opción, ya que en muchos países ellos mismos utilizan este servicio. Los policías corruptos aceptan sobornos para que los clubes sigan funcionando, cambian sus recorridos al patrullar si saben que hay esclavas en la calle o avisan a los propietarios si conocen alguna investigación en curso. En ocasiones, los jueces también están sobornados, de modo que nadie protege sus derechos. Si tienen un poco de suerte y consiguen salir vivas de ese infierno, sus vidas nunca volverán a ser igual. Tienen miedo de encontrarse de nuevo con los traficantes, no se atreven a salir solas de casa ni a buscar trabajo, porque creen que en cualquier momento volverán a por ellas y las devolverán al burdel.

Estos son algunos de los datos que he conseguido recopilar, pero te aseguro que hay muchos más. Te invito a que sigas indagando, viendo documentales, leyendo libros... Lo que quieras. Como has podido comprobar, estamos ante tres problemas globales muy graves. En dos de ellos, el sexo es un deber, un servicio que deben ofrecer sin importar el momento y a disposición siempre de otra persona, ya sea su marido o cualquier otro hombre. Tú, que estás leyendo esto, ¿te imaginas tener que vivir así? Nadie, absolutamente nadie, debería ser obligado a vivir de esa manera. ¿Hasta cuándo vamos a esperar para penalizar estos actos? ¿Hasta cuándo? Con este libro pretendo visibilizar lo que no se ve o nadie quiere ver. Si no se habla de esto, la sociedad no se va a dar cuenta de todo lo que hay detrás. Lo que no se ve, no existe y si no existe, ¿cómo vas a pensar en una solución? Ni siquiera piensas en ello.

En tu día a día jamás se te va a venir a la cabeza la explotación de mujeres y niñas o la venta de seres humanos. Si miras hacia otro lado, también te conviertes en culpable y cómplice de la situación. Lo puedo decir más alto, pero no más claro: ¡BASTA DE ROBAR VIDAS!

AGRADECIMIENTOS

Recuerdo perfectamente el día que terminé de escribir Una más, mi primera novela. Eran las 17.40 del 18 de febrero de 2020. La BSO de Shrek sonaba de fondo y una lágrima cayó de mis ojos hacia las teclas de mi portátil, las que tantas horas me habían aguantado durante los meses anteriores. Hoy escribo estas letras de agradecimiento con la música de El tiempo entre costuras. Qué sería nuestra vida sin las melodías que nos acompañan. Desde pequeña, como una buena tauro, he sido bastante cabezona y cuando algo se me ha metido en la cabeza no he parado hasta conseguirlo. Un día cualquiera supe que tenía que escribir este libro y, un par de años después, aquí lo tenéis. Han sido meses detrás de cada personaje, dolor diario por meterme tan de lleno en esta historia contada en primera persona, muchas investigaciones hasta conseguir ponerme en la piel de una mujer muerta en vida o en la mente de quien maltrata... Han sido meses de dudas e incertidumbre por no saber si lo estaría haciendo bien, por haberme embarcado en un proyecto tan grande sin atender a lo que me enfrentaba, por haber decidido un tema tan complejo y duro de tratar... Pero lo conseguí. Conseguí crear esta historia. Conseguí escribir un libro de más de 80.000 palabras y sentirme orgullosa de ello. Hay quienes sueñan con alcanzar un buen puesto directivo, tener una empresa, viajar a la Luna o formar una familia. Yo, sin embargo, siempre he soñado con escribir un libro. Quizá suene a cliché, pero todo esfuerzo tiene su recompensa y desde estas líneas os invito a que nunca dejéis de trabajar duro para conseguir aquello que queréis, porque llegará. Antes o después, llegará. Lo más importante es dedicarte en cuerpo y alma a tu gran pasión. ¿Os cuento un secreto? Lo más maravilloso que me pasó mientras escribí Una más fue saber que era feliz escribiendo, que era feliz contando historias, historias que no se cuentan todos los días ni se escuchan en la prensa. Así que, ¿qué más puedo pedir? Desde aquí os regalo la historia de Suhaila, una mujer que ha calado muy dentro de mí y que jamás voy a poder olvidar. Me gustaría dedicar esta novela, en primer lugar, a vosotros, papá y mamá. Estas páginas son vuestras. Gracias por todo lo que me habéis dado en la vida (y me seguís dando), por los buenos momentos juntos, por dejaros la piel cada día para que no me faltase de nada y pudiera volar alto "el día de mañana", pero sobre todo por los valores que me habéis enseñado. Eso es lo más esencial. Por esos valores hoy estoy aquí, contando esta historia. Papá, gracias por levantarte a las siete de la mañana a leer mi novela cada día hasta terminarla. Mamá, gracias por sentarte en la mesa de la cocina conmigo después del colegio y crear este hábito de estudio y constancia. También te la dedico a ti, Caroline, por ser la hermana que siempre soñaba tener y al final te hiciste realidad. Tú eres el hogar al que siempre regreso cuando llego a casa. No podría vivir sin ir a buscarte a tu habitación para pasar el rato juntas que nos permiten los fines de semana que nos vemos. A mí yaya y mi tito Chato, siempre habéis estado ahí. Fui vuestra primera nieta y sobrina, respectivamente, y he tenido el placer de pasar mucho tiempo a vuestro lado. Ojalá fuerais eternos. A Alba, por ser la persona con la que más me he reído, y me sigo riendo, en mi vida. Si me preguntasen qué es la amistad, tú serías la definición. Gracias por estar en cada momento que te he necesitado y ser la modelo de la portada (como sigas haciendo caso de mis locuras, no sé dónde vas a acabar...). A María, la voz de los cientos de karaokes con los que nos hemos venido arriba. Empezamos siendo compañeras de clase, luego compañeras de pupitre y, desde entonces, no pudimos separarnos. A Raúl, porque algún día tu vida será la historia de una de mis novelas. A Bea y Blanca, por aparecer cuando más os necesitaba. Gracias a los tres por todos los momentos que vivimos en nuestro ático de estudiantes en Cuenca. La mejor etapa de mi vida. Volvería con los ojos cerrados. Conoceros en la universidad fue lo más increíble que me pudo pasar. Nunca os vayáis de mi lado. A María José y a Mar, mi familia, a la que hace tiempo la dejé de considerar política y hoy en día son un gran pilar en mi vida. A mis lectores cero, además de los ya mencionados: Fran, Iván y Clara. Vuestra opinión significó más de lo que podéis imaginar. A la fotógrafa Noelia, por el gran trabajo que ha hecho para tener una portada de diez. A mi gran amor, Cristian. No sé qué haría sin ti.

Nunca hubiera llegado a publicar este libro sin tu apoyo incondicional. Nadie sabe la suerte que tengo de tener a un compañero de vida tan impecable como tú. Eres único. Gracias por tus esfuerzos diarios, por tu paciencia, por cada etapa, por sumar y nunca restar. Qué bonito es vivir intensamente a tu lado. Te amo como nunca pensé que podría amar a nadie. Siempre estaré agradecida de tenerte. Eres el mejor regalo.

Finalmente, a ti, queridx lectorx, por haberle dado una oportunidad a esta historia. Gracias y mil gracias. Espero que este libro te haya abierto los ojos a conocer una realidad que, a pesar de estar a plena vista, pocxs sois capaces de ver.

Made in the USA
Las Vegas, NV
05 February 2022

43246431R00229